JN271695

ときめきの観光学

澤渡貞男
Sadao Sawado

観光地の復権と
地域活性化のために

言視舎

はじめに

　さきに、『海外パッケージ旅行発展史——観光学再入門——』を世に問うたところ、望外の反響を得た。それは、単に表面的な海外旅行の形態分析、行動分析にとどまらず、数的分析、法律的側面からの分析を加え、多くの事実を引用して問題点を抽出したからであろうと理解している。そして、学会内では海外旅行産業の変遷を見る上での史料的価値が大きいとして評価され、多くの大学図書館、公立図書館に所蔵されることになったのは著者としてこの上ない喜びであった。

　筆者は拙著の中で、旅行における「付加価値」の重要性を何度も強調したのであるが、昨今の旅行業界を取り巻く厳しい状況を考えるとき、この考え方はますます重要になってきている。すなわち、取り扱い人数は増えたが、それに伴って業界に働く人の所得が増えたかというと必ずしもそうではなさそうな状況が現出してしまっている。それは、とりもなおさず、業界の生産性が低下したからに他ならない。低価格、激安路線は、確かに新規需要を開拓したが、それは業界全体の平均的生産性を下げてしまったのであった。シェアを伸ばした旅行業者にとっては、それは一見、満足の行く結果に見えようが、長い目で見た場合、その会社にとっても、業界全体にとっても、本当にプラスなのか、考え直すべきときに来ている、と筆者は考える。

　このような問題意識を持って、観光というものを考えてみたのが本書である。

　「観光」という言葉ほど、人口に膾炙した言葉はないだろう。だが、「観光」という言葉ほど、分かったようでいてよく分からない言葉もないだろう。人によって捉え方が様々である上に、共通の定義がない。実際にその場へ行かないと、つまり、自身で体験を積まないと、概念だけでは理解できないことが多い。分からないことを分かったように説明するために、日本とは大いに異なる国の概念を引用したり、やたらと新しい言葉を用いたがる。新しい言葉を使うことで、なんとなく分かったような気持ちにさせる。これでは、読者の混乱はますます深まるばかりである。

　観光に関する書物は、読者がそれを読んだとき、少しでも自分の体験に即

して、イメージが湧いてくるものが望ましいと、筆者は、常々思っている。

　本稿では、旅行を構成する要素の中で大きな意味を持つ観光地について、筆者の実際の経験も踏まえ、様々な方法で読者の体験に訴えつつ、その変遷と地域へのつながりを考察しながら、帰納して、観光とは何か、観光地が現代という時代の中でどういう意味を持っているのか観光産業は何を目指すべきなのかを少しでも追求できればと願っている。これらを通じて、観光学の主要なテーマに、ひとつの考え方を提示できるのではないかと考える。

　日本、海外のかなりの「観光地」を歩いたが、もとより完璧であるとは思えない。足りない部分については、類型化によって補い、地元の方々の声によって判断せざるを得なかったが、文献の引用だけよりは、はるかに実態を表しているのではないかと自負している。読者は、自分の記憶と体験を思い起こしながら、各章を読むことで筆者の意図をかなり具体的にイメージすることができよう。また、可能であれば、次の機会に、本書に登場する観光地を１カ所でも２カ所でも訪れることができれば、さらに理解が深まるであろうことを確信して止まない。筆者は、今後もさらに各地を歩き続けることによって、少しでも真の姿に迫ることができればよいが、と考えているが何分にも対象の範囲の広いこと、これまでの時間的な経過の長さから、記憶に誤謬があることを恐れる。心ある読者の温かいご指摘、ご批判をいただければ幸甚である。

　読者諸兄姉が「観光」というものを考え直す上で、本書が、すこしでもそのよすがとなれば筆者の喜び、これにすぐるものはない。

目次

はじめに 3
序 9

第1章 観光地と観光旅行 11
1. 「観光」という言葉と「観光地」という言葉 11
2. 日本における「観光」と「観光地」の歴史的概観 15
   (1) 「観光」「観光地」という言葉のはじめ 15
   (2) 「観光地」という言葉が登場する前の日本の旅行 16
3. 観光地の成り立ち 26
4. 観光資源による観光地の分類 28
   (1) 気候 28
   (2) 自然空間 29
   (3) 文化空間と文化遺産の観光地 30
   (4) 人工的につくられた空間 32
5. 観光旅行を構成するもの 35

第2章 観光地の変遷と盛衰 39
1. 温泉地の盛衰 39
   (1) 日本の温泉と温泉地 39
   (2) 日本人の温泉旅行の移り変わり 42
   (3) 温泉地を取り巻く状況の変化 46
   (4) 温泉旅館のビジネスモデルと倒産 49
   (5) 由布院のケーススタディ 51
   (6) 加賀屋のケーススタディ 58
   (7) 稲取のケーススタディ 60
   (8) 黒川温泉のケーススタディ 65
   (9) 再生ビジネス 67
   (10) 熱海・白浜のその後 70
2. テーマパークの明暗 71
   (1) テーマパークの起源と発生 71

（2）ハウステンボス　78
　　　（3）東京ディズニーランドと東京ディズニーシー　81
　　　（4）テーマパークの開発による地域への影響　88
　　　（5）テーマパークのまとめ　89
　　3．リゾート法の反省　89
　　4．門前町の盛衰　92

第3章　観光による地域の活性化、振興と再生　97
　　1．観光による地域振興のきっかけになるもの　97
　　　（1）世界遺産への登録　97
　　　（2）新しい観光資源の出現　97
　　　（3）姉妹都市による（外国との）交流　98
　　　（4）メディアによる露出　99
　　　（5）新線、相互乗り入れ、特色ある列車、交通システムの変化　105
　　　（6）公営の観光・リゾート施設ができる　109
　　　（7）キャンペーンの実施　110
　　　（8）地域の努力による魅力の創出　112
　　　（9）MICE　114
　　　（10）パッケージ旅行への取り込み——旅行の容易化　114
　　2．観光による地域振興のケーススタディ　115
　　　（1）歴史的な古い町の再生——長浜　116
　　　（2）観光によって活気を取り戻した歴史ある町　125
　　　（3）商店街の再生　126
　　　（4）交通の変化をきっかけとした町づくり（貴志川線のケーススタディ）　128
　　　（5）家並みの美しい町——伝統的建造物群保存地区　130
　　　（6）炭鉱町の再生——夕張と常磐　136
　　　（7）鉱山町の振興——直島　142
　　3．観光を支える人材——ボランティアガイド、観光カリスマ、
　　　　　　　　　　　　　　　　　　　観光地域プロデューサー　143
　　4．外国人による地域の活性化　153
　　　（1）外国人による魅力の発見　153
　　　（2）姉妹都市　155

5. MICEによる地域の活性化　158

第4章　キャンペーンとプロモーション・広報活動　161
　1. キャンペーンとは何か　161
　　(1) キャンペーンの4段階　161
　　(2) キャンペーンとプロモーション　163
　2. キャンペーンの実例　166
　　(1) 鉄道会社によるキャンペーンとプロモーション　166
　　(2) 航空会社のキャンペーン──地方空港問題と補助金　173
　　(3) 観光局によるキャンペーン　174
　　(4) 自治体のキャンペーン　179
　　(5) 「観光圏」という考え方　180
　　(6) VJC──外国人による地域の振興　184
　　(7) ケーススタディ──キャンペーンとしての「平城遷都1300年祭」　190
　　(8) キャンペーンの重要性　196
　　(9) キャンペーンと観光地──観光地は作られる　197

第5章　観光による経済効果　199
　1. 日帰りと宿泊の経済効果　199
　　(1) 所得　199
　　(2) 雇用　201
　　(3) その他　202
　2. 外国人による経済効果　203
　3. MICEによる経済効果　204
　4. 休日の分散化　204
　5. 土産品の効果　205
　6. 税収効果　206

第6章　観光政策の展開　207
　1. 政府による計画　207
　　(1) テンミリオン計画　208
　　(2) 観光交流拡大計画　208

（3）TAP 90's　209
　　　（4）ウエルカムプラン 21　209
　　　（5）VISIT JAPAN CAMPAIGN（VJC）　210
　2．観光政策に関する法律群　210
　　　（1）観光立国推進基本法　210
　　　（2）伝統芸能に関する法律　212
　　　（3）外国人観光客の誘致、MICE 関連の法律　214
　　　（4）リゾート法　217
　　　（5）通訳案内士法　219
　　　（6）観光圏に関する法律　220

第 7 章　観光地と観光産業の課題と展望　223
　1．課題と問題提起　223
　　　（1）格安旅行をめぐるさまざまな課題──旅行者にとって本当に得か？　223
　　　（2）パッケージ旅行における事故と旅行会社の旅行業法上の責任と問題点
　　　　　　227
　　　（3）交通の高速化による観光地への影響──宿泊者が増えないという問題
　　　　　　229
　　　（4）世界遺産登録と住民の生活　231
　　　（5）老舗旅館の倒産　234
　　　（6）これからの観光旅行に求められるもの　234
　　　（7）パッケージツアーの原点回帰　234
　　　（8）観光地の評価とガイドブック　2347
　　　（9）観光地の付加価値とは何か？　239
　2．観光産業の展望（結びに代えて）　240

あとがき　243
主要参考文献　245
索引：図表　247

序

　観光産業は裾野が広い。一人の観光行動がどのように多くの人々を巻き込み社会に影響を及ぼしているかは、少し考えてみればよく理解できることである。
　読者が例えば自宅から京都に出かけることを考えてみればよい。
　京都までの新幹線、訪ねたい寺社までの地下鉄やバス、そこで支払う拝観料、素敵なお庭や仏像を見た後の一服の抹茶とお菓子の美味しかったこと。散歩しながら見つけたお土産の小物。夕食にいただいた京料理の味わい。宿泊した宿の風情……。
　それぞれの場所で感動の対価として支払ったお金はそこに生活している人々の糧となり、彼らが日々の生活のため買い物に行く店の人の生活に繋がる。
　一人の支払うお金はわずかでも、それが1年分積み重なると、莫大な金額となり、その地域に大きな経済効果をもたらす。それは、旅行者が支払ったお金の総和の2倍以上になるのである（第5章「観光の経済効果」を参照）。
　人口の減少で、ものづくりだけでは経済活動が徐々に衰退していくと思われるとき、人の交流――特に観光による交流が大きな意味を持ってくる。「観光」という言葉ほど人それぞれの解釈の仕方がある言葉も珍しいであろうが、従来、どちらかというと、「遊び」的な意味での軽い言葉として捉えられることが多かった。しかしながら、日本を取り巻く状況の変化に伴いこれを、もう少し別の面から捉えることが必要になってきているのである。
　この小論は、それらの問題点を少しく掘り下げ、今までの固定観念をresetして「観光」というものを考え直してみようとするものである。あわせて、様々な場所、様々な言葉が飛びかう、観光関連の事象を少しでも統一的にまとめ、その共通性を見つけ、異同を明らかにすることによって、観光地ないし観光というものの本質に迫りたいと考えたのである。
　本書では、全体を7章に分け、まず、「観光地」と呼ばれるものがどのように成り立っているのかを確認し、そこから、「観光」行動とは、どのような性格を持ったものなのか考察する。次に、日本における代表的な観光地がどのような歴史的経過をたどってきたか、どのように発展し、どのような状

況によって衰退したかを見ていく。

　そして、これらのことから、観光地を振興させ、観光によって地域を振興させるには、どのようなことが必要になるのかを具体例を見ながら検討し、とりわけ重要な意味を持つキャンペーンについて考察する。さらに、観光振興を果たした地域にはどのような経済効果が期待できるのかを分析し、観光振興を促す政策にはどのようなものがあったかを、国の計画と法律によって概観する。最後に課題と展望についてについてまとめることにする。本書を通読することによって観光政策に必要な諸知識を習得することができよう。項目ごとに読むのでもよいが、筆者の意図を正確に理解するためにもできるだけ第1章から読み始めるのがよいと申し上げておく。

第1章

観光地と観光旅行

1.「観光」という言葉と「観光地」という言葉

「観光」や「観光地」といういささかあいまいな言葉を考えるために、身近なことを例に挙げてみよう。読者諸兄姉が「観光地」に行くときの行動を頭に描いてみればよい。

　日本で、「最も有名な観光地」といわれるものの一つに京都がある。京都市の資料「京都市観光調査年報」によれば、2008（平成20）年には年間5000万人の「観光客」が訪れた。読者諸兄姉が京都を訪れるに際して、例えば、次のようなプランをたてて行動したとしよう。

東京や大阪からの観光客が京都へ行く場合【観光客の行動の一例】
（第1日）
東京⇒　　　　　（新幹線）⇒　京都駅
大阪・梅田　⇒（阪急電車）⇒　河原町　｝⇒（バス）⇒銀閣寺⇒（バス）
大阪・淀屋橋⇒（京阪電車）⇒　出町柳

⇒嵐山で名物の湯豆腐の昼食をとる……嵯峨野を歩き野々宮神社、祇王寺などを拝観する。庭や宝物を拝観して、その場所にまつわる歴史がよみがえり、あたかも自分がその時代にタイムスリップしたかのような感じになる。たまたま、この日に行われる祭りを見物することができた。

京都の地主神社（京都・東山）

⇒（嵐電）⇒太秦映画村⇒（バス）⇒途中、祇園の町屋カフェで京都の和菓子と抹茶を味わう……そのあと、祇園界隈を歩いて、京情緒に浸った……夕食は京料理を味わいながら伝統芸能を鑑賞……ライトアップされた夜道と寺の庭園を散歩……もてなしに評判高い旅館に泊まった

（第2日）
旅館⇒（バス）⇒京都国立博物館を見学⇒（バス）⇒清水寺を参詣……パワースポットとして有名になった地主神社で恋愛成就を祈る……三年坂を歩く……清水焼をお土産に買う……いろいろと楽しい思い出ができたと満足して帰路に着いた

⇒河原町⇒　（阪急電車）⇒大阪
⇒祇園四条⇒（京阪電車）⇒大阪
⇒京都駅⇒　東京

地主神社の「恋占いの石」

　かなり、密度の高い旅行といえようが、これらの行動の中にある何を、我々は「観光」と呼んでいるのであろうか？

沖縄に行く例を挙げてみよう。
　①沖縄那覇空港まで飛行機に乗り、そこで乗り換えて久米島まで行く。
　②迎えに来てくれた車でホテルに向かう。
　③チェックインしてから、早速、ビーチに向かい一泳ぎする。
　④のんびりと砂浜を歩き海の風を満喫する。
　⑤ホテルに戻ってシャワーを浴び、夕食までのひととき身体を休める。
　⑥ホテルの庭でバーベキューの夕食をする。星空がとても綺麗だ。
　⑦心地よい疲れと酒の酔いがまわって早めに休む。

北海道ではどうか？
　①新千歳空港まで航空機で行く。空港からエアポートライナーで札幌駅まで行く（時間に余裕のある人は、豪華寝台列車で札幌駅まで行く。この間、食堂車での時間の流れ、連れとの会話を心ゆくまで楽しむ）。
　②市内を地下鉄とバスでめぐる。時計台、大通り公園、北大構内など。

③ビール園でビールとジンギスカンを味わう。北海道で飲むビールは、空気が乾いていて美味しく感じられる。
④夕刻、すすきのを散策する。とうもろこしを買って食べる。
⑤ホテルのバーで静かなひとときを過ごす。
　翌朝、小樽へ向かう。
⑥手前の小樽築港駅でおり、「石原裕次郎記念館」を訪れる。青春が蘇る気がした。
　市内中心部に戻る途中、ガラス工芸の店に立ち寄り記念の品を買う。
⑦ニシン御殿や船会社の建物を見て往時を偲ぶ。
⑧夕暮れ直後が美しい小樽運河を散策する。
⑨夕食はすし屋横丁ですしを食べる。
⑩天狗山からの夜景を楽しむ。夏でもさすがに夜は涼しい。
　次の日は列車で富良野へ向かう。

中富良野町のファーム富田

⑪富良野のファームでラベンダーの花盛りを見る。
⑫テレビドラマ『北の国から』のモデルになった場所を見に行く。
⑬チーズファクトリーでお土産にチーズを買う。チーズというとやはりワインだ、というわけで富良野のワインも買うことにした。
　昨日、ファイターズが勝ったので、今日はカレーライスが100円でいいという食堂があった。では、ということでそれをランチにする。後に食べたアイスクリームもおいしい。新鮮野菜を使ったスープのレトルトを売っていたのでそれも求める。
⑭テレビドラマ『風のガーデン』のモデルになったイングリッシュガーデンを見に行く。花々のなんと美しいこと。ここでも、花をあしらったお土産の小物を思わず買ってしまった。夏の北海道の美しい景色を眼に焼き付けて帰途に着く。

ここに挙げた３つの例に共通するものを観光旅行の「**要素**」として取り出してみよう。
　①今住んでいる場所から目的地までの移動、及び移動手段。
　②現地で旅行者が見たい、聞きたい、食べたい、味わいたいと思うものがある。
　③自分の体とのかかわり（スポーツをすること、それに続くリラクゼーション、温泉、自分の昔を思い出すこと、視覚的、聴覚的、嗅覚的美しさにふれることによる癒し）、自分がフィクションのあるいは歴史上の主人公になったような感覚（フランスの社会学者カイヨワによる遊びの分類の中にいう「ミミクリ」）、旅行に出たことによる得をした気分、思い出をつくること。
　④人とのかかわり（会話、親切、ホスピタリティ、言葉）。
　⑤情緒、雰囲気、夢幻的な美しさ（ライトアップされた道、庭）時間が普段と違ってゆっくりとすぎていくこと、気候が快適であることなど。
　⑥買って帰りたいお土産がある。
　⑦宿泊（日帰りの場合は除く）すること、そのための施設。
　⑧達成感から来る満足感。

　たった１日の旅行でも80日間の世界一周でもこのようなものが複雑に絡み合って成り立っているのである。その中で、「観光地」といわれるところは、旅行者という人間が、そういったこと（上記の②から⑧まで）をすることができる場所ということになる。逆に言えば、こういった要素が一つもなければ、それは、「旅行」であっても「観光旅行」をしたことにはならない。このことから、「観光地」をその構成要素によって表わせば、旅行者の直接の目的・対象となるものとそれを達成するための補助的なものに分かれる。前者を、「観光資源」（観光の目的となるもの）、後者を「観光施設」と呼ぶことにしよう。人的なものは、双方を含むので、区分けして、「人的要素」と呼ぶことにする。

　日本に数多ある「観光地」のうち、観光資源しかないところや、観光施設があっても不十分なところも多い。人的要素が不足しているため観光資源を活かしきっていないところも多い。**観光資源と観光施設そして人的要素のバ**

ランスを考えることが観光地にとってきわめて重要なのである。このような基本的な考えを基にさらに考察していく。その前に、日本における、観光、観光地の歴史的な流れを振り返って概観してみよう。

2. 日本における「観光」と「観光地」の歴史的概観

(1)「観光」「観光地」という言葉のはじめ

　日本人の間で「観光」という言葉が広く人口に膾炙する以前から旅行はあったわけだし、余暇を楽しむための旅行も存在した。それがいつごろからどのような経緯で「観光」という言葉に変化していったのか、確かなことはわからない。鉄道局に「国際観光局」が置かれたのは昭和5年であったが、これは日本人の旅行促進ではなく外貨獲得のための外国人誘致が目的であったから、これをもって日本人の観光が始まったとするのには無理があろう。当時、一部の人々には「観光」という意識が存在していたということはできよう。また、「日本観光連盟」の設立が昭和11年であるから、その頃にはかなりの人たちが「観光」という言葉を意識し用いていたことになる。

「観光」という言葉は、今までに多くの人によって定義づけがされており、範囲に若干の差異はあるものの、かなり共通の認識を得られているように思われる。
　新村出博士の『広辞苑（第2版）』では、「文物・風光などを見聞して歩くこと」。
　また、松村明教授の『大辞林』（三省堂、1988年）では「他国・他郷を訪れ、景色風物などを見て歩くこと」と説明されている。
『広辞苑』が世に出た当時は、一般的な人の移動距離が現代に比べて圧倒的に短かったので、あえて「他国・他郷を訪れ」と入れていないのかもしれない。それに比べて現代では移動に伴う時間的な距離が圧倒的に短くなったので、あえて「他国・他郷を訪れ」と入れているのかもしれない。
　すなわち、空間移動を伴って日常生活空間を離れ、他の場所で普段とは異なった体験をすること（見聞、交流、ホンモノ体験など）を指しているといえよう。
　さらに、中国の古典である『易経』には、「観国之光　利用賓于王」とい

う文章があり、ここから観光という言葉が、用いられ始めたとする説も多い。

　因みに、Oxford English Dictionary（全13巻本、1969年）を見ると、"sight"に17の意味が説明してあって、そのいくつかを引用すれば、1. "a thing seen esp. of a striking or remarkable nature : a spectacle" 1C "those features or objects in a particular place or town which are considered to be specially worth seeing" 5. "a view, look or glimpses of a thing" とある。

　そして、"sight seeing" に対しては、"the action or occupation of seeing sight"、"tourism" に対しては "The theory and practice of touring : Traveling for pleasure usually depreciatory" とあるので、通常は見下した感じで用いられていることが分かる。

　現在の用いられ方は、易経に現れる「観光」やＯＥＤの "SIGHT SEEING" より範囲が広いということに注意しておくことが必要である。

　しかしながら、「観光地」という言葉になると、「観光」より、さらに漠然としていて、人によって捉え方がさまざまで、その意味する範囲もはるかに広いように思われる。

　現在の著名な「観光地」をいくつか挙げて考えてみれば、よく理解できる。

　例えば、ある人は箱根を観光地として挙げ、また、ある人は京都を、他の人は東京ディズニーランドを挙げるかもしれない。関西に住む人だったら、南紀の多彩な温泉や、熊野古道を挙げるかもしれない。そこには、美しい自然の風光や温泉、歴史に彩られた空間と遺産、人工的に作られてはいるが夢にあふれた別世界がある。人によって求めるものは異なるものの、そこには、必ず、共通したくくりで捉えられるものが含まれているのである。これらを、観光を構成する要素と考えれば、その共通項を注意深く観察していくことによって、「観光地」というものの実態が、よりよく理解できるに違いないであろう。このような問題意識に基づいて考察を進めることにしよう。

(2)「観光地」という言葉が登場する前の日本の旅行
①古代中世の旅行スポットと観光地としての歌枕（古代、中世における観光認識）

　日本の古代、中世を通じて公用の旅行がほとんどであったから、いわゆる

観光目的の旅行は存在しなかったと思われるが、僧の諸国行脚やそれに掛けて史跡名勝などを巡ることは行われていたようである。分けても「歌枕」を見たり、想像することは、貴族の楽しみであったらしい。歌枕とは日本の古典文学を播いた人はご存知であろうが、「和歌を詠むときに必要な歌語・枕詞・名所など」（『大辞林』）と説明されるごとく、和歌に引用される地名のことで古来より親しまれてきた畿内、畿外、東国の地名、とりわけ、当時崇敬されていた神仏にゆかりの場所、歴史的な事件のあった場所、語呂合わせにより連想を誘う場所をいう。全国に1000カ所以上あると言われており、著名なものをいくつか挙げると、「白河の関」「信夫」「末の松山」塩竈は陸奥に、「隅田川」「筑波嶺」「田子の浦」はそれぞれ武蔵、常陸、駿河に、「難波津」「芥川」は摂津に、「宇治」「逢坂山」「鞍馬山」は山城に、「天香具山」「二上山」「飛鳥川」「竜田川」「初瀬」「石上」「吉野山」は大和に、「天橋立」は丹後にある。

逢坂の関跡に残る蝉丸の歌碑

国文学者で歌枕の研究家であった長谷章久博士は、「歌枕研究の意義」（同博士編『風土と文学』所収。昭和59年、教育出版文化センター）の中で歌枕の成立要因には7つのタイプがあると指摘している。それらは、

①名勝・佳景として喧伝されたもの（富士、須磨、布引滝、松帆の浦、天橋立など）
②交通の要衝としての関心（武蔵野、足柄、青墓、鈴鹿など）
③歴史的事件（含む伝承）に対する興味（衣川、姨捨山、蒲生野、伊吹山、大江山など）
④信仰上の霊地（熱田、谷汲、竹生島、高野、那智、出雲宮など）
⑤名称の面白さ（掘兼井、木枯森、涙川、待不得山、思川など）
⑥特殊事情への興味（音無滝、室八島、走湯、望月牧など）
⑦先行作品の影響（信夫、末松、真間、高師浜、淡路島、由良門、因幡山

など)

のように分類されるが、これらは、単なる客観的な自然ではなく、自然に自己の心をないまぜにして、そこに一つの抽象美を見出しており、日本人の特性と言えるかもしれないものである。歌枕は、このような日本人の通念の凝縮とも考えられ、だからこそ、詠歌に取り込まれた場合、いわゆる「言外の景気」としての広がりを見せることになる、とも指摘している。

題詠が盛んになってから、平安京という狭い中の名所だけでは、陳腐に陥りがちであったため、「ひとの国」と呼ばれた五畿内以外にもしかるべき名所を素材として求めるようになったこと、三十一音という短い字数で大きな世界を表現しなければならない和歌の世界では、歌枕の持つ意味の重層的な性格は有効であり、同音意義の面白さに加えて、表現内容の拡大をもたらすので、異なった土地、異なった風土への興味と関心を高めるのに役立ったこと、それらの結果として歌枕が成立したともいえよう。いずれにしても、歌枕は、古代人にとっての異なる土地への興味と関心を示すものであった。源氏物語の主人公光源氏のモデルといわれる源融がその財力に任せて作った六条院の庭は、陸奥の歌枕である『塩竈』の風景をイメージして作られたといわれており、京都市下京区に現存する枳殻邸(渉成園)がその一部とされていることからも、平安貴族の歌枕への関心の強さが推し量られよう。

枳殻邸(渉成園)の庭園

賢明な読者は既にお分かりのとおり、山城、大和の歌枕は、そっくりそのまま、史跡、名勝となっているものが多く、同時にそれらは現代の観光スポットともなっているのである。能因法師は、歌枕の解説書『能因歌枕』を著しているし、歌枕をリストアップした『歌枕名寄』があることからも理解できるように、移動がままならぬ時代であっても、人々の日常と異なる場所や時間への願望は強かったのである。花鳥風月を愛した西行法師や、宮中で喧嘩して一条天皇に「『歌枕』を見てまいれ」といわれて陸奥の国に左遷された藤原実方のように、また、近世に入ってからは芭蕉が奥の細道紀行で実践したように、実際にそれらの歌枕を見た人もいるが、ほとんどの人は、頭の中だけで歌枕を想像する「観念の遊び」であった。歌枕を思い描きながらイメージを膨らませ、それを取り込んで和歌を作るということは、概念的では

あるが、一種の観光行動であると考えられ、歌枕はこの時代における観光地的性格を持っていたといえよう。

　歌枕に実際に行ってみると、現代人にとっては「なーんだ」と感じられるところもある。当時と現代で景観が変わってしまったことにもよろうが、知的刺激の少なかったことを考慮すれば納得がいくし、一見なんでもないところに魅力を再発見するということが、現代の観光行動に通じるものがあることを指摘しておきたい

　このように時代は異なっても、「好奇心」という人間の本源的な願望は少しも変わっていないということが理解できよう。

②寺社参拝と名所・旧跡（近世における観光認識）
　日本人にとっての旅の原風景は寺社参詣と温泉がその最たるものであろう。

　江戸時代も半ばをすぎると、生産力の向上に伴って、徐々にではあるが生活にゆとりが生まれるようになった。しかしながら、一般庶民の移動（旅行）が自由にできたわけではなかった。単なる物見遊山ではなく、領主を納得させる名目が必要であったのである。寺社に詣でるのは、個人の宗教的な行為であり、これを、政治的強権を持って禁止することは、人心を離反させることになるから得策ではなった。だから、積極的に奨励もしないが、願い出があれば、すべてダメというわけにもいかなかったのである。

　温泉も娯楽というよりは、医療的な意味合いが濃かった。「湯治」という言葉がそれを端的に示している。肉体労働が多かった当時の仕事からみて、これも、首肯できることであろう。すなわち、両者とも、土地に縛り付けられている庶民の旅行の名目として、領主に対して説得力のあるものであったのである。

　正式な許可を得ずに出かけることも多々あったらしくこれを「抜け参り」と称したが、後で露見しても、このような名目があれば、領主も大目に見ることが多かったといわれる。

　一生のうちに何度も行けないことが分かっていたから、寺社参詣のあと、ついでにあそこも、湯治のあとあそこもとなるのは当然の成り行きであろう。そして、やがて、初めから、寺社詣でだけでなく、同時にあっちもこっちも見るというように変わっていった。勿論、途中に温泉があればそこへも寄る

ようになった。

　寺社参詣による神仏の恵みとして、遊楽の旅を授かるのだからこれは正当な行為なのだという意識があったのだと考えられる。寺社詣でを大きな名目として、次第に、全体が観光的な旅行が増えていったのである。
「伊勢参り　大神宮にもちょっと寄り」という古川柳が、当時の庶民の旅の実態を端的に表わしている。

　さらに、寺社には、自分のところに参詣を促す、「御師」といわれる人々がいた。オフシーズンに自分の寺社の功徳を説いてまわり、寺社参詣の旅行を募って宿泊の手配をした。現地では、山への道案内をし、説明ガイドをつとめたのである。このような、いわば、「旅行の容易化」が行われ、『都名所図会』『旅行用心集』などの旅行書が出版されるようになると、旅行に出かけようとする人たちも、「講」を組織して、その地域の住民が輪番で出かけるような工夫をするようになった。そのための積み立ても行われるようになったのである。伊勢神宮参詣は多くの庶民にとって一生に一度とも言える大きな夢であったのだ。

　徳川時代は、伊勢、富士山、熱海が三大観光地であったといわれるのも、以上のことから説明できる。補足すれば、富士は、景色が秀麗であるばかりでなく音が「不死」に通じることから、古代より崇められてきたのでこれを眺めることは長寿を願うことでもあったのである。

　江戸をベースに考えれば、近場で大山、日光（2泊3日程度）、中距離では伊勢詣で（4〜5週間程度）、長期では熊野詣で（片道30日前後）、西国八十八ヵ所霊場巡りなどがその典型的なものである。

　熊野詣でに行けない人のために、熊野権現を勧請したとする社が各地に残ることで、この信仰が広く浸透していたことを理解できよう。

新熊野神社（京都市東山区）

　京都市東山区にある

新熊野（いまくまの）神社は、後白河上皇の建立になるが、これは、母親であった待賢門院が熊野に行けなくなったため、京の都に、熊野からわざわざ木を運び、熊野坐神社（現在の熊野本宮）とそっくりの社殿を作って、熊野の神を勧請したものという。日本の各地に「いまくまの」（「今熊野」「新熊野」と記すことが多い）の地名がのこり、「熊野神社」が全国にあることも、そのことを示している。

西国三十三ヵ所霊場巡りは花山法王（968 ～ 1008［寛弘 5］年）のときに始まったといわれている。その原型は弘法大師の四国八十八カ所巡礼であるとされるが、四国は京都からは遠すぎ（四国は流刑地でもあったのだから）、熊野詣でにプラスして観音霊場巡りをしたものと考えられる。これも長い時間とお金を必要としたから、誰でもおいそれとは出かけるわけにはいかなかった。それゆえ、関東には「坂東三十三ヵ所霊場巡り」、中国地方には「中国観音霊場巡り」というように、各地にそれを模したものが誕生した。

これらは一種の擬似体験ではあるが、信仰という意味ではホンモノとなんら変わるものではなかったのである。そして寺社参詣はそのあとに必ずといってよいほど行楽を伴った。すなわち、今でいうストレス発散である。抑圧された世の中であればあるほど、その気持ちは強くなり、経済力が強くなればなるほど、体制とは別に、人間の本性をさらけ出すことにもなったのである。

門前町という言葉があるように、宿屋を中心に町ができ、遊興の場所ができていった。遊女が集まり、歌舞音曲を生業とするものも多かったのである。

表-1　主要門前町の一覧

●北海道・東北地方	中山－千葉県市川市－法華経寺
塩竈－宮城県塩竈市－鹽竈神社	浅草－東京都台東区－浅草寺
岩沼－宮城県岩沼市－竹駒神社	上野－東京都台東区－寛永寺
手向－山形県鶴岡市－出羽神社（羽黒山神社）	湯島－東京都文京区－湯島天満宮
●関東地方	柴又－東京都葛飾区－柴又帝釈天
笠間－茨城県笠間市－笠間稲荷神社	西新井－東京都足立区－總持寺（西新井大師）
鹿島－茨城県鹿嶋市－鹿島神宮	亀戸－東京都江東区－亀戸天神社
佐野－栃木県佐野市－惣宗寺（佐野厄除け大師）	深川－東京都江東区－富岡八幡宮
日光－栃木県日光市－日光東照宮、日光二荒山神社、輪王寺	池上－東京都大田区－本門寺
大宮－埼玉県さいたま市大宮区－氷川神社	大宮－東京都杉並区－大宮八幡宮
大宮郷－埼玉県秩父市－秩父神社	高幡－東京都日野市－金剛寺（高幡不動）
鷲宮－埼玉県久喜市－鷲宮神社	高尾－東京都八王子市－高尾山薬王院
野火止－埼玉県新座市－平林寺	川崎－神奈川県川崎市川崎区－平間寺（川崎大師）
香取－千葉県香取市－香取神宮	藤沢－神奈川県藤沢市－清浄光寺（遊行寺）
成田－千葉県成田市－成田山新勝寺	江の島（江島・江の島）－神奈川県藤沢市江ノ島－江島神社
小湊－千葉県鴨川市－誕生寺	寒川－神奈川県高座郡寒川町－寒川神社
	鎌倉－神奈川県鎌倉市－鶴岡八幡宮

●中部地方
身延―山梨県南巨摩郡身延町―久遠寺
大宮―静岡県富士宮市―富士山本宮浅間大社
弥彦―新潟県西蒲原郡弥彦村―彌彦神社
長野―長野県長野市―善光寺（長野善光寺）
上諏訪―長野県諏訪市―諏訪大社・上社
下諏訪―長野県諏訪郡下諏訪町―諏訪大社・下社
大須―愛知県名古屋市中区―大須観音
笠寺―愛知県名古屋市南区―笠寺観音
熱田―愛知県名古屋市熱田区―熱田神宮
豊川―愛知県豊川市―豊川稲荷
門前―石川県輪島市―總持寺祖院
志比―福井県吉田郡永平寺町―永平寺
敦賀―福井県敦賀市―氣比神宮
●近畿地方
宇治―三重県伊勢市―伊勢神宮・内宮（皇大神宮）
山田―三重県伊勢市―伊勢神宮・外宮（豊受大神宮）
長浜―滋賀県長浜市―大通寺（真宗大谷派長浜別院大通寺）
多賀―滋賀県犬上郡多賀町―多賀大社
坂本―滋賀県大津市坂本地区―比叡山延暦寺・日吉大社
嵯峨鳥居本―京都府京都市右京区―愛宕神社
産寧坂―京都府京都市東山区―清水寺
深草―京都府京都市伏見区―伏見稲荷大社
祇園―京都府京都市東山区―八坂神社
貴船―京都府京都市東山区―貴船神社
大坂―大阪府大阪市中央区―石山本願寺
今宮―大阪府大阪市浪速区―今宮戎神社
住吉―大阪府大阪市住吉区―住吉大社
天王寺―大阪府大阪市天王寺区―四天王寺
中島―大阪府大阪市北区―大阪天満宮
鳳―大阪府堺市西区―大鳥大社
西宮―兵庫県西宮市―西宮神社、廣田神社
社―兵庫県加東市―佐保神社
三宮―兵庫県神戸市中央区―生田神社
吉野―奈良県吉野郡吉野町―吉野神社、金峯山寺他
初瀬―奈良県桜井市―長谷寺
丹波市―奈良県天理市―天理教本部、石上神宮
橿原―奈良県橿原市―橿原神宮
生駒―奈良県生駒市―宝山寺
斑鳩―奈良県生駒郡斑鳩町―法隆寺
本宮―和歌山県田辺市―熊野本宮大社
新宮―和歌山県新宮市―熊野速玉大社
那智―和歌山県東牟婁郡那智勝浦町―熊野那智大社

●中国地方
杵築―島根県出雲市―出雲大社
西大寺―岡山県岡山市東区―西大寺
宮内（吉備津）―岡山県岡山市北区―吉備津神社
一宮―岡山県岡山市北区―吉備津彦神社
大谷―岡山県浅口市―金光教本部
総社―岡山県総社市―總社
宿（山手）―岡山県総社市―備中国分寺
宮内・新市―広島県福山市―吉備津神社
土堂・久保―広島県尾道市―千光寺等
宮島―広島県廿日市市―厳島神社
宮市―山口県防府市―防府天満宮
●四国地方
琴平―香川県仲多度郡琴平町―金刀比羅宮
讃岐観音寺―香川県観音寺市―観音寺
善通寺―香川県善通寺市―善通寺
讃岐国分寺―香川県高松市―（讃岐）国分寺
●九州・沖縄地方
香椎―福岡県福岡市東区―香椎宮
箱崎―福岡県福岡市東区―筥崎宮（筥崎八幡宮）
宗像―福岡県宗像市―宗像大社
宮司元―福岡県福津市―宮地嶽神社
太宰府―福岡県太宰府市―太宰府天満宮
英彦山―福岡県田川郡添田町―英彦山神宮
久留米―福岡県久留米市―水天宮（総本社）
高良山―福岡県久留米市―高良大社
佐賀―佐賀県佐賀市―佐嘉神社
祐徳―佐賀県鹿島市―祐徳稲荷神社
木坂―長崎県対馬市―海神神社
宇佐―大分県宇佐市―宇佐神宮（宇佐八幡宮）
一の宮―熊本県阿蘇市―阿蘇神社
高千穂―宮崎県西臼杵郡高千穂町―高千穂神社・天岩戸神社
大宮―宮崎県宮崎市―宮崎神宮
青島―宮崎県宮崎市―青島神社
鵜戸―宮崎県日南市―鵜戸神社
霧島―鹿児島県霧島市―霧島神宮、鹿児島神宮

若狭―沖縄県那覇市―波上宮
普天間―沖縄県宜野湾市―普天間宮

以上がその代表的なものである。近くに温泉があれば、一層好条件であった（第2章「門前町の盛衰」を参照）。

大山（神奈川県）が全国的に有名になったのは、大山詣で（おおやまもうで）が盛んになった江戸中期頃とされている。江戸の庶民が2泊3日くらいで出かけられる大山は、便利な行楽地だった。大山詣でが隆盛を極めた宝暦年間（1751～1764年）には、1シーズンに20万人もの参詣客が訪れたという。夏の2カ月間だけ参詣が許され、その最初の日を、「初山」（はつやま）といった。白装束で山頂を目指す参詣者の群れは麓から山頂まで切れることなく続いたという。

遊行寺(神奈川県藤沢市)　　吉野(全山を覆う桜)

③「観光地」以前

「観光地」という言葉が広く使われる以前は、「名所」「旧跡」「景勝地」などに見られるような対象を絞り込んだ言い方が多く用いられていた。江戸時代に作られた案内書の代表的なものに『都名所図会』（安永9［1780］年がある。京都の俳諧師秋里籬島が著し、図版を大坂の絵師竹原春朝斎が描いたもので写真のなかった当時としてはすこぶる重宝な案内書であったろう。このやり方をまねたものに、『江戸名所図会』（天保5［1834］年）、『東海道名所図会』（寛政9［1797］年）、『大和名所図会』『摂津名所図会』などがあることからも「名所」

『都名所図会』東福寺の挿絵

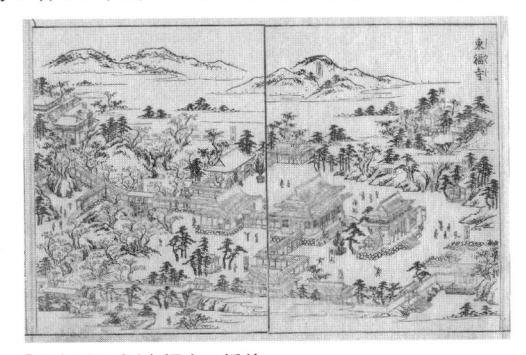

という言葉が人口に膾炙していたことが窺える。

　昭和29年から発行されていた日本交通公社の『新旅行案内』シリーズでは、指定史跡・名勝という言葉が用いられている。これは、昭和25年に制定された文化財保護法第109条第1項によって国が指定したもの、および地方公共団体が指定を行ったという意味で共に文化庁の定める文化財の種類の一つとされ、史跡は歴史上または学術上価値が高いと認められる遺跡、名勝は、景色の良い土地のことで、名勝地、景勝（地）ともいい、芸術上または観賞上価値が高い土地のことを指す。

④周遊割引指定地

　国鉄が分割民営化される以前、観光目的の旅客を増やそうとの意図の下に「周遊割引指定地」（略して「周遊指定地」ともいう）という制度があった。これは以下に記すような条件を満たすことにより、割引となる「周遊券」を発売してもらうことができるもので、「周遊券」は昭和30年2月1日から発売となった。

　その条件は、

①国鉄が指定する周遊割引指定地を2カ所以上周遊し発地に戻ること。
②国鉄線の乗車線区間（自動車線を除く）が合計で101キロメートル以上あること。
③周遊割引指定地に直結する会社線・国鉄自動車線・国鉄航路の3等普通運賃[注]の合計が、国鉄線及び経由線となる会社線区間の3等普通大人運賃の合計の1割以上あること。

　この条件を満たすと、

①国鉄だけでなく、駅から周遊割引指定地に行くまでのバス、私鉄も含め、運賃は全部1割引になる。
②通用期間は1カ月。
③出発日の2週間前から購入できる。
④同行するメンバーは5人まで1枚の切符で良い。
⑤途中下車もできる（方向・経路変更はできない）。
　という特徴があった。

[注]　当時の国鉄は、1等車、2等車、3等車の3クラス制で、3等車が現在の普通車に相当する。

周遊割引指定地には史跡、名勝を含むエリアも多く、現在の観光地に比較的近いニュアンスを持っていたのではないかと考えられる。

昭和30年の周遊券発売当初には、全国で127地域が指定されており、指定地の中には、山、高原、湖、川、海岸、島、温泉、寺社などが含まれていた。他にそれだけでは割引にはならないが、そこへ行くために経路を迂回できる「準指定地」が44箇所あった（営業規則上の分類数値による）。つまり、前述の「史跡」「名勝」「名所」「旧跡」「景勝地」を広く捉え、また、結び付けようとするものであった。

国鉄の「周遊割引乗車券発売規則」第2条の2には、

(1)「周遊指定地」とは、国鉄が指定する観光地をいう。

と書かれており、ここに、我々は、「観光地」の萌芽を見ることができるのである。

⑤「観光地」の誕生

「史跡」「名勝」や「名所」「旧跡」「景勝地」が「観光地」に変化したのは、旅行者が単にそれらを狭い空間の中で受動的に見るだけではなく、それを含むやや広い地域の名物を食べ、時には宿泊し、人々と交流するようになったからだと考えられる。寺社詣での最たるものとしての「お伊勢参り」も単に伊勢神宮に詣でるだけではなく、付近を見、名物料理を食するのが楽しみであった。つまり、空間移動に伴い、様々な体験をするようになったのである。その意味で、「観光地」という言葉こそなかったが、伊勢神宮は単なる神社ではなく、付近を含め有名な観光地であったといえるだろう。

東京の人々にとって京は一大観光地であった。至るところに「旧跡」があり「名所」「景勝地」も少なくなかったからである。

単体を見るだけではなく、さまざまな楽しみを包含するものとしての「観光地」が人々の間に意識され始めてきたのは、人々の生活に若干の余裕が生まれつつあったレジャーブームの頃からであった。実態が先にあり、言葉は後からついてくる。ここに初めて言葉としての「観光地」も登場するのである。

昭和35年の時刻表では、「定期遊覧バス案内」という表現が使われているが、前出の「新旅行案内」（昭和34年版）では、「短時間に多くの観光地を見るには、定期遊覧バスが便利である。」と表記されているから、交通公社

のようなプロは、すでに観光地という言葉を用いていたことが知られる。

3. 観光地の成り立ち

　先に述べたように、観光地は、観光資源と観光施設、人的要素によって成り立っている。観光地には、必ず観光資源が必要であり、その旅客に対するかかわり方から、自然資源と歴史・文化的資源に分かれ、文化的なものでも寺社のごとく有形なものと無形なもの（祭りや、演じられるもの全般）に分けられることが理解できよう。また、人工的な「観光資源」や、「観光施設」が同時に観光資源的な意味を持っているものもある。例えば、美術館、博物館は人工的に作られたものであるが、そこに収蔵されている美術品や、展示されるものによって観光資源となっているといえよう。毎年、秋に奈良国立博物館で開かれる「正倉院展」やミロのビーナスを収蔵するルーブル美術館を考えればよく理解できる。また、TDL、USJ、ハウステンボスに代表されるテーマパークも人工的なものであるが、それ自体が観光資源というべきものである。

　さらに言うならば、観光資源へのアクセス手段や現地で観光客の観光行動に携わる人々も必要である。南国の楽園でもアクセス手段がなければ観光地になりえず、山からの絶景、夜景もアクセス方法が容易になることによって観光地となりうるのである。箱根の大涌谷の景観もロープウエイがなければただの火山に過ぎず、六甲山や稲佐山、そして函館山の夜景も比較的容易に登る方法がなければ観光地とはならない。歴史上有名な遺跡でも、それを説明できる人材がいなければ、多くの人にとっては、観光地としての価値を減ずるものであろう。日本に多くの古墳や陵があるが、古墳の多く、陵はまったく発掘されていない。これらの詳細な内容が分かれば、もっと訪れる人を惹きつけるであろうが、目下のところ、あるだけでそのエリアが観光地にはなっていないことを考えればよく理解できよう。

　これは観光を考える上で非常に大事な問題を含んでいるのであって、観光資源だけにしておいて、人を惹きつける方法はないかという考え方もあるし、観光施設は必要であるができるだけ少なくしようという考え方もある。バブル絶頂期に施行された「リゾート法」（第2章3「リゾート法の反省」を参照）は、結果として**観光資源と観光施設のバランスを崩し、著しく観光施設に偏った**

観光地を現出させてしまった。つまり、そのエリアの環境が破壊されていったのである。現在のツーリズムの動きの中の、エコツーリズム、グリーンツーリズムなどは、この反省から出ている。

　温泉はそれ自体すばらしい観光資源ではあるが、そこに作られる観光施設の如何によって、観光地としての評価が決まる。それは、単に建物のデザイン、外観が周りの環境や景観にマッチしているかを言うのではなく、そこで行われる営みがどのようかによる。大きな団体を相手にするのか、家族を相手にするのか、若い女性を主たるターゲットにするのかによって、観光地としてのその温泉の評価が分かれる。都会に近く、温泉の質もよいのに、風俗的な施設が多くて、有名になったところもあった。温泉という観光資源を用いて、いかにすばらしい観光地にするかは、施設の経営者、地域の住民の意識にかかっているといっても過言ではないのである。例えば、いま、由布院、熱海、山中、草津などいくつかの温泉地の名前を挙げれば、賢明なる読者諸氏は、それらについてのイメージを脳裏に描くことができよう。

　観光資源と観光施設のバランスをいかにとっていくかは観光地の健全な発展にきわめて重要な課題であるといえよう。

　今までに考察した如く、観光地というものを「観光資源、観光施設それに人的要素から成り立っていて、空間移動を伴って来訪する旅客の目的地となるもの」と定義すれば、爾後の考えを進める上でより明瞭な検討ができよう。

　さらに、観光地へのアクセス手段としての運送業、そして第1章5および

図-1

観光産業
- 観光地
  - 観光資源（観光の対象となるもの）
    - 気候、自然資源
      - 山、川、湖、高原、温泉、海、島、美しい景色
    - 歴史・文化的資源
      - （有形）　建築、庭、遺跡
      - （無形）　祭り、芸能
    - 人工的なもの
      - 美術館、博物館、水族館
      - 遊園地・テーマパーク
  - 観光施設
    - ホテル、旅館、民宿、ペンション
    - 休憩所、トイレ、土産物店
  - 人的要素
    - ガイド、ホスピタリティ要素
- アクセス

第7章1（7）で述べる旅行における付加価値を作り出すことを包含したものを観光産業と定義することができる。

今までに述べてきたことを図示すれば、図-1の通りとなる。

4. 観光資源による観光地の分類

観光資源をその内容から分類すると次のようになり、それらに応じてどのような特徴を持った観光地であるか分類することができる。

（1）気候

気候を観光資源と考えるのは、奇妙と思われるかも知れないが、「そこに何があるか」より先に、「そこに快適な気候がある」というだけで、観光地たりうることがある。例えば、カリフォルニアのカーメル(注)。

そこは、高齢者が多い、謂わば、retireした人たちの多く住む住宅地でもあるのだが、それがきっかけとなって、そのような住人たちを意識した、ショップ、レストラン、画廊、ホテルなどから町が成り立っている。そこには、美しい松林、砂浜などもあるが、それを見に行くというより、その穏やかな気候と、ゆったりとした空間と時間を楽しむのである。ここの平均気温は64度F（18℃）で年間を通じて寒暖の差が小さく、いつも日本の春のような気候なのである。

カーメルの町並みと風景

そのような町の存在を知った他の町の住人（＝旅行者）達が訪れるように

なって、喜びを共有するようになった。住人となった人たちは、まず、その気候に惹かれたのである。

このように、地域全体を包含するトータルなもの、そのきっかけとなった気候は、観光資源の中に加えなければならないだろう。

(注) サンフランシスコの南130マイルにある美しい町。海のある軽井沢という感じで、退職者が住みたい町としてアメリカではきわめて有名で、芸術家や著名人の住人も多く、かつて、俳優のクリント・イーストウッドが市長を務めていたことで話題になった。となりに、全米でも有数のペブルビーチゴルフコースがある。伊東の南、川奈にある日本で有数のゴルフコースは、ペブルビーチを模して作られたといわれ、雰囲気でかなり似たところがある。

(2) 自然空間

次に挙げられるのは、自然的な景観、ものがある。美しい景観、壮大な景観は人をひきつける。山、海岸、島、河川、渓谷、湖そして温泉などが代表的なものである。北海道の自然だけを想像しても、大雪山や知床半島、阿寒湖にニセコなど枚挙に暇がない。世界的にみるならスイスの山々と湖、カナダのバンフ、ジャスパーなどの山と湖、ニュージーランドのマウントクック、アメリカ西部

阿波の土柱

のグランドキャニオンや南米のイグアスの滝に代表される大自然を思い浮かべればよいだろう。奇観と呼ばれるものもある。たとえば、四国の阿波市にある土柱(写真)は日本の中にある珍しい自然というべきものであろう。

このようなものが沢山含まれる地域は、国立公園、国定公園、県立公園などに指定されており、その景観を守るため必要な保護が加えられている。世界遺産の中に自然遺産があるのも同様の発想による。

日本には、自然公園法に基づく国立公園が、2013年1月現在、30カ所、国定公園が56カ所あり、国立公園は環境省、国定公園は都道府県によって管理されている。

表-2　国立公園一覧

利尻礼文サロベツ・知床・阿寒・釧路湿原・大雪山・支笏洞爺・十和田八幡平・陸中海岸・磐梯朝日・日光・尾瀬・上信越高原・秩父多摩甲斐・小笠原・富士箱根伊豆・中部山岳・白山・南アルプス・伊勢志摩・吉野熊野・山陰海岸・瀬戸内海・大山隠岐・足摺宇和海・西海・雲仙天草・阿蘇くじゅう・霧島錦江湾・屋久島・西表石垣

日本にある世界遺産のうち自然遺産といわれるものは、2013年1月現在、次の4カ所である。

屋久島、白神山地（1993年12月登録）、知床（2005年7月登録）、小笠原諸島（2011年6月登録）。

また、リゾートの多くも、このような自然の懐に抱かれた形で作られていることから見ても自然景観が観光旅行の大きな動機となっていることが理解できる。

（3）文化空間と文化遺産の観光地

古い時代からあった人間の営みは文化空間として残っている。歴史的な空間といってもよいであろう。寺社、庭園、建築などがその代表的なものである。建築物が集まった家並みもある。「美しい家並みの町」「歴史の風情を残す町」「レトロの町並み」といわれる地域が多く存在する。先に挙げた「史跡」「名勝」「名所」「旧跡」などもここに含まれる。また、ある場所、地域で行われる年中行事や、芸能も、人間の営みの発現という意味でここに含まれる。

いうまでもなく、京都、奈良が観光地として人々をひきつける理由は、これらが多く存在するからであり、地方都市に多いいわゆる「小京都」も同じ理由によっている。

近年、このような歴史的な空間に対する旅行者のニーズが高まっているといわれる。それは、日常性からの空間移動を大きな目的とする観光の本質に沿ったものだからである。

例えば、年中行事は見る人にその起源に遡った時代を眼前に髣髴とさせる。異なった時代へのタイムスリップを可能にさせてくれるから、観光客の魅力

となっているのであり、昨日始まったものには大きな魅力を感じないのである。

　総じて過去に作られたものが現在に残っているという、「異なった時代の発現」としての寺社、庭園、建築と捉えれば理解できる。それらが現存しなければ、それは「史跡」「旧跡」となる。そこには何もなく、ただ碑が残るだけであるが、そこでの過去の営為をイメージすることで歴史的空間になる。

　文化的な空間の中で、人にまつわるものは、年中行事や、芸能である。

　京都の年中行事を叙した黒川道祐の著になる『日次紀事』は延宝4（1676、丙辰）年に作られたものであるが、178ページに及ぶ当時の類書としては大部なもので、京都においていかに多くの年中行事が行われていたかを示している。黒川は月日ごとに「神事」「忌日」

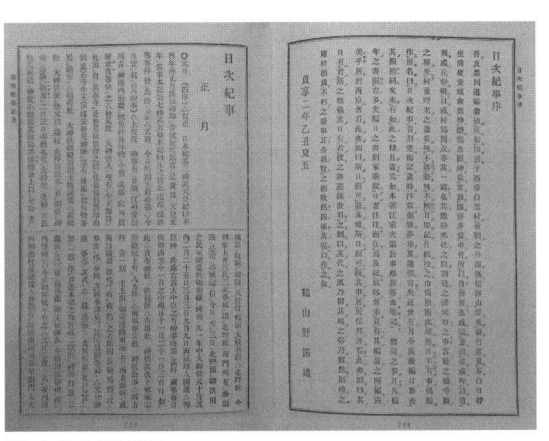

「目次紀事」復刻版

「法会」に分けて年中行事を記し、説明を加えているが、それは、同時に、時間がたっても変わることのない人間の営みに対する、飽くことなき好奇心を表わしているとも言え、それゆえに、現代においても年中行事が観光の目的となるのである。

　祭り、踊り、寺社詣で、市、演劇、音楽演奏などはその地域の人々の生活の発露である。生き方そのものが反映されているからであって、外部から来た人には限りなく魅力的なものである。

　無形文化財や人間国宝と呼ばれる方々の活動、例えば創作活動、演奏活動、芸能活動などはそれ自体が観光の目的になっていることが多い。歌舞伎俳優や文楽の人形遣い、義太夫節を語る太夫、日本舞踊の家元などの中にこのような方々がいらっしゃるが、彼らの演ずるものを見に行くのが旅行の大きな目的になることもある。

　あるいは、人間国宝の作られた陶芸品、絵画、彫刻などの展示を見に行く

ことも同様である。このような人間活動とその結果も観光の目的になることから、それらが存在するところが観光地となりうるのである。

(4) 人工的につくられた空間

人工的にそのような場所をつくることも同様な結果を生む。それが永続的なものは博物館や美術館であるし、期間を限定して行うのが、博覧会や展示会である。したがって、それらの会場となりうる施設がある場所も観光地となりうる。先に挙げた奈良や京都の国立博物館や、各地に散在する博物館、美術館がある土地は、観光地としての意味を持っているわけである。

毎年、開催される○○博覧会、××フェア、菊人形といった類の催しが開かれる場所も観光地になる。

観光地としての京都の魅力は、このような文化的空間が多く存在していることにあることは容易に理解できよう。

竹下内閣の「ふるさと創生」政策によって、各地にこのような施設が多くできた。それ自体は評価すべきものであるが、そこに展示すべきものが十分でないという行政の無知と無計画性は、観光地の付加価値、観光地のソフトの意味を知らないままハコを作ってしまったという意味で、行政上の失策といわざるをえないだろう。その結果として、パフォーマンスのない劇場や音楽会場、展示物が陳腐化してしまった美術館や博物館が多くなり、それらの中には閉鎖を余儀なくされるところも出てきてしまったのは、誠に残念といわざるをえない。

人工的な施設の中でもテーマパークは特異な位置を占めている。それはま

グランド・サイプレス・リゾート
(近くに「ウォルト・ディズニー・ワールド」がある)

キーウエスト(フロリダ半島の先端)

さに観光地を作りだす行為であった。その淵源はレジャーという言葉の発生とともにできた遊園地に見出せるが、旅行者のニーズを絞り込み、高度化したことが特徴であった。遊園地は多くの私鉄が土日対策の一環として自社の沿線に作ったものであったが、その内容は、どこも似たりよったりで没個性的であった。言い換えれば、経済成長によって生じた時間的な余裕と経済的な余裕をとりあえず吸収できればよかったのである。しかし、人間の営為はひとつの満足で終わるはずがなく、やがて、それだけでは飽きが来ることになった。そういう時代にＴＤＬが開園した。この、明確なコンセプトを持ったレジャー空間ができるに及んで、「テーマパーク」という言葉が意識して使われ始めたのであった（第２章２「テーマパークの明暗」参照）。

　ヨーロッパに見られるような、かつての「リゾート」という概念は長期滞在を可能にする自然的な条件が備わったところという意味合いが強かったが、アメリカに出現したリゾートは長期滞在に適したホテルを始めとして、テニス、ゴルフ、水泳など、滞在中のアクティビティを可能ならしめるような施設を積極的に作っていった。もちろん、アクティビティの後のリラクゼーション施設（ジャグジー、エステ）も重要であった。このように、さまざまなアクティビティができるように施設を作ったという意味では、一種の人為的空間ともいえる。このようにリゾートも人工的な施設を多く抱えており、自然空間との融合と見ることができる。海浜のリゾート、山岳リゾート、湖リゾート、高原リゾートという自然景観を主とした言い方もするし、ゴルフリゾート、テニスリゾート、スキーリゾートなど旅行者の行動や人工的な施設に重きを置いた言い方もある。

「リゾート」の語源は"re-sort"であるとされる。これはもともと、「並べ替える」の意味がある。ストレスでグジャグジャになった神経細胞を並べなおして、自分という人間の本来の姿に戻すという意味である。

　ハワイ島に「コナ　ヴィレッジ」というリゾートがある。広大な敷地の中に、バンガローが点在しているのだが、中には時計も電話もテレビもない。滞在している旅行者は日の出とともに起き、いろいろな運動をし、空腹を感じたら食べ、暗くなったら寝る。

　ビジネスの世界でどのように有名な人も庶民も生物としては同じであるという考え方がそこにはある。リゾートの本質とはこういうものである。カリ

フォルニア(注)にも東部にも、時計も電話もテレビもないリゾートがある。テニスコートがあってもゴルフコースがあっても、小刻みな時間で予約を取らないとプレーできない日本の「リゾート」は名前だけで、リゾートの本質を忘れているものが多いのは残念である。

(注) たとえば"TIMBERHILL RANCH RESORT" 35755 Hauser Bridge Rd, Cazadero, CA 95421. サンフランシスコから1号線を北に2時間あまりのところにある。

ヨーロッパのリゾートは長期滞在が主たる目的である。旅行者の意図は、夏の太陽を全身に浴びて、体内にビタミンDを蓄えることが第一である。ヨーロッパに住んだことのある人は理解できようが、冬の寒さ、暗さはたまらない。夏にビタミンDを蓄えておくことは食べることと同様、大げさに言えば生命にかかわることなのである。ヨーロッパ人が海浜リゾートに行っても、泳ぐより寝そべっているだけなのは、理由のないことではないのである。女性の水着にビキニスタイルが生まれたのも、自己の肢体の美しさを強調したいからというよりは、もっと生命維持に現実的な問題があったからなのである。試しにドイツやイギリス、北欧発の旅行パンフレットを手にとって見るとよい。そこにあるのはどのページにも、その滞在地（デスティネーション）がいかに太陽が燦々と輝いている場所であるかを強調している。

表-3 主要各国の出国者数・出国率（2010年）

単位：千人、%

	人口	出国者数	出国率(%)
日本	127,483	16,637	13.1
スウェーデン	9,217	13,290	144.2
デンマーク	5,511	6,347	115.2
ノルウェー	4,843	3,395	70.1
アイルランド	4,435	7,713	173.9
オーストリア	8,304	9,677	116.5
米国	309,997	25,353	8.2
カナダ	34,059	8,716	25.6
英国	62,222	54,928	88.3
フランス	62,637	21,281	34.0
オランダ	16,532	18,408	111.3
ドイツ	"81,767	72,300	88.4
イタリア	60,045	29,060	48.4

（オランダ、ドイツ、イタリアは2009年の数値）

このような健康へのニーズは上流階級、中産階級を問わず必要であるから、階層にあわせて比較的格安な旅行も必要なわけである。例えば1971年のパンフには、ドイツからバンコクまでの1週間の旅行で宿泊代込みのパッケージがたった1,000マルクで売られていた。安くしないと行けない人もおり、そういう人たちも健康を求める切実な願

いが込められているのである。北ヨーロッパ諸国の出国率(注)が総じて高いのはこのような需要に支えられているからであって、年間、数千万人の人が出かけるのである。そういう動機も知らずに価格だけを比較して、日本の旅行業者が安売りに走るのは滑稽なことである。日本の出国者数は1,800万人前後であるが、出国率では14パーセント程度にすぎない。これはとりもなおさず、「切実な動機」がその原点にないからに他ならない。

　(注) 出国率＝ある年度の出国者数／その年度における人口

5. 観光旅行を構成するもの

　観光旅行は大雑把に分けて、①運送、②宿泊、③その他の要素から構成されている。旅行業法もこの分類に従っている。「その他」はさらにレストランなどによる食事の提供、ガイド、ミート・アンド・アシストなどの人的サービスに大別され、言うまでもなく観光の対象となるものもここに含まれる。これらの要素は、観光の対象となるもの以外は、それら単体でも業種として確立したものであるから、これらを組み合わせてできたパッケージ旅行は、ひとつの旅行としての統一性が要求される。

　それをどのように打ち出していくかが、企画担当者の腕の見せ所なのであって、単にあるものを組み合わせただけのものは、旅行としての魅力に乏しい。海外パッケージ旅行の初期には、旅程を見ていると、企画担当者の苦心が伝わってきたものだった。今はというと、何故このような旅程を組んだのかというメッセージが伝わってこないものが多い。その分、価格の安さや特典ばかりを強調しているが、企画内容で勝負という観点から見れば、本末転倒もいいところである。

　IT化が進んで、パーツだけなら、自宅のパソコンで世界中の運送機関や宿泊機関の予約ができる時代になった。旅行者が考え付かない内容を盛り込み、旅行者が自分で手配できない内容をパッケージ旅行に含めること、そのための旅行業者の努力が今こそ求められているのである。

　繰り返しになるが、現地の情報を持たず、単にブローカー的なビジネスだけでは、やがて旅行者から必要とされなくなってしまうだろう。海外旅行自由化から間もない頃、規模は大手に及ばないが、特定のデスティネーション（旅行先）、特定のことに対する手配には強みを持ったスタッフがどんな旅行

会社にも必ず一人や二人いたものだ。オランダのことは〇〇旅行会社のだれそれに訊いたらよい、とかアメリカの視察旅行だったらあの会社に頼めば間違いない、音楽ツアーならあそこにこういうスタッフがいる、というような情報が旅行業界を飛び交い、それがお互いに補完し合ってもいたのだ。

　旅行業は取り扱い範囲が広く、一人で全世界をカバーしようとするのは土台無理である。それでも旅行者はひとたび旅行会社の店舗に入ると、自分の前に座っているこの人は何でも知っているという錯覚に陥ってしまう。そのようなお客に真正面から向かっていけるだけの努力が本来は必要とされているのであるが。業界に勤める人にとっても自分の不得意な分野を埋めてくれる人脈を持つことはきわめて大切なことなのである。

　規模の大きくない旅行業者にとって、日本中、世界中に支店や現地法人を持つことは不可能であるし、日本国内であれば、まだましだが、世界中となると言葉の問題もある。幸い、旅行業界にはこのような手配を代行する業種があって中小の旅行業者は大いに助かり、利用している。これらの業種を手配代行業者（ツアーオペレーター）と呼んでいる。

　観光旅行がこのように多彩な要素から成り立っていて、しかもおのおのの要素は業種としてすでに確立しているということが、旅行者、旅行業者にとって難しい問題を生む。旅行者にとっては、出発してから帰着するまで一本の線の如く繋がらないと旅行にならないが、構成する要素の業種は部分、部分だけでも業として成立しているのである。部分は全体にかかわりなく、自分の主体性で動くから、一朝、事が起きると、要素は自分の利益を最優先するように動く。

　そういう事態になり、ひとつの旅行としての不具合が生じたとき、誰が責任を取るのかという問題がある。旅行業法上では旅程保証という言葉を使うが、こういうときこそ旅行会社の真価が問われる。旅行にトラブルはつきものであるが、それらを予め予想して可能な限り回避し、不幸にして起きてしまっても、降りかかるトラブルを振り払い、リカバリーする能力こそ旅行業者のレゾンデートル（存在意義）を高めるものであることを忘れてはならない。パッケージ旅行の本当の意味はここにあるといっても差し支えない。

　観光庁の「主要旅行業者50社の旅行取扱状況」によると、2011年現在でパッケージ旅行の販売比率は、海外旅行で31.8％を占め、これは2005年度の比率30.9％とほとんど変わらない（国内旅行では、2005年度31.1％に対

表-4 主要旅行業者旅行取扱状況

(単位：千円)観光庁資料による

	平成23年度総取扱額 (a)	(2011fy)旅行商品ブランド (b)(募集型企画旅行)	旅行商品ブランドのシェア(b)/(a)	平成17年度総取扱額 (c)	(2005fy)旅行商品ブランド (d)(募集型企画旅行)	旅行商品ブランドのシェア(d)/(c)
海外旅行	2,234,590,831	709,828,365	31.8%	2,447,603,632	755,602,226	30.9%
外国人旅行	47,374,503	2,110,035	4.5%	29,263,337	635,139	2.2%
国内旅行	3,767,071,063	852,287,566	22.6%	3,264,487,886	1,014,380,882	31.1%
合計	6,049,036,397	1,564,225,966	25.9%	5,741,354,855	1,770,618,247	30.8%

し2011年度は22.6％と8.5ポイントの低下)。
「パッケージ旅行離れ」という言葉をしばしば耳にするが、海外旅行ではシェアは減少するどころか、むしろ微増の傾向にある。つまり、海外旅行に限っていえば、添乗員や、現地支店駐在員などによるサポートが期待できる「安心感」や「きめの細かさ」を求める客層は依然として健在で、今後も急激にこれらが減少するとは考えにくいのである。

このように考えるならば、実数に直して概算で500万人がパッケージ旅行を今でも希望していることになる。これは大変に大きな数字である。この大きなマーケットにもっと注力して旅行会社の企画力で客に満足感を与え、それによって旅行会社も相応の利益をあげ、旅客がリピートするというよい循環を作り出していくことが、旅行客数の増大にリンクして旅行業界が健全な発展をとげるために必要なのではなかろうか。

話を戻すと、**観光旅行というのは、さまざまな観光資源と観光施設を、運送と人的サービスによって結びつけ、いかに高い付加価値を付けるかという作業なのである。**

この「付加価値」という概念はかなり重要なのであって、これによって同じ場所に行っても、人それぞれにとっての意味は大きく異なる。例えば、旅行の時期の選定、何を見るか、そこでの説明内容（異空間、異なる時間と現代の橋渡しを如何にするか）、何を食するか、どういうところに宿泊するか等々。つまり、旅行を企画する側が旅客に何を強調して訴えかけるか、その選択がまず第一に重要になる。旅行は、時間を消費するものであるから、旅行中の時間をいかに配分して使うかが次に重要になる。そして旅客に与えられたものが好感を持って、できるだけ多くの意味を持って受け入れられるよ

うに配慮し手伝うことが旅行の実施段階では重要になるということである。

　近年は、価格志向を無定見に真似することが多くなった結果、このような、本来の観光旅行の持つ重要な要素が看過される傾向にある。比較的大きな規模の旅行会社が、数の消化にとらわれて、この本質を理解していないように見受けられるのは残念なことである。「生き残るために」という言葉には抗いがたいものがあるが、本道を見失ってしまったビジネスは一時的によくても長続きしない。一方で「サスティナブルツーリズム」を標榜しながら、他方で平然として安売り競争をして、自らの体力を消耗しているのは理解に苦しむことであるといわねばならない（第7章　観光地と観光産業の課題1（7）パッケージツアーの原点回帰を参照）。

第2章
観光地の変遷と盛衰

　このようにして成り立っている観光地は、どのような変遷をたどったのだろうか。現在に至るまでの過程を日本において代表的な観光資源を持つ各地の観光地を例にとって見てみよう。

1. 温泉地の盛衰

(1) 日本の温泉と温泉地
　日本人にとって温泉は特別なものであった。いま、簡単に日本人と温泉の関係について概観しておこう。
　日本人は昔から温泉が好きだった。日本は火山国で多数の温泉があるから自然と親しむようになったとも考えられるが、次第に医学的な効用が知られるようになっていったのであると思われる。「傷ついた○○（動物）が湯浴みするのを見て」という温泉の由緒書きが各地に存在するし、それを名前とした温泉名が残っているのをみても理解できる。また、各地に「温泉神社」「温泉寺」と称する社が残っているのも、不可思議な力を持った神として祀ったことに他ならない。例えば、動物名のついたものでは、「鷺の湯温泉」（島根県安来市）や「鶴の湯温泉」（秋田県乳頭温泉郷、北海道勇払郡、和歌山県みなべ町、東京都奥多摩町）、「鹿の湯」（栃木県那須町）、「熊の湯」（長野・山ノ内町）などがあり、温泉神社は、那須、鬼怒川、南紀白浜、別府、雲仙など各地に存在するし、温泉寺は、日光、下呂、有馬、城崎などにある。
　日本は昔から農業が盛んであったし、気候も高温多湿であるから、入浴による疲労回復は、体力を維持するために必須のことであったろう。

　「湯治」という言葉は、『伊予国風土記』や『続日本紀』にも見られるから、古い時代から、行われていたらしいが、中島陽一郎氏の『病気日本史』（雄

山閣、2005年）によると、医学的に湯治を採用したのは、江戸時代の医師、後藤艮山（こんざん）（1659～1733）が最初であるという。彼は1709年に但馬の城崎温泉に遊び、新湯に入浴して、その効能を認め、これを病気の治療に応用すべきことを主張し、入浴方法と、温泉を飲む方法についての研究のいとぐちを開いたという。そしてその後継者である香川修徳（1682～1754）が温泉の効用を研究して、温泉は「気を助け、体を温め、ふる血を破る」と絶賛したという。

江戸時代に有名であった温泉の主なものは、次の通りである。

●有馬（摂津）……京都に比較的近く、太閤秀吉が何度か訪れた。「金の湯」「銀の湯」がある。

●菰野（伊勢）……伊勢参りの後、寄るのに便利な位置にある。大石内蔵助が討ち入りのため江戸へ行くときに休んだという。現在の湯ノ山温泉。

●城崎（但馬）……コウノトリが傷を癒していたことにより発見との伝説がある。平安時代から知られている古い温泉で1300年の歴史をもち、江戸時代には「海内第一泉」（かいだいせん）と呼ばれた。七湯ある外湯をめぐる。

●草津（上野）……日本三名泉の一、江戸時代の温泉番付最高位。高温で湯量が豊富、酸性泉が万病に効くといわれた。

●塔ノ沢（相模）……箱根七湯の一。湯本から近く、しかも静かで、アクセスが比較的便利であった。

●熱海（伊豆）……徳川家康が来湯し、以来、徳川家御用達の名湯として名を馳せた。家光以降に、熱海の湯を江戸城に献上させる「御汲湯」を行わせた。高温で湯量が豊富、走り湯といわれる間欠泉も湧く。

平成20年3月末現在における日本の温泉湧出源泉数は、28,090箇所（内自噴するもの5,097箇所、動力によるもの14,108箇所、未使用のもの8,885箇所）で、湧出量は1日換算約403万トンである。3,139箇所の温泉地があり、温泉を利用する宿泊施設数は14,907施設である（平成21年度観光白書による）。温泉といってもさまざまで、別府のように一大温泉郷を形づくっているものもあれば、信玄の隠し湯的なひっそりとしたものもある。北海道のパンケトーは湯が滝になって流れている。丸駒温泉は湖の中に湧き、皆生温泉は海に湧く。紀伊勝浦の忘帰洞は太平洋の波打ち際にある洞窟の中に湧いている。

青森県に青荷温泉という「秘湯」がある。客室には電気が来ておらず、ラ

ンプとローソクで夜を過ごす。初秋の一日を過ごしたことがある。入浴をして食事を終えたのが7時過ぎでそのあとの時間のとても長く感じられたこと。マージャンもカラオケもない。暗い夜にほのかなランプの明かりだけで過ごす夜は、人数が10人もいるのにただ話をするだけである。やっと8時半になりもう一度露天風呂に行こうということになった。誰かがいたずらして、友人の下着を隠した。湯から上がった友人は暗い中で下着が見つからず、浴衣だけで部屋へ「逃げ帰った」。そんな大人のメルヘンが今でもごく普通に起きても何の不思議もない温泉場であった。

　九州の九重に「寒の地獄」というのがある。水温が14℃で、これに入ってからすぐ、熱い温泉に入るというやり方をしないと夏でも体がもたない。霧島山中の妙見温泉は、坂本竜馬が新婚旅行で出かけたところであるとされている。指宿には砂湯という温かい砂を身体にかけて、身体を温めるやり方がある。カリフォルニアのサンフランシスコ近郊、ワインで有名なナパの北方 Calistoga には同じようなやり方で"Mud Bath"という温泉を含んだ泥をかけるものがある。日本人にはややぬるめだが、アメリカ人には好評で、なかなか予約が取れない。因みに、ここでとれる鉱物質を含む水は、ミネラルウォーターとして有名になり、今では日本でも買えるようになった。

　日本には上記の如く多様な温泉があり、このような温泉を持つところを温泉地と呼ぶならば、それらは、大略、以下の如く分類できよう。
　①大規模な宿泊可能人員を持つ宿泊施設が多数あるところ
　②どちらかというと個人客を意識した旅館の多く存在するところ
　③地域に密着しているもの
　④秘湯的な、あるいは湯治場的な趣のあるもの
　具体的に例を挙げれば、順に従って、
　①熱海、南紀白浜、別府
　②箱根、有馬
　③多数存在する
　④湯西川、蒸けの湯、寒の地獄
　また、古来より、「日本の三名湯」「日本の三古湯」などの名数があり、「〇〇隠しの湯」「××の奥座敷」など、サブタイトルのつくものも多数あり、これらも日本人の温泉に対する愛着の現れであろう。

日本には温泉の保護と適正な利用を目的とした温泉法という法律があり、それによると源泉での温度が25℃以上のものを「温泉」と定義している。

それ以下のものは鉱泉と呼ばれる。したがって前出の「寒の地獄」は、温泉法上は温泉ではなく鉱泉である。

(2) 日本人の温泉旅行の移り変わり

本格的な観光旅行が始まる前の日本人の旅行は、1、2泊で温泉に行って疲れを癒す、あるいは宴会をするというのが一つの流れであった。戦後、小旅行として週末に温泉に行くことが流行したのは、戦争でめちゃくちゃにやられた日本人が必死に復興に力をそそいだあと手に入れたささやかな楽しみでもあったからだ。昭和30年代に入り、労働時間が徐々に減少し、収入が、緩やかではあるが、増加していくにつれて、週末の外出と、年に何度かの小旅行を楽しむ余裕を持てるようになったのである。

小旅行といっても、必ずしも個人で行くものばかりではなく職場のレクリエーション・慰安旅行などという形で温泉に行くことも多かった。つまり、個人というより、何かにかこつけていく方が多かったのである。家族だけで自主的に行くというのは、かなり時間的、経済的余裕がないとなかなかできない。そういう時代が長いこと続いた。湯治に行くというパターンもあったが、これは主として農閑期に農家の人が1年の疲れを癒し、また療養するというものであって、いわゆる都市に住んでいる人たちの観光旅行ではなかった。たとえば、蒸けの湯、玉川温泉、つなぎ温泉など東北地方にこのようなひなびた形態の温泉が今でも点在しているのはその名残といえる。

旅行案内書という分野が確立する以前の昭和30年代から、日本交通公社が『新ポケット温泉案内』や『新温泉がいど』というガイドブックを出していたことは、日本人の温泉に対する強い願望がその頃から既に根強いものであったことを裏付けている。

『新ポケット温泉案内』は新書版346ページで、日本全国の主要な温泉のロケーション、特徴と効能、アクセスなどが1ページに1カ所というように記されていた。また、交通公社の発行する時刻表の巻末には旅館の広告が掲載されていたが、東京、京都などの旅館を除くと、ほとんどが温泉旅館の広告であったことからも知られるのである。

昭和30年代に入って日本人にやや経済的余裕が生まれると、新婚旅行のときぐらいはゆっくりとしたいということで、新婚旅行客を意識した温泉施設が多く現れた。

結婚するということは、世の中の好況不況に左右されにくい。また、人生の一大事には金に糸目をつけない、或いは見栄もあって、あまり値切ることをしない人が多い（今では大部この風潮は変わってきているようだが）。即ち、新婚旅行の客を相手にすることは、ビジネスとして比較的安定した需要が見込め、客単価も比較的高くできることから、これを対象として投資する価値があったのである。

大卒サラリーマンの初任給が5万円前後の昭和40年代後半の結婚式費用は、100人の披露宴をいわゆるシティホテルで行っ

表-5　大卒の初任給推移
出典「物価の文化史事典」（展望社）

1970年	40,961円(男子)	38,400円(女子)
1975年	91,272円	85,884円

た場合100万円弱といわれた。このような新婚客は、旅行にもそれなりに金をかけるから、受け入れ側の旅館も、それに合わせてかなり豪華な部屋を作っても採算がとれたのである。とりわけ、人口の多い大都市圏からそう遠くない温泉地は、これによってかなり潤った。これらの新婚旅行の目的地となった温泉地の代表的なものは、関東地方なら箱根、伊豆半島がこれに該当する。中でも熱海は、収容能力、施設、温泉の質の良さなどで圧倒的な強さを誇った。「東洋のリビエラ」と呼ばれ、山の中腹まで、所狭しと旅館が立ち並び、温泉街は不夜城の様相を呈した。関西では紀伊半島の白浜や勝浦が代表的なところである。北陸では山中を中心とする加賀温泉郷、九州では別府、阿蘇、雲仙、東北では仙台近郊の秋保、北海道では登別が挙げられよう。

新婚旅行は4日から豪華なものになると1週間くらいが主流であった。当時の日本交通公社発行の『新婚旅行案内』を参考にして当時の代表的なルートの中からいくつかを引用する。

東京（新宿）ロマンスカー → 箱根 → 熱海 → 東京（2泊3日）
東京 → 修善寺 → 伊東 → 熱海 → 箱根 → 東京（新宿）
（3泊4日）
東京 → 修善寺 → 下田 → 熱川 → 伊東 → 東京（3泊4日）
東京 → 新宮 → 熊野 → 紀伊勝浦 → 南紀白浜 → 京都 → 東京
（4泊5日）

東京 → 神戸 →（瀬戸内海観光船）→ 別府 → 阿蘇・内牧温泉 → 熊本 → 雲仙 → 長崎 →（ブルートレイン）→東京（6泊7日）

東京 → 別府 → 宮崎 → 霧島温泉郷 → 鹿児島 → 東京（4泊5日）

京阪神 → 南紀白浜 → 紀伊勝浦 → 京阪神（2泊3日）

京阪神 → 神戸 → 松山（道後）→ 別府 → 宮崎又は阿蘇（東京発コースと同じ）→ 京阪神（5泊6日）

どのコースにも温泉地が必ずといってよいほど含まれていて、伊豆方面、南紀方面など暖かいイメージのところが特に好まれた。同書には、「交通公社都内大営業所の昭和33年の統計を見ると、新婚旅行の方面別件数は、伊豆が約50％を占めている。若い東京人の伊豆に抱く憧れの一端を示す現象だといえよう」との記載がある。伊豆は、川端康成の『伊豆の踊子』の度重なる映画化（1960、63、67、74年、鰐淵晴子、吉永小百合、内藤洋子、山口百恵主演）によって以来、人気の場所であったのだが、同時に東京からの適度な距離感と旅館の設備のよさが新婚客を惹きつけたとも言える。

宮崎は当時の宮崎交通社長、岩切章太郎の尽力で新婚客の誘致に成功していたし、別府熊本間は日本で初めての高原ハイウェイ「やまなみハイウェイ」52kmが1964年10月3日に全線開通することで結ばれ、その沿道の風光明媚なことと九重阿蘇一帯に点在する沢山の温泉に注目が集まっていたのである。

東北は、新婚向きの設備が十分でないこと、北海道は高すぎて新婚旅行のメインのデスティネーションではなかった（沖縄は昭和47年に本土復帰するまで対象外）。

当時人気のあった箱根に行く小田急ロマンスカーSE車[注]や、豪華なものでは、関西汽船などの瀬戸内海航路、夜行寝台特急（いわゆるブルートレイン）、航空機なども旅程に含まれているのが特徴で、大阪から伊豆方面に向けて、新婚旅行客を意識した全車両1等の「ことぶき号」が運転されたこともあった。

（注）SE車とは"SUPER EXPRESS"の略で、当時狭軌では最速の時速145kmを誇り、これがやがて国鉄の超特急「こだま」や新幹線開発につながることになる。

平均の費用は、1組で2泊3日の伊豆の場合、3万5000円程度、南紀で5〜

6万円、九州で9万円前後であったから、短期間のものでも当時の初任給の1カ月分、長いものになると2カ月分近くに相当し、かなり高額であったことが分かる。

このような時代にあって、新婚旅行の客を相手にすることは、温泉地の旅館やホテルにとって、一つの大きなビジネスターゲットであったが、季節が春秋に限られ、また、大安などの特定日に集中せざるをえなかったことから、単価を高くせざるをえない面があったし、それだけで旅館の経営が安泰というわけではなかった。すなわち、新婚旅行のオフ期の家族旅行と、法人需要の取り込みがぜひとも必要であったのである。

「レジャーブーム」という言葉が登場したのは、昭和35（1960）年の年末のことであったが（『日本史年表』1970年改訂版、山川出版社）、土曜日が半ドンとなり、週末に家族で外出して「デパートで奥さんは買い物、主人と子供は屋上の遊戯施設で遊ぶ」ことから始まった個人のレジャーは、ピクニック、ハイキング、郊外の遊園地を経て温泉旅行という形で一つの完成をみるに至った。

その当時は、今のように新幹線も高速道路もなく、交通はすこぶる不便で、とりわけ温泉地のある場所は山奥が多いから、行けば宿泊せざるをえず、そのような湯客をあてにする旅館が多数に存在した。現代のような「日帰り温泉」は地元の人以外にとってはほとんど考えられなかったといってよいであろう。

また、温泉は、商人、文人などを別にすれば、個人で行きにくい場所でもあった。そうかといって、家族全員で行くほどの経済的余裕がなかったから、新婚旅行などの特別な場合を除いて、個人が毎月積み立てをしておいてグループや職場仲間と行く慰安旅行・レクリエーションのような形態も多く見られたのである。「慰安旅行」という言葉からして、何か侘しさを感じさせる響きがある。日々の生活に追われ（それも食べるためだけの）、年に一度か二度やっとの思いで出かけるという感慨がこめられているように聞こえるのは、筆者だけであろうか。

一方で、法人需要では、会社が褒賞的に取引先を招待するもの（インセンティヴ）や、研修会にかこつけて温泉地で開催する、昼は会議、夜は宴会と

いう形式のものが多かった。経営の神様といわれた松下幸之助が販売店を集めて1964年7月に熱海のニューフジヤホテルで行ったのが最初といわれる。経済の発展に伴って、こういうやり方が次第に増加するにつれて、受け入れ側もこのような法人需要を当て込み、大宴会場を設け、その規模の大きさを競い、スケールメリットでビジネスすることを当たり前と考えるようになったのである。つまり、資本金[注]に比べて何倍もの莫大な投資を行って、大型の団体を獲得することに意を用いてきたのである。法人需要は景気さえよければ、金離れがよいから、料理だけでなく、酒、芸者の花代、土産品などの付帯的な売り上げも増えて、旅館は潤う、という図式ができあがって、過大と思える投資を行っても回収できたのである。

（注）旅館の資本金は、一般的に小さく5,000万円以上のところは、わずかでしかない。日本観光旅館連盟の資料「経営関係資料集（2000年）によると13.2％のシェアしかない。また、国際観光旅館連盟の資料によると1998（平成10）年10月1日現在で5,000万円を超える資本金の旅館は18.7％である。

(3) 温泉地を取り巻く状況の変化

ところが、1990年代に入ってバブルが崩壊し、会社は経費節減を余儀なくされた。まずは不要不急の経費からカットされるから、温泉における研修会は、本社の会議室でということになってきた。宴会も本社の近くでの食事会が多くなっていった。よしんば温泉地でするにしても、芸者も呼ばない質素なものに変わっていった。このような変化は、必然的に、温泉地における法人需要の激減をもたらすことになったのである。

法人需要の減を補うべくさらなる個人客を狙うところも現れ始めたが、これは、ハネムーンなどの一部を除いて単価の減少をもたらし、売上金額は減少の一途をたどるようになる。バブル崩壊による価格破壊は温泉にも影響を与え、いわゆる「激安」旅館が現れた。もともとは企業の保養所の閉鎖によって空き家になった建物を安く買い取り、旅館に衣替えしたものであったのだが、ひとたびこのようなものが現れると、既存の旅館も対抗上、価格を下げざるをえない。これがエリア全体に波及すれば過剰投資を回収できないばかりか、銀行からの借入金の利息すら払えないところが出てきてしまった。そして、老舗旅館といえども倒産するところが出てきてしまったのである。

北陸の名湯、山中温泉に江戸時代から続く老舗旅館「よしのや依緑園」が

23億円の負債を抱えて倒産したのは、2008（平成20）年12月のことであった。ここのオーナーであった中曽根氏は、代々続く名家で、昭和22年10月には、天皇陛下（昭和天皇）も宿泊されておられ、昭和30年代は山中温泉一の規模と格式を誇っていたが、もはや、格式だけでは、旅館の維持はできなくなってしまっていたのであった。

よしのや依緑園

　温泉旅館の立地するエリアでは、旅館に寄りかかって生活している人が多いから(注)、旅館の倒産、廃業はその地域の雇用を失わしめ、結果としてその地域の空家の増加をもたらし、町並みが荒れていく。

　(注) 全国平均の数字はないが、いくつかの旅館の例を挙げれば、100部屋の温泉旅館の従業員数は56人程度である。

　また、他の要因として考えられるのは、経済活動の発展に伴って交通機関が発達し、温泉地まで比較的短時間で到達するようになると、温泉に行っても泊まらない客が増えてきたことである。気軽に行けるようになった代わりに、金も落とさなくなってきた。今では1泊2食付で5250円というところも現れた。さらに、ボーリング技術の向上に伴う都会の温泉(注)や、ジャクジー、サウナなどいろいろな機能を備えた「スーパー銭湯」の出現がこれに拍車をかけた。都会の温泉は1990年代に入って多く出現したが、これによって、「時間と交通費をかけて山奥の温泉に行く」というスタイルが後退し、身近で手軽に楽しむ温泉スタイルが広まっていった。

　(注) 都会の温泉の例
　●大江戸温泉物語（江東区青海、2003年3月1日開業）都心に再現したお台場の新名所
　●東京ドーム天然温泉「Spa LaQua」（文京区後楽、2003年5月開業）
　●武蔵野温泉「なごみの湯」（旧荻窪「湯〜とぴあ」、1988年4月開業）
　●深大寺温泉「ゆかり」（調布市、2000年12月開業）
　●なにわの湯（大阪市、2004年12月開業）
　●嵯峨野温泉「天山の湯」（京都市、2005年12月開業）地下1200mから湧く

●ジェームス山天然温泉「月の湯舟」(神戸市、2003年10月開業)
その他「スーパー銭湯」と呼ばれるものが各地に多数ある

　都会の温泉の代表的なものは大江戸温泉物語である。東京の埋立地にあり、江戸情緒が楽しめる「ヘルスセンター」的なものである。同社は、このほかにも、全国に比較的格安な温泉旅館を運営しており、その多くは、かつて営業不振で閉鎖された公共の宿や企業の保養所を利用してリニューアルしたものである。

　入浴というのは日本人の生活の中でかなり重要な要素であるから、そのスタイルは時代を反映しているといってもよいのであろう。どちらがよい、悪いというのではなく、生活にマッチしているかどうかという基準で流行り廃りがあると考えれば、時代にマッチした温泉の生き方を考えなくてはならない時期に来ているともいえる。
　それはともかく、これらの負の連鎖によって大規模な温泉旅館を核とする温泉地は2002(平成14)年ぐらいをピークにして以後次第に衰退してしまったのである。
　以下に熱海における宿泊客数、宿泊施設数の推移を掲げる。

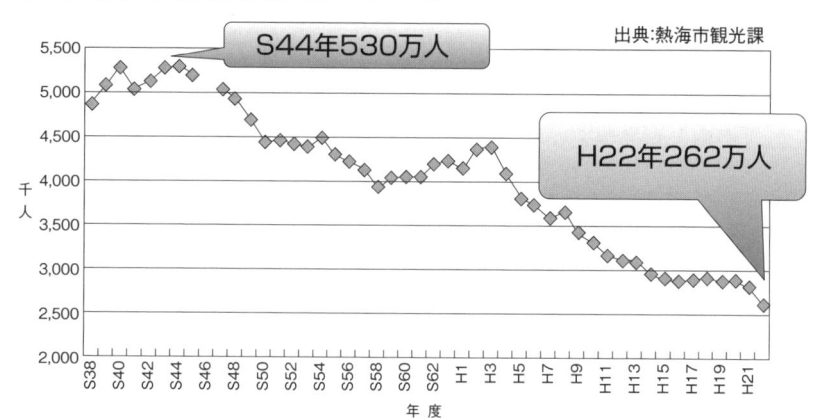

図-2　宿泊客数の推移(熱海市:S38−H22)

図-3　宿泊施設数の推移（S47－H22）

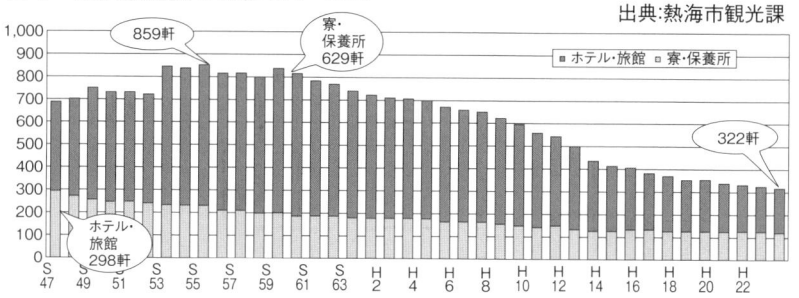

出典：熱海市観光課

- 859軒
- 寮・保養所 629軒
- ホテル・旅館 298軒
- 322軒

- ● 宿泊客数減少とともに施設数は激減
- ■ 宿泊施設数のピークは昭和55年（859軒）。
- ■ ホテル・旅館は、ピーク時（昭和47年）から56.7％減。（H23：129軒）
- ■ 寮・保養所は、ピーク時（昭和59年）から69.3％減。（H23：193軒）

（4）温泉旅館のビジネスモデルと倒産

　温泉地の旅館は、法人需要にこたえるための「大宴会場」「大広間」が必ずあり、100人以上の宴会を楽々こなすことができる、「数で勝負」のものと、風呂付の部屋があり、離れもあり、うまい料理を売りにしていたもの（旧来のものと湯布院・黒川など新興とに分かれる）、さらに湯治場的なもの（温泉一源泉につき1軒の宿屋しかないようなもの）と3種類に大別できる。前の二者は両方とも、大きな投資を必要とするから、規模の大きい旅館か経営基盤の比較的安定している何代も続く老舗旅館が主導権を持っていた。例えば、熱海の「熱海富士屋ホテル」「来宮ホテル」「アタミ観光ホテル」「赤

時刻表の広告「団体様300名まで」とある 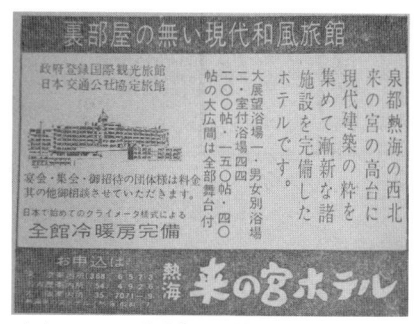　　来宮ホテルの広告「200帖大広間」と銘打っている

尾ホテル」、白浜の「古賀の井ホテル」、山中の「よしのや依緑園」、別府の「杉乃井ホテル」などがその代表的なものといえるであろう。

　上記、熱海富士屋ホテルの大宴会場は800畳敷で2000人が収容可能であったとされるし、アタミ観光ホテルは、「団体様は300名様まで」、来宮ホテルは、「200畳の大広間は舞台つき」、別府杉乃井ホテルは1000室の客室を持っていた（ニューアカオの現在ダンスホールとして使われているものは675 m 2400畳）。

　このようなビジネスモデルは、①大きな人数の宿泊客、あるいは②単価の高い客が安定的に来ることが前提であるから、外的要因によってそれが崩れると、過大な投資が瞬く間に裏目に出たのである。

　バブル経済の崩壊がそのきっかけになった。バブル期に銀行に躍らされて必要以上の投資を行った旅館が最も脆かった。もともと「女房と畳は新しい方がよい」という言葉に象徴されるように、常に新しさを要求される日本式の旅館は自己資金ではなく、ほとんどを銀行からの借入金によって賄っているから、銀行に対しては弱い立場にある。バブル期に銀行から「利息だけ返済してくれればとりあえずよいからもっと借りてくれ」と言われれば、旅館自体はそれほど投資の必要を認めなくても、借りざるをえなかったところが多いといわれる。それが、「銀行の財務体質健全化」という名の下に「貸しはがし」が行われるとひとたまりもない。もともと、利息以上を払える体力はなかったのだから、法人需要が減退し、新婚客も一部を除いて宿泊代金に見栄を張らなくなると旅館の売り上げはどんどん減り、利益も急速に圧迫され、資金繰りに行き詰まってしまったのである。

　表-6は2008年1月から2009年2月までの間の負債総額20億円以上の旅館・ホテル倒産を表にしたものである（東京商工リサーチ資料、『週刊ダイヤモンド』2009年3月号、p.60より転載）。

　老舗、名旅館といわれるものが倒産を余儀なくされたのが読み取れる。その負債規模も資本金の10倍を超えるものが多く、きわめて大きいのが特徴であった。

　温泉地の凋落と衰退は、旅館の提供してきたものが、時代のニーズに合わないものになってきたにもかかわらず、相変わらず、旧来のビジネスモデルに固執した経営を行ってきたことにその遠因があり、それが、バブル崩壊と

いう大きな経済変動によって一挙に表面化した結果であるといえよう。

それにしても、観光立国を標榜した小泉内閣が、金融・経済財政政策を担当する大臣の主導によって、温泉地という日本の一大観

表-6　2008年1月～2009年2月の宿泊施設大型倒産

商　号	所在地	負債総額 （百万円）	倒産原因
セラヴィリゾート泉郷	東京都	14,500	既往のシワ寄せ
那珂川観光	栃木県	7,700	販売不振
富山観光開発	富山県	5,000	販売不振
川治温泉一柳閣本館	栃木県	5,000	販売不振
京成ホテル管財	東京都	4,764	既往のシワ寄せ
パルアクティブ	東京都	4,500	既往のシワ寄せ
魚九	三重県	4,000	販売不振
あたかや	石川県	4,000	販売不振
ホテルニューヴェール北上	岩手県	3,852	販売不振
大久	愛媛県	3,800	設備投資過大
山下家	石川県	3,580	販売不振
三朝観光ホテル万翠楼	鳥取県	3,200	販売不振
砦	静岡県	3,200	販売不振
細萱サービス	群馬県	2,900	既往のシワ寄せ
清風荘	鳥取県	2,596	販売不振
ウオミサキホテル	静岡県	2,300	既往のシワ寄せ
山の井	島根県	2,231	販売不振
せきや	石川県	2,200	販売不振

負債総額20億円以上が対象　　　　　　　　出所：東京商工リサーチ

光資源を擁する地域の多くが疲弊するきっかけを作ってしまったとは何たる皮肉であろうか。いかに実態を知らないかということの見本のようなものである。

(5) 由布院のケーススタディ

一方で、バブルの影響を比較的受けずに生き残った温泉地にはどのようなところがあり、どのような状況であったのだろうか？

そのひとつ、由布院は、大分県別府市の西南、九重に通じる高原地帯の盆地にある。

ＪＲ久大線が通じ大分から1時間、日本ではじめてといわれた高原を走る高速道路「やまなみハイウェイ」が1964年にできてからは別府からのバスも通じ便利になった。今では、大分空港からの空港バスの便もある。かつては、別府の奥座敷といわれ、歓楽郷的な別府とは対照的なひなびた感じの町

であった。

作家の水上勉は、1967（昭和42）年にここを訪れ、その著書『日本紀行』の中で、

　車が由布岳の裾の九十九折をくだる時が、盆地の全景が一望できる一瞬だが、ドライバーたちは、思わず声を出して、速度を落とすのだった。こんなところに、こんな町がかくれていたのかと驚くだろう。新しい町ではない。知らなかっただけのことである。

　（中略）

　たべものの話を書くしかないほど、この町は、のどかで、素朴なのだ。どこの温泉町にも見られるような赤青のネオンのともったバアや飲み屋はない。パチンコ店さえが1、2軒だ。

と、当時の湯布院を紹介している。

由布院温泉の町並み　　　　由布院にある金隣湖の朝霧

現在の人口は僅か35,386人（平成17年度国勢調査）に過ぎないが、それが、年間460万人の観光客が訪れ、93万5000人が宿泊する温泉地になったのである（平成18年由布市観光動態統計）。

由布院は、単純温泉であるが、湯量が豊富で、湧出量（毎分38,600リットル）は、全国で第3位、源泉の数（852本）では、別府についで第2位である。

由布院は、昭和の大規模温泉街に多く見られた歓楽性を極力排しており、女性に特に人気が高い。

各宿泊施設はにぎやかな町並みから外れた周辺の川端や林の間、丘の上などに点在し、広い範囲で湯が湧くため、旅館が一カ所に集積する必要が少なかったことから、一軒の敷地も比較的広く、町のつくりはゆったりとしてい

るのが特徴である。

　筆者が最初に由布院を訪れたのは40年以上も前であるが、当時は、田圃が広がるひなびた温泉で、朝、一面に盆地を覆う名物の霧以外はさしたるものもなく、近郊の小田の池、山下の池へのハイキングや山歩きぐらいしかなかった。つまり、静かではあるが、遊ぶところなどほとんど何もない高原の温泉場であったのである。1959（昭和34）年5月4日に、国民保養温泉地(注)に指定されていることからみても、もともと、歓楽郷的なところではないことが分かる。

　(注)　環境省が温泉法第14条に基づいて指定する温泉地で、温泉利用の効果が充分期待され、かつ健全な温泉地としての条件を備えているという条件を満たしている必要がある。そのため、源泉（効能の高さ、湧出量、湧出温度）、温泉地の環境（健全性、周辺の景観、保養地としての環境）、また、温泉を利用した医療設備、スタッフの充実、交通の便、災害に対する安全性などの条件を満たしていることが必要である。

　由布院を今ある形にした生みの親というべき人が3人いるのはよく知られている。それは、中谷健太郎、溝口薫平、志手康二の3氏である。いずれも、由布院の著名な旅館のオーナーで、観光カリスマでもある溝口薫平氏の著書『虫庭の宿』および、ご本人に直接お聞きした話をまとめると、由布院が成功した要因として、

①法人需要によらず、徹底して個人客のニーズにこたえたこと。一旅館だけでなく、町全体がこのような個人客のニーズに応えるべく街づくりを行ったこと。

　そのため、好ましくない団体は街を挙げて断ったこと。

　結果として宿泊単価は当然のことながら高くなるが、宿泊料金をむやみに割引して客の奪い合いに走らなかったため、旅館の中でのすみわけができ、それが崩れなかったこと。

②外部の大資本が住民の意向を無視して開発することに徹底的に反対したこと。

　そのために条例まで作っている。地域住民が街の環境を守る意識に早くから目覚め、一体となったこと。

③旅館でも地産地消をモットーに地元産の食材にこだわり農家もそれに協

力したこと。旅館同士が足の引っ張り合いをせず、すみわけを守って互いに協力したこと。
を主たる理由に挙げている。

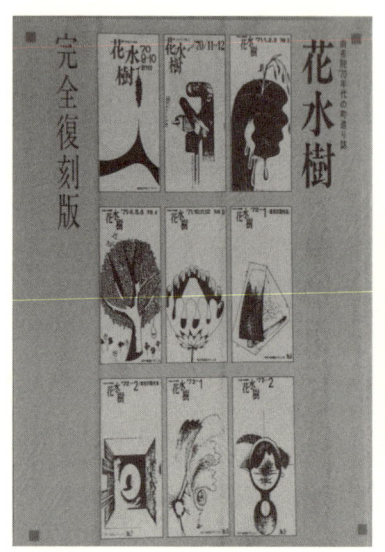

由布院の町づくりのために
創刊された「花水樹」の合本

溝口氏(左)と筆者(右)

　これを見ると分かるとおり、由布院にはどのようにして生きていくかということについて明確なヴィジョンと哲学があったことが分かる。
　(注) 自然環境保護条例、住環境保護条例、潤いのある町づくり条例 (1990)

　①に関して言えば、由布院は地理的にも別府の奥座敷といわれ、大きな団体は別府に吸収されてしまうから、以前から大きな旅館の存在意義は希薄であったが、そのことを逆用し、大口団体が求めるようなものは何もないことをマイナスではなくプラスに変えていったのである。
　②も一朝一夕にできたのではなく、町の住人の意思統一を図るのに紆余曲折があったのであるが、最終的には住民の町の環境を守りたいという熱意が勝ったということができる (この辺の事情は「花水樹」に詳しい)。
　③に関しては、大分県の知事であった平松守彦氏が「一村一品運動」を提唱しており、地元の村々の特産品をとりあげ、どのように調理したらよいか

という研究まで行われていたことも幸いしたといえる。今で言うオーガニック、健康食品の考え方が早くから取り入れられていたということである。

　溝口氏らにこのようなやり方をとらせるきっかけとなったのは、若い頃の北欧やドイツの旅の経験であったという。50日間のヨーロッパ旅行の中で、とりわけ、ドイツの温泉保養地の様子が印象に残ったという。ドイツのフランクフルトの北に位置する、バートナウハイムという保養地である。氏は著書の中で、
　「そこで見たものは、人々が自分の身体をいたわり、静かに人生を楽しんで暮らしている生活でした。そして、保養地の絶対条件は『静けさ』だということを思い知りました。このとき、われわれが見て学んだことがその後に旧湯布院町のクアオルト（温泉保養地）構想へと発展。1981（昭和56）年国民保養温泉地の第1号としての指定を受けることにつながるのです」
と記している。
　由布院の基本的なコンセプトはここに見出されるが、具体的な街づくりのモデルになったのは、ドイツ南西部の小さな保養地、バーデンバイラーであった。
　公園と町並みの美しさ、洗練された商店街。世界中から健康を求めにやってきた人がくつろぐ別天地。花が咲き、小鳥がさえずる。静けさを守るために、車を閉め出し、質の高いサービスを行うことで、美しい景観を守る。このようなやり方をしているドイツの人口3500人という小さな保養地に、溝口氏らは、小さな旅館しかない由布院を重ね、生き残っていく道を見出したのであった。
　静かさ以外何もないヨーロッパの保養地に多くの人が訪れるのを見て、「こういうやり方もあるのだ」と大いに驚き、感動した、と氏は語っている。

　由布院が生き残った他の要因として、JR九州が旅行客の誘致に大きな協力をしているのも見逃せない。たとえば「ゆふいんの森」という特急列車を走らせているが、これは鉄道ファンには、すでに有名で、単に速いだけでなく、目的地に着くまでの時間を旅客が楽しめるようになっている。水戸岡鋭治氏のデザインになるもので、九州の自然にマッチする深緑色の外観、広くとった展望窓、窓の外に向いた展望座席など、観光列車というにふさわしい。

由布院の駅舎には改札口がない。待合室は美術館になっている。これらは大分県出身の建築家、磯崎新氏のデザインになるものである。こんなさりげないことが、旅行客、特に若い女性客の魅力となっているのも見逃せないが、同時に、様々な人脈を生かして、目標とする街づくりに協力してもらっていることが、さらに重要だ。街づくりは多様な、多数の人の協力を必要とし、それらが一つにまとまったときに大きな力となり、新しいものを生み出す。

由布院の旅館の宿泊料金は決して安くない。例えば、老舗の「玉の湯」では 34,800 〜 57,900 円（『虫庭の宿』による）、高級といわれるところでは、3 万円台のところが多い（2012 年 8 月現在、一室の利用人数によっても変動する）。勿論、エコノミークラスもあるが、若い女性客も決して値段の安いところばかりを狙うわけではない。若い女性客が 1 泊 2 万〜 3 万円もするような旅館に泊まることを躊躇しないのが由布院の持つ温泉地、観光地としての付加価値を示している。

由布院の 1 館あたりの部屋数は平均で 13.1 部屋で（2012 年 8 月現在。旅館組合加盟の全旅館平均。離れは一部屋と数える）、小規模な旅館で高付加価値を目指すには、労働集約型の宿泊業の場合、それなりの人件費や維持費などがかかる。それらの年間必要経費から、経営に必要な利益を計算し、それをベースに宿泊料を決める。不当に大きな利益を上げているものではないことが客に分かるような対応なのである。それを客も納得しているから、一見高いと思われる金額の宿泊料でも誘客できるのだと、溝口薫平氏は自信を

由布院温泉における旅館の客室数分布と宿泊料金価格帯分布(2012.8.1 現在)

図-4　価格分布　　　　　　　　図-5　客室数分布

宿泊料金（一人一泊、単位千円）　　　客室数

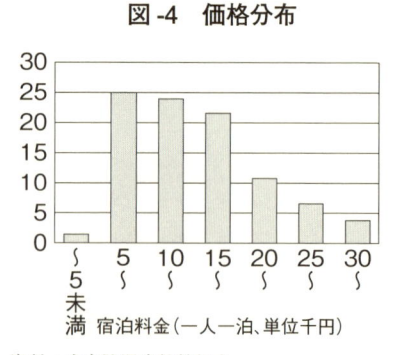

資料：由布院温泉旅館組合　　　　資料：由布院温泉旅館組合

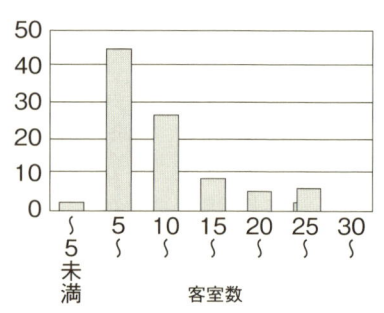

持って言い切った。氏は観光カリスマに認定されているだけでなく、由布院の観光協会会長、老舗旅館「玉の湯別館」の会長でもあり、この言葉は重く、説得力のあるものだった。

　これらのことが相乗効果を発揮し、由布院には、いわゆる名勝的なものはないにもかかわらず、その静かで穏やかな自然を求め、来訪客が増えた。しかもそれらの人が何度もリピートするというのが、特徴である。観光動態調査によると、2006（平成 18）年の由布市来訪者は 4,604,652 人（うち外国人は 86,423 人）で、内宿泊客は 934,895 人（うち外国人は 19,633 人）である。宿泊施設のキャパシティが増えればまだまだ宿泊客は増えると思われるが、あえて大きな施設の開発、建設を行わないのである。

　この町は住んでいる人の多くが幸せそうな顔をしている。近県からの人も増えたそうである。住民が幸せそうな顔をしているところには、旅行客も自然と集まってくる。

　由布院を気に入った人は多々いるが、小林秀雄、C・W・ニコル、小林道夫（チェンバロ奏者）の各氏が挙げられる。

　今では温泉に宿泊する旅行客としてではなく移住する人も増えてきた。特に芸術関係の人がこの地を求めてやってくるのは、この町の目指すところ、性格をよく表しているといえるだろう。

　由布院の弱みは、オリジナリティのある土産物が少ないことだ。それを補うために、外部の力を借りて開発を行うプロジェクトが近年始動した。由布院は外部の資本を断ったが、「自分たちの外にあるものを見、外部から学ぶ」ということに関しては、きわめて柔軟である。デザインというものに注目し、2008 年「由布院デザインシステム」の設置に着手し、デザイナーの募集、商品開発、テストマーケティングを行った。

　8 人が大分、福岡県在住者の中から選ばれ、2 カ月に一度会議を開催し、2009 年度には新商品開発に向けての協議が始まった。ここでは、観光協会が「何故このような商品を作りたいのか」ということをデザイナーに説明することから始めて、商品化までを共に考えていくのである。つまり、単なる美術的な要素としてのデザインではなく商品開発全体を外部の力を借りて行おうとするものである。新しく開発された商品には、手ぬぐい、タオル、石鹸があり、既に発売されているが、これらは「YUFUIN PLUS」というブランド名のもとに、商品の品質だけでなく、商品のデザイン、包装デザイン

に至るまで細かな検討が加えられている。

　また、この総合デザイン力を旅館のリニューアルに結びつけることも行われており、単に、建築外観の設計、デザインだけでなく、インテリアは勿論、照明器具、部屋のネーミング、色、ノベルティに至るまで、統一的なコンセプトに基づいて行われている。このような配慮の結果として、リニューアルされた旅館では若い女性を中心とする客層をより多く惹きつけることが可能となった。

　1998年には観光協会・旅館組合が合同で作っている湯布院観光総合事務所の事務局長を公募した。外部の目線で町を見ることは、地域の魅力の再発見につながることで、このような人材の活用は由布院の様々なイベント、新しいプロジェクトに際していかんなく発揮された。これが由布院の発展に大きな貢献をしたと考えられる。

　今までに述べてきたような姿勢、取り組みが相互に相乗効果を発揮して、単に温泉地としてではなく、町全体として、地域として振興が図られているというのが昨今の由布院の状況である。

　このように見てくると、由布院の場合は、初めから高付加価値、それなりの価格設定を忠実に守ったため、バブル崩壊による影響を受けることが他の温泉地に比べて比較的小さく、倒産の憂き目に遭わなかったという言い方もできよう。

(6) 加賀屋のケーススタディ

　もう一つ例を挙げよう。石川県七尾市に和倉温泉という名湯がある。肌にやや熱めの食塩泉で、寒い北陸の冬にはもってこいである。波静かな七尾湾に面して前に能登島を望む風光明媚な地には、33軒（2013年1月現在）の旅館、ホテル、民宿があるが、その中で「加賀屋」は、その接客サービスの優秀さでつとに有名である。よく訓練された従業員、お客様を心からもてなそうとする誠意が伝わってくる接客態度とも言うべきか。単に客室従業員にとどまらず、予約部門、営業部門のスタッフに至るまで行き届いているのは、素晴らしいことである。どんな些細なこともおろそかにせず、お客様のニー

ズに応えようとする姿勢は、日本的なこまやかさが忘れられつつある現代では貴重なものといえよう。

　2004年12月29日に台湾の李総統（当時）が宿泊され、台湾にもその名を知られるに至ってから台湾からの宿泊客も多い。

　加賀屋は、部屋も供される料理も館内設備もすばらしい。その分、宿泊料も安くない。ここで注意しなければならないのは、「高い」のと「安くない」のとは違うということである。後者には、支払った旅客が納得できるものを含んでいる。金額は低くないが、それに見合う付加価値があるということだ。また行きたいと、お客様をして自然に思わせることが、観光産業の重要な要素であるならば、加賀屋は、そのことを早くから知り、実践してきたということだ。

　滞在が終わって和倉を去る日、駅まで仲居さんが見送りに来る。列車が出るまで名残を惜しむ、そこに少しもわざとらしさを感じないのは筆者の贔屓目であろうか。そのやりかたは、日本人の心情に訴えるものを多く持っている。1977（昭和52）年1月より旅行新聞新社が主催する「プロが選ぶ日本のホテル・旅館100選」（全国の宿泊業者の中から選定するもの）の総合部門1位を32年連続して受賞し続けているのも首肯できる。

　社長の小田氏は、観光業界ではつとに有名な方で、単に旅館の社長であるだけでなく、和倉という地域全体の発展を考えておられる。美術館を作ったり、従業員でもある地域の住民の福利厚生、人材育成にも心を配っているのは敬意に値する。

　七尾の姉妹都市はカリフォルニアのモントレー（サンフランシスコの南130マイル、前出カーメルの近隣）で、アメリカのホテルのサービス視察に従業員が出かけるのも、加賀屋ならではのことである。毎年数人ずつ順番に出かける。

　能登半島地震が起きたとき、1年間の休館を余儀なくされたが、小田氏は、客室従業員をレイオフするのではなく、これを絶好の機会と捉えて、給料を払い続けるとともに、徹底的な研修を行った。

　このような細かな配慮が、従業員のロイヤリティを高め、サービスに大きな影響を与えているのだろう。

　アメリカの姉妹都市からも日本的なサービスとはどのようなものかを見に

来る。モントレーは東海岸のニューポート（ロードアイランド州）と並びアメリカの二大ジャズフェスティバルの開催地である。毎年9月に3日間に亘って開催されるが、この催しを取り入れ、和倉でも1989年から「モントレージャズフェスティバル　イン　能登」を開催するようになった。2013年で25回目となるこの催しは、本場以外では、ここだけが「モントレージャズフェスティバル」の名をつけることが許されたものだ。それだけ両市の思い入れが強いということの現われでもある。

　姉妹都市との交流を通じて、互いのよいところを取り入れようとするこだわりのなさも宿泊客に好感を持って受け入れられているのかもしれない。加賀屋のこうした動きは地域に影響を与えずにおかない。地域の旅館・ホテルが競って接客レベルの向上を意識し始め、和倉温泉全体の知名度アップに繋がった。接客サービスの良さは加賀屋だけのものではなく、和倉全体のイメージとして喧伝されるようになったのである。

　サービスにコストがかかることは旅客も分かっており、自分の支払ったお金がいかされ、自分に別の形で戻ってくるのであれば旅客も納得する。価格が安くなれば、当然、サービスも通り一遍のものになる。どちらを選ぶかは旅客の選択に委ねられているが、加賀屋のような付加価値を求める人がこれからも増え続けるであろうことは、想像に難くないであろう。サービスを付加価値として、旅館の知名度を上げ、それが温泉地全体の知名度アップに繋がっていく。その意味で、加賀屋、和倉温泉は観光産業のこれからのひとつの形を提示しているように思えてならない。

(7) 稲取のケーススタディ

雛のつるし飾り

　伊豆半島の中部東海岸にある稲取温泉（行政上は静岡県東伊豆町）の観光協会は2006年観光協会事務局長の公募を行った。伊豆半島の東海岸には網代、伊東、北川、熱川、今井浜、下田など有名な温泉が目白押しで、大激戦区なのであるが、稲取温泉も、バブルの崩壊に伴って、

第2章　観光地の変遷と盛衰　61

来訪客の激減に悩まされていたのである。

稲取は金目鯛で有名であるが、砂浜がなく海水浴に適さないため、家族客の来訪は今一歩の状況であった。初春に行われる「雛のつるし祭り」が年中行事としてあるが、そのほかには目立ったものはなかった。

渡邊法子氏と筆者

観光協会は「なけなしの」予算を計上して年俸 700 万円、住宅付の好条件で募集したところ 1500 通以上の応募があり、かなりの経歴の持ち主の応募もあった。書類選考、面接を経て、選ばれたのは渡邊法子氏で、氏はそれまでに京丹後市などで観光による町おこしの実績があった。

氏は、就任すると、

①地域住民の意識を目覚めさせる（地域の振興は住民の自覚が第一に必要になる）。

②地域の魅力の再発見とそれらの情報を広く発信すること。

③来訪者が地域の魅力を楽しめるような仕掛けを作ること。できることから実施する。

を柱に、「こらっしえ稲取、大作戦」と銘打って観光振興策を作った。

①に関しては住民のボランティア活動を促し、住民が自ら立ち上がって行動するように仕向けた。

②に関しては、住民が見慣れてしまってなんとも感じなくなってしまっている地域の風物や景色、食べ物などに注目して、外部の目で見たときに外部の人の求めるものはどのようなものであるかを指摘し、今、既にあるものを探しなおし、稲

情報誌『ウェイラ』

取の魅力の再発見に努めた。つまり、「あるものを探し」を徹底的に行って、「それを磨く」ことに徹したのである。そして、その結果を情報誌やインターネットのホームページを通じて発信し始めたのである。新たに作られた情報誌は『ウエイラ』と呼ばれ、カラー 12 ページで手作りの記事が満載である。

③に関しては、②で再発見した地域の魅力を、個人、家族、外国人の来訪者に楽しんでもらえる仕組みを 27 の現地申し込みの小旅行（いわゆる「オプショナルツアー」）として作ったのである。

例えば、家族旅行で来る子供たちのために、磯で「ひっこくり大作戦（エビカニのつかみ取り）」、女性客のためには「雛のつるし飾り制作体験」、男性客のためには「ラクチン海釣り」などを企画・実施した。つまり、宴会をしない個人の、家族旅行の訪問客のために、楽しめる仕掛けを提供したのである。

それらは、2008 年に制定された「観光圏整備法」に基づき、「伊豆観光圏」の中における、いわゆる着地型の小旅行として、旅行業法上の特例が適用になるため[注]、地元の旅行会社「稲取温泉観光合同会社」を設立して、そこで企画・実施を行った。これによって夏休み期間中だけで 650 人の集客があり、平成 22 年度には合計 1,966 人の集客があった。

表-7　稲取温泉入湯客数推移

東伊豆町観光商工課　資料

年度	入湯客数(人)
平成 16 年度	497,045
平成 17 年度	480,066
平成 18 年度	470,510
平成 19 年度	462,312
平成 20 年度	446,191
平成 21 年度	401,499
平成 22 年度	393,817

入湯客数は平成 18 年度から概ね微減であるが、日帰り観光客が増加し、若い女性の姿も目立つようになったのである。東日本大震災の影響がここでも大きかったが、平成 24 年度は回復の兆しを見せている。

（注）第 4 章 2 (5)「観光圏」の項を参照。

渡邊氏は、旅館が旅館の中だけに宿泊客をとどめているだけでは町の発展はないと考えて、宿泊客を町に出すことを考えたが、これは必ずしも旅館の利害と一致するものではなかった。何故ならば、旅館は常に自分の施設での売り上げを極大化しようとするからである。

彼女の実践したことは観光学の視点から見れば、国の推し進めようとしている観光立国の理念に沿ったもので、観光立国推進基本法の中に書かれていることを忠実に、稲取という地域にあったやり方で行ったものなのであるが、何よりも地域の住民を目覚めさせたという意義が大きかった。また、稲取ケースは、観光協会事務局長の公募、選ばれた人が町とは無関係の外部から来た中年の女性、そのやり方のユニークさなどで話題となり、ＴＶなどで紹介されるに及んで効果を挙げたのであった。

就任後１年が経過した段階での次年度への抱負として、渡邊氏は、

①教育旅行の誘致（修学旅行、臨海学校など）。

② IN BOUND 対応の充実（特に中国人などのアジア系を重視）。

③さらなる商品開発（着地型ツアーの増設だけでなく、農家と連携した、体験、農産物販売、地場産品を地域ＰＲに生かすこと）。因みに、稲取産のカーネーション「スターチェリー」は有名である。

スターチェリー

渡邊氏は契約期間を１年延長して 2010 年２月に退任したが、その意図したところは稲取の住民に引き継がれているといってよいだろう。

2008（平成 20）年における、主要な数字は以下の通りである（いずれも観光協会の資料による）。

稲取地区　旅館宿泊者数	44.6 万人（東伊豆町役場資料）
伊豆急行　伊豆稲取駅降客数（定期外）	295,958 人
合同会社売上げ	2,200 万円
観光協会予算	3,500 万円
着地型ツアー「ひっこくり」参加者数	1,300 人
中国、台湾、韓国からの来訪者数	8,000 人
旅館数	21 軒（平成２年は 43 軒）
稲取温泉の入湯税	6,600 万円
観光関係に従事する人のシェア	74 ％（人数ベース）

2011年3月現在、日本語と中国語を見開きで印刷した『伊豆稲取温泉——教育旅行・研修旅行・インバウンドのご提案』というリーフレットができているし、「カーネーション畑へ行ってみよう」と銘打った着地型旅行も設定されている。

　今後の課題として、現在の事務局大越氏は、地域住民によって運営されている着地型小旅行が、まだ、発地においては十分に知られておらず、到着、宿泊してからの申し込みでは、住民の本業との兼ね合いで人の手当ができないことから、機会損失がかなりあるため、

　①情報発信方法の見直しと改善による誘客
　②特に更なる若者来訪者の誘致
　③それらにより稲取温泉観光合同会社の利益体質への転換
　が必要であると総括した。

　観光協会の責任者を外部から公募することは、既に、1998年に、由布院で実施されており、稲取が最初ではないが、以後、小樽、立山、橋本などでも公募により、観光振興を図ろうとする動きがあちこちで見られるようになったことからみても、稲取ケースは観光による地域の振興に一石を投じたものといってよいであろう。

(8) 黒川温泉のケーススタディ

　黒川の名前と場所をすぐに言える人は相当な温泉通といえるだろう。熊本県阿蘇郡南小国町、熊本から大分に通じる豊肥本線阿蘇駅から内牧温泉(注1)、大観峰(注2)を越え、杖立温泉の手前を東に入る。阿蘇の山懐に抱かれたかつての湯治場は、1964（昭和39）年に国民保養温泉(注3)に指定されたことからでも分かるように、静かな湯治場的な雰囲気を持つ温泉場であったが、いまや、かつて繁栄を誇った内牧温泉を凌いで、近年、若い女性の姿が目立ち、狭い温泉街は車も通りにくい状況になった。黒川の名前を有名にしたのは、露天風呂である。そのきっかけになったのは、新明館の後藤哲也氏であった。氏は温泉の魅力はまず第一に風呂であるべきだと考え、さらに近くに何もない黒川が温泉地として生き残るためには、何か黒川ならではのものを作らないといけないと考えていた。そして自分の経営する旅館の敷地内にある岩屋をくりぬいて、3年半の歳月をかけ、間口2m、奥行き30mの洞窟を完成させ、その先の源泉を引いて洞窟風呂にしたのである。これは評判を呼んだ。

　そればかりではなく、後藤氏は裏山から何の変哲もないたくさんの雑木を運び入れ、あるがままの自然を感じさせる露天風呂（岩戸風呂）も作った。氏は、「自然の雰囲気」が大事と考えたのである。

　評判を聞きつけ、少しずつ客が戻ってきた。だが後藤氏は、自分の旅館だけでなく、温泉街の旅館がすべて露天風呂を持つようにしたらもっとお客様にきてもらえると主張し、他の旅館のオーナーにも露天風呂を作ることを勧めたのである。

　何の変哲もない田舎の山奥の景色ではあるが、それが、自分の故郷に帰ったように優しく包んでくれていることに、お客は安らぎを感じるようになった。川沿いの狭い土地ではあるが、各旅館が工夫して露天風呂を作った。

　そして、それが完成を見ると、次に後藤氏は、どの旅館の宿泊客でも他の旅館の露天風呂に入れるようにしようと提案した。保守的で初めは渋っていた他の旅館のオーナーも次第に心を開いて彼に協力するようになった。その結果、温泉組合で「入湯手形」を発行することになっ

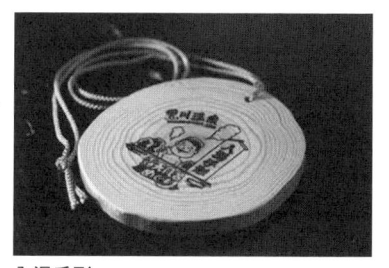

入湯手形

た。地元の小国杉を輪切りにしてキーホルダーのような形にし、来湯の記念品になるように作った。この収入を町の整備に当て、残りは組合員で均等に配分した。

　後藤氏は、さらに、町全体が自然のままの「里山の雰囲気」を持つようにする必要があると訴えた。町全体で露天風呂の周りに木を植え、近くの森には合計15,000本もの木を植林した。自然と繋がる景色を演出し、入浴しながら湯客が自分の故郷に帰ったような安らぎを感じさせるようにしたのである。温泉街もそれに合わせ、けばけばしくない、雰囲気に合った看板やサインボードで統一することにした。入湯手形の収益を町の雰囲気作りの改善にあてることができたのである。その結果、温泉街全体が自然に包まれたような風景が生まれ、宿には鄙びた湯の町情緒が蘇った。

　年寄りの湯治客だけでなく、若い女性も温泉のあとのそぞろ歩きが楽しめるようになった。いくつもの露天風呂に入ることができ、ゆっくり散歩できることが、若い女性に受け、温泉ブームも手伝って、評判は口コミで広がった。その結果、多くの若い女性が黒川温泉を訪れるようになったのである。

　一軒の旅館から始まったこの動きは、温泉街全体を巻き込んで、黒川全体の評価を高める結果となったのである。

　このような実績を評価されて、2009年版『ミシュラン・グリーンガイド・ジャポン』で、温泉地としては異例の二つ星で掲載されたことも特筆されよう。同ガイドブックは、「親しさと温泉に満ちあふれ、川のせせらぎの音、風の葉ずれの音、鳥のさえずる声、下駄のからんころんという音が旅行者を魅了する」と描写している。

　「街全体が一つの宿　通りは廊下　旅館は客室」。これをモットーに、一つの宿から始まった魅力再発見が町全体に広がり、地域の再生に繋がった例として、黒川温泉は、多くの示唆に富んでいる。

　　（注1）阿蘇温泉郷の中で最大の規模を誇る温泉地。かつては、団体

黒川温泉

旅行から新婚旅行までのあらゆる目的地として賑わった。夏目漱石はここで小説『二百十日』を執筆したとされる。

（注2）阿蘇外輪山の最高峰で標高935.9 m、阿蘇5岳、阿蘇カルデラ、九重連山の眺めが素晴らしい展望所で、徳富蘇峰が命名したといわれる景勝地。

（注3）由布院の項を参照

大観峰

(9) 再生ビジネス

倒産したホテルや旅館を安く買い取り、それまでとは異なったビジネスモデルで復活させようとする者が現れた。このような業態を「再生ビジネス」と呼んでいる。その中には、アメリカやインド系のファンドや資本もある。彼らは資金を提供して倒産物件や売りに出ている物件を格安で買い取り、再生のプロと思しき専門家に経営を委ねるのである。一例を挙げれば、宮崎にある「シーガイア」は、リゾート法適用を申請してその第1号となったが、その立派な設備にもかかわらず、バブル崩壊とともに破綻してしまった。アメリカのファンドであるリップルウッド・ホールディングスがこれを買い取り、ホテルビジネスの専門家を送り込んで、アメリカ流のリゾートに再生した。それは、単に、設備を整えるだけでなく、顧客のニーズを調査し直し、ソフト面、ヒューマンサービスにおいても、より付加価値の高いものを目指そうとするものであった。シーガイアにはゴルフコースがあるが、宿泊客に単にラウンドを提供するだけでなく、顧客のレベルに応じたレッスンも行うようにした。これによって顧客は、より深くゴルフを楽しむことができるようになり、リピートしてくれるようになる。また、滞在中に他の施設を利用することにもなる。いうなれば、リゾート全体の楽しみ方を提示して販促活動を行うなど総合的なマーケティング活動を行ったのである。

また、インドから1975年日本に帰化した比良竜虎氏の率いるHMI（ホテルマネージメントインターナショナル）は、神戸に本社を置き、倒産した旅

館、ホテルなどを買い取り、格安な宿泊施設として、リニューアルした。各地の「パールシティ」ホテルや「クラウンパレス」、年金福祉事業団から営業譲渡を受けた「ウエルネス」などを運営している。

京都に本社を持つ湯快リゾートは、前述した廃業したり競売にかけられた既存の旅館物件を安く買い取って初期投資費用を極力抑え、またバイキング形式での料理の提供や、仲居などによる部屋への案内を省くなどの方法で、人件費を従来旅館の半分程度に抑えることにより、低コスト・低価格化を実現した。

バイキング形式での料理ということでどのようなものが出るのか注意していたが、筆者が体験したいくつかのこのような旅館では、冷凍ものが多いにせよ価格に相応したまずまずのもので、決してまずいものではなかった記憶がある。

施設の中で低価格志向のものは一人1泊7,000～9,000円台の価格にする一方で、高級な施設は1万5,000円前後の価格として差をつけているが、いずれも従来の価格に比べれば、半分以下と大幅に安く、しかも、人数、季節による価格差がない、年間を通じて均一価格のところが多いのが特徴である。このようなやり方は再生ビジネスの結果生まれたものである。

この手法は旅館業の新しいビジネスモデルとして、業界で注目を集め、前述した北陸の「よしのや依緑園」も湯快リゾートによって買い取られ、2010年3月から「湯快倶楽部」としてリオープンされている。また、粟津の名門旅館であった「矢田屋」も同様に「湯快倶楽部」として運営されている

また、四季リゾーツは、各種企業の保養所を経営受託あるいは賃借し、泊食分離というやり方を導入して、1年中1泊朝食付きで5,250円の同一料金をコンセプトとする「四季倶楽部」を展開している。バブルの崩壊によって、企業は、費用のかかる福利厚生施設の切り離しを行うところが続出したのに目をつけた商社のベンチャービジネスがその発端であった。

東京のお台場に本拠を置く温泉テーマパーク「大江戸温泉物語」も低価格を売り物にした宿泊施設を全国に20ヵ所展開しており（2012年11月現在）、その多くが、経営不振で閉鎖された旅館や公共の宿をリニューアルしたものである。

このような低価格志向の宿泊施設の場合、正社員は極力少なくし、パート、アルバイトなどの非正規雇用職員が大多数を占めているのが特徴で、例えば、

大江戸温泉物語「あたみ」の場合、70室の客室で従業員50人のうち正社員はわずかに10人でしかなく、40人がパート、アルバイトなどの非正規雇用職員となっている。

　軽井沢に本拠を持つ「星野リゾート」も再生ビジネスを手がけている。社長の星野佳路氏は、もともと軽井沢千ヶ滝の星野温泉の社長の御曹司であるが、コーネル大学に留学して、アメリカ流のホテルマネジメントを学ぶに及んで、それを実践したのである。
　星野リゾートによる再生の特色は買い取った物件が老舗旅館、高級ホテルであることで、そのネームバリューや設備を生かすだけでなく、元から勤務している従業員の持てる力を最大限に発揮させるというヒューマン部分でのやり方に特徴がある。宿泊産業が労働集約産業であることを如実に示したやり方である。和式の旅館でも、若いスタッフが多い。失礼を顧みず表現するならば、従来、なんとなく「旅館＝年配の女将さんと生活に疲れた顔の多い仲居さん」という図式がすぐに浮かんでしまうことが多かったが、そういう古臭いイメージを一掃している。
　経営する施設を、6つに分類し、温泉のある小規模な高級旅館を「界」、家族連れを意識したリゾートホテルを「リゾナーレ」、地域の魅力を取り入れた旅館を「ツーリズムホテル」、美食を追求した「オーベルジュ」、スキー場に立地する「スノーフィールド」、上質な滞在型の旅館「星のや」とし、そのコンセプトを明快に打ち出している。山代温泉の「白銀屋（しろがねや）」、山梨県小淵沢の「リゾナーレ八ヶ岳」、青森県の「古牧温泉旅館」、伊豆山の「ヴィラ・デル・ソル」、北海道の「トマム」、京都嵐山の「星のや」などが、それぞれ代表的なものでいずれも経営不振のものを再生したのである。これらはそれまでのよさを残しつつも、リーズナブルなあるいはやや高めの価格設定で、宿泊施設としての付加価値を高めているということができる。すなわち、星野氏の再生の手法は低価格で勝負というよりも、それぞれの宿泊施設の立地、特徴、客層などをきめ細かに分析、見極めて、付加価値を高め、再生にあたってその結果を踏まえた施設作りを行って新しい魅力を作り出していったのである。徹底したマーケティングを駆使した手法は、さすがにコーネル流のホテルビジネスの面目躍如たるものがある。

これらは、いずれも、新規に旅館を建築するときのような過大な初期投資は必要ないため、その分、宿泊料金を安く抑えることができる。だから、再生ビジネスはうまくいけば面白いように儲かるビジネスといわれている。
　同時に、星野リゾートのような一部を除いて、再生されたホテルの多くが個性をなくしつつあるのは止むを得ないにしても、旅館の立地する地域性まで失ってしまうとすれば、そこへ行くことが旅行としての本来の意味を失いつつあることにも注意しておく必要があろう。

(10) 熱海・白浜のその後
　熱海はバブル崩壊による旅館の倒産が頻発し、町は極度の不振に襲われた(宿泊施設数の推移については49ページのグラフを参照)。大旅館がゴーストタウンのように夜も灯火をともさずにいると、さながらホラー映画のようである。このままではまずい、ということで観光協会や住民が再生に取り組んでいる。例えば、このような建物を別荘にして貸したりする業者が現れた。また、地元出身者がNPOを立ち上げ、誘客の戦略を練ることになった。芸妓組合も協力するなど、運動は地域全体に広がっている。夏場の集客を図るために海上花火大会を企画し、8月に実施している。私見によれば、地域の振興策は長期戦であるから、短期間のイベントよりもなるべく波及効果の高い長期のものが得策であろう。
　熱海は、湯河原、箱根と観光圏を形成して、誘客を図っているが、これについては、第4章2 (5)「観光圏」の項で述べる。
　南紀の白浜も随分と寂れてしまった。平草原に行くロープウエイもなくなってしまった。熱海に比べれば温泉場は広く、それだけに町全体の活気がなくなってしまったのは、昔を知る者にとっては残念な限りである。

2. テーマパークの明暗

(1) テーマパークの起源と発生

テーマパークの源は遊園地である。

日本における遊園地の発祥は、浅草にある「花やしき」であるとされる。1853（嘉永6）年開園で、途中で一度取り壊された後、1947（昭和22）年に復活した。江戸時代から続く東京の盛り場である浅草は、同時に江戸東京生活圏、

花やしき

つまり市街地の北の端にあったのである。ここに遊園地があることは、日本人の「遊び」の性格を示しているものと思われる。

年表で1960（昭和35）年を見ると、「高原景気つづき、個人の消費支出増大。年末に消費ブーム・レジャーブーム起る」とある（児玉幸多編『日本史年表』1970年版、吉川弘文館）。

戦後10年以上が経ち、工業生産の復興と輸出の増大による日本経済の復興は、生活の向上をもたらしつつあった。それはやがて労働時間の短縮と、岩戸景気による所得の増加によって、一般家庭の電化ブームに拍車をかけた。家庭には俗に「3種の神器」と呼ばれる、テレビ、電気冷蔵庫、電気洗濯機が普及し、主婦の家事にかける労働時間は大幅に軽減したのであった。

日曜日は、それまで休息日としての性格が強かったが、ここに至って「家で休息する」だけでなく「家族で買い物に出かける」というような変化が生じ、デパートで買い物することが、ステータスと見られるようになり、デパートの屋上にはミニ遊園地が出現したのである。例えば、昭和6年には日本初の屋上遊園地が浅草松屋デパートにオープンした。同じデパートの6階には、「スポーツランド」という遊戯施設があったし、1957（昭和32）年5月には、日本橋にある三越デパート本店屋上に「こどもの夢の国　楽しいディズニーランド」という屋上遊園地が設置された。これは、ディズニーとの契

約により、昭和32年、期間限定で設置されたもので、メリーゴーラウンド等のアトラクションやシンデレラ城が設置されていた。

かくて、「母さんは買い物、ボク（あたし）と父さんは、その間、遊園地で遊ぶの」という家族レジャーが出現したのである。

西井一夫編『60年安保・三池闘争 1957-1960 石原裕次郎の時代』（毎日新聞社、p.36）に当時の写真が掲載されている。東京ディズニーランドが開業する遥か以前にも、日本に「ディズニーランド」の名を冠する施設が存在していたことになる。また、同様の写真が『写真と資料で読む昭和30年代大図鑑!! 三丁目の夕日の時代　日本橋編』（小学館、p.21）にも掲載されている。

表-8　電鉄系の主要な遊園地一覧表（閉園したものを含む）

（＊）実質電鉄経営となった年

私鉄名	名称	開園（＊）	閉園	備考
東京急行電鉄	二子玉川園	1955.4.1	1985.3.31	
小田急電鉄	向ヶ丘遊園	1927.4.1	2002.3.31	1952から有料化
京王電鉄	京王遊園	1955.4.3	197	
西武鉄道	豊島園	1926.9.15		
	西武園ゆうえんち	1950.1.25		
	ユネスコ村	1951.9.16	1990.11.4	
東武鉄道	動物公園	1981.3.18		
京成電鉄	谷津遊園	1925	1982.12.21	
京浜急行	花月園	1914	1946	フォンテーヌブローがモデル
	八景島シーパラダイス	1993.5.8		京急沿線にあるが経営は西武
富士急行	富士急ハイランド	1964		
阪急電鉄	千里山遊園	1921	1950.5.31	
	宝塚ファミリーランド	1924	2003.4.7	ルナパーク
阪神電気鉄道	香櫨園	1907	1913	
	甲子園阪神パーク	1950.9	2003.3.31	
京阪電気鉄道	枚方パーク	1910		経営堅実
近畿日本鉄道	生駒山上遊園地	1929		
	近鉄あやめ池遊園地	1926.6.11	2004.6.6	
	パルケエスパーニャ	1994.4.22		
南海電気鉄道	みさき公園	1957.4.1		ジェットコースター(1957)経営堅実
	さやま遊園	1938.5.1	2000.4.1	
京福電気鉄道(叡山電車)	八瀬遊園地	1964	2001.11.30	1999「森のゆうえんち」に名称変更
	比叡山遊園地	1959	2000.1.24	
山陽電気鉄道	須磨浦山上遊園	1959		
一畑電気鉄道	一畑パーク	1961.1	1979.8	MAX 12万人
西日本鉄道	だざいふえん	1957.9.17	1974	2004
			64万人	13万人

それは、やがて「ピクニックや郊外に行って子供と遊ぶ」という変化となって現れた。これらは、いずれも、所得の増大と労働時間の減少がもたらしたライフスタイルの変化であった。このような変化を見逃さず、真っ先に取り込んだのが私鉄各社であった。

私鉄の中にはすでに母体となる小規模な遊園地を持っていたところもあったが、多くが都心からかなり離れた自社の沿線に各種の遊戯・娯楽施設を備えた規模の大きな遊園地を作ることになったのである。その理由は、上に述べたように家族連れの娯楽のひとつとして積極的に外出が行われるようになったことだけでなく、私鉄側としても、休日における輸送需要減に対処し、同時に、経営の多角化を見据えたものであった。レジャーブームの到来が、この動きに拍車をかけたのである。

表-8は、主要な電鉄系遊園地（閉園になったものも含む）の一覧を示したものである。

これらは、どこも、同じような施設が多く、代表的なものは「観覧車」「メリーゴーラウンド」「ジェットコースター」などであったが、生活の更なる向上によって「遊び」も高度化せざるをえなくなり、遊園地は次第に飽きられるようになっていたのである。

早くからこれに気付いていた松尾國三[注]は、アメリカのディズニーランドを視察して驚嘆し、日本にもこのように大規模なものを作ろうと考えた。彼は、奈良市の北郊に広い土地を購入し1961（昭和36）年「ドリームランド」を作った。規模が大きく、ボブスレー、スクリューコースター、500 mプールなど当時としては斬新な遊戯施設もあった。「こどものくに」も評判を呼んだが、ディズニーランドのアトラクションを模したにすぎないものであった。これらは当時としてはかなりの成功を収め、最盛期には年間165万人の来園者を数えたが、正式なフランチャイズ契約を経た東京ディズニーランド（TDL）が1983（昭和58）年に開園すると、次第に入場者数が減少し、さらに、2001（平成13）年、ユニバーサルスタジオ（USJ）が大阪に開園するに及んで競争力を失い、2006（平成18）年8月31日に閉園に至ったのである（第2章（3）「東京ディズニーランド」の項も参照）。

（注）佐賀県伊万里出身の歌舞伎役者にして実業家（1899［明治32］～1984［昭和59］）。旅役者から身を起こして興行界やレジャー産業で幅広く活躍、雅叙園観光、千土地興行（後の日本ドリーム観光）の社長を務め、1958年には大阪

に新歌舞伎座を開場した。「昭和の興行師」「芸能界の黒い太陽」の異名をもつ。

このように遊園地は、当初、休日の「気晴らし」的な役目を持っていたのであったが、生活の向上は、そのようなものでは満足しないようになっており、レジャーの多様化する中で、より高度な「意味と目的」を持った遊戯施設が求められるようになったのである。

モノの豊かさが一段落し、日本人の価値観が、心の豊かさを求め始めたのが1980年代であったことをあわせて考えれば、テーマパークは求められるべくして出現した時代の要請の現われということもいえよう。

後白河法皇の編纂した『梁塵秘抄』の359番に「遊びをせんとや生まれけむ……」とあるのは、遊びと人間についてのかかわりについて言及した最も古いものであろう。

時代が下がってオランダの歴史学者ヨハン・ホイジンガ（1872～1945）は、その著書『ホモ・ルーデンス』の中で、人間は「遊ぶ存在である」と喝破している。

また、フランスの社会学者ロジェ・カイヨワは『遊びと人間』の中で人間の「遊び」を4つに分類して説明している。それによれば、人間の遊びは「アゴーン」「アレア」「ミミクリ」「イリンクス」[注]に分類されるという。すなわち、スポーツ的な勝敗を競うもの、賭けの要素を含むもの、物真似・仮装的なもの、めくるめく、陶酔させるものの4つである。TDL、USJなどには、これら4つのうちの2つが含まれていることに注意を払う必要がある。

（注）「アゴーン」（ギリシア語で「競技」の意）、「アレア」（ラテン語で「サイコロ」「サイコロ遊び」の意）、「ミミクリ」（英語で「物真似」の意）、「イリンクス」（ギリシア語で「渦巻」の意）。

日本で「テーマパーク」という言葉のはしりとなったのは、犬山市にある「明治村」（1965年3月開園）と京都市太秦にある「東映太秦映画村」（1975［昭和50］年開村）であったが、その後次第に浸透して、ＴＤＬ開園以後、「遊園地」という言葉が「テーマパーク」という言葉に置き換わっていった。

1987年に施行された総合保養地域整備法（リゾート法）[注]は、リゾート産業の振興、国民経済の均衡的発展を促進することなどを目的としていたが、具体的には、民間事業者が多様な余暇活動が楽しめる場を作ることが期待さ

れた。そして、この法に基づく計画が国の審査に通ると、政府系機関から低利の融資が受けられ、また、税法上の優遇措置が得られるため、これを地域振興の機会と捉えたところは、折からの金あまりで貸付先を探していた金融機関からも多額の融資を受け、地元にレジャー施設を建設し始めた。リゾート法や、その翌年の1988年に、竹下内閣によって行われた「ふるさと創生1億円事業」が各地でのテーマパークの建設を後押しすることになったのである。

　（注）リゾート法については、3「リゾート法の反省」の項を参照。

「ふるさと創生1億円事業」は、「自ら考えて行う地域づくり」のキャッチフレーズのもとに、創意工夫し地域の振興を図る動きが各地で試みられ、ミニテーマパークを作るところもあったが、いずれも、レジャー産業として深く考えられたものではなかったため、後に大きな禍根を残すことになった。

　このような経緯をへて、バブル絶頂期になると各地に「テーマパーク」が出現したのであった。

表-9　日本の主なテーマパーク

名称	ロケーション	開園年月日	閉園年	開園期間
明治村	愛知県犬山市	1965.3.18		
東映太秦映画村	京都市右京区	1975.11.1		
東京ディズニーランド	千葉県浦安市	1983.4.15		
オランダ村	長崎県西彼杵郡西彼町（現・西海市）	1983.7.22	2001.10.21	18年
ハウステンボス	佐世保市	1992.3.25		
志摩スペイン村	三重県志摩市	1994.4.22		
東京ドイツ村	千葉県袖ケ浦市	2001.3.8		
東武ワールドスクエア	栃木県日光市	1993.4.24		
日光江戸村	栃木県日光市	1986.4.23		
倉敷チボリ公園	岡山県倉敷市	1990.2.20	2008.12.31	18年
四国村	香川県高松市	1976		
柏崎トルコ文化村	新潟県柏崎市	1996.7.27	2004.11	8年
ロシア村	新潟県阿賀野市	1993.9	2004.4	11年

2. テーマパークの明暗

名称	所在地	開園	閉園	期間
田沢湖スイス村	秋田県仙北郡	1988	2001 休園 2003 閉園	13 年
とうほくニュージーランド村	岩手県奥州市	1989.7		
四国ニュージーランド村	香川県多度郡	1987	2005.12	18 年
広島ニュージーランド村	広島県安芸高田市	1990.7	2008.8.31	18 年
山口ニュージーランド村	山口県美祢市	1990.7	2005.11.30 （休園）	15 年
伊勢・安土桃山文化村	三重県伊勢市	1993		
ウエスタン村	栃木県日光市	1973 年 10 月に会社設立．開園日は不明		
えさし藤原の郷	岩手県奥州市	1993.7.4		
おもちゃ王国	岡山県玉野市	1995		
軽井沢　おもちゃ王国	群馬県嬬恋村	1999		
東条湖　おもちゃ王国	兵庫県加東市	2000		
城島　おもちゃ王国	大分県別府市	2001		
東京ドームシティおもちゃ王国	東京都文京区	2003	2011（フランチャイズ契約終了）	8 年
レオマおもちゃ王国	香川県丸亀市	2004	2010.7	6 年
南知多おもちゃ王国	愛知県知多郡	2006		
甲賀の里忍術村	滋賀県甲賀市	1983		
グリュック王国	北海道帯広市	1989	2003 休園 2007.2.5 閉園	14 年
日本昭和村	岐阜県美濃加茂市	2003.4.16		
日本大正村	岐阜県恵那市	1984		
レオマワールド	香川県丸亀市	1991.4.20	2000.8.31	9 年
ニューレオマワールド	香川県丸亀市	2004		
ポルトヨーロッパ	和歌山県和歌山市	1994.11		
ユニバーサルスタジオジャパン	大阪市此花区	2001.3.31		

平均 14.2 年

それらは、大別すると、異国系、過去の時代系、子供系（アニメ、登場人物、おもちゃ、メルヘン）、その他に分類できる。いずれも、来園者の想像をかきたて、現実を、いっとき、忘れさせようとするものであるべきだった。カイヨワのいう、「ミミクリ」「イリンクス」的要素が必要であったのである。表-9に挙げた施設は、いずれも、外観と話題性において確かに「テーマパーク」ではあったが、その理念が単純で精神性のないものがほとんどであった。特に異国系のものは、単に、外国の景色、風物、建物をまねるだけのものが多かったのである。

一方で1990（平成2）年といえば、日本人の海外渡航者数は既に1,000万人を超えており、日本の「テーマパーク」の原型として扱われていた国や場所には、かなり容易に行くことができるようになっていた。こうした状況では、「テーマパーク」は擬似体験をする場所に過ぎなくなり、一過性のレジャーランドとしてはともかく、リピーターを受け入れる要素は稀薄になってしまっていた。このような内容の施設と運営では過大な投資を回収する前に破綻が来るのは目に見えていた。バブルの崩壊がそれに拍車をかけた。少子化の影響もあって入場者数が激減した「テーマパーク」の多くが閉鎖を余儀なくされてしまったのであった。表-10に主要テーマパークの年間入場者数の推移を示した。

表-10　主要テーマパーク年間入場者数推移　各施設・都道府県の資料による

年	TDL+TDS	サンリオピューロランド	志摩スペイン村	東映太秦映画村	USJ	倉敷チボリ公園	スペースワールド	ハウステンボス
1997	1669	170	247	153	—	298	216	413
1998	1746	181	203	143	—	294	210	403
1999	1651	156	231	133	—	238	202	390
2000	1677	158	195	125	—	190	226	386
2001	2046	139	159	110	1103	141	218	344
2002	2454	133	188	103	764	115	207	353
2003	2587	126	184	106	989	110	230	238
2004	2479	134	180	106	810	111	209	201
2005	2473	136	157	101	831	94	201	196
2006	2550	137	160	103	870	84	200	206
2007	2570	125	158	104	850	75	200	222
2008	3943	111	164	103	—	93	206	202
2009	4254	109	158	100	—	—	206	146

単位：万人

表-9を見れば明らかなとおり、経営不振によって閉園してしまったものは、いずれも、バブル後の開園で、外国をテーマにしたものであることが分かる。また、開園期間の平均は、14.2年間となっており、陳腐化に伴ってリニューアルできないところが、時代のニーズについていけず、結果的に訪問者をリピーター化しにくいことを裏付けているとも解釈できる。

以下に、現存する大きなテーマパークの中から、ハウステンボスとTDLを比較しながら問題点を抽出してみたいと思う。

(2) ハウステンボス

ハウステンボスの原型は1983(昭和58)年7月22日に開園した「長崎バイオパーク」であって、場所も現在のハウステンボスの南27km、西彼杵町(現在の西海市)の大村湾沿いにあった。

これは観光果樹園であって、この成功によって至近距離にオランダ村をオープンした。オランダ村の発案者であった神近義邦は、もともと西海町役場に勤め農業指導を担当していた。農業が専門であったので、自宅農園でとれる農産物を国道206号線沿いに店を出して販売することを考えていたのが長じて、長崎県に関係の深いオランダの町並みを再現しようと考えるようになったのである。その斬新なアイデアが受け、また、開園してまもなくバブル景気になったこともあり、これが大きく当たったのである。さらに1990年の湾岸戦争は、海外旅行に対する不安をかきたて、海外旅行から国内旅行へとシフトする需要を生み出したこと、村上龍の小説の題名(『長崎オランダ村』)になったこと、TVドラマのロケ地になったこと[注]がプラスになり、最盛期の1990年には200万人の入場者を見るに至った。当時、長崎県の二大都市、長崎と佐世保を結ぶ国道は、この道が主要道で、トラフィックも多かったから(福岡方面からの高速道路はまだなかった)、地理的なメリットも大きかった。しかし、1992年にハウステンボスが開業し、福岡から長崎、佐世保に通じる高速道路がそれぞれ開通するに及んで、観光客の流れが変わってしまった。高速道路は、武雄市付近で「長崎道」と「西九州道」にY字型に分岐して目的地に達するため、オランダ村は高速道路開通の恩恵をうることができなか

った。長崎県を訪れる観光客は、両市を訪れることが多いが、佐世保から長崎に行く車は、距離的に若干遠くても、高速道路を利用するため、従来の経路であった206号線を利用する観光客が減ってしまったのである。

このような状況の中で、オランダ村の入場者は、2000年には22万人にまで落ち込み、さすがに、狭いエリアに2つのテーマパークは必要なくなり、2001年に閉園の止むなきに至ったのである。

(注) 1985（昭和60）年に放映された特撮番組『電撃戦隊チェンジマン』では2週連続放送、1987（昭和62）年5月10日放送のドラマ『あぶない刑事』（第31話「不覚」）。

オランダ村の成功に気をよくして、さらに規模を大きくしたものを作ろうとして1992（平成4）年開園したのが同じ経営者によるハウステンボスであった。もともとはオランダ村の駐車場として予定された土地で、TDLとTDSを併せた面積に匹敵する152ha（約46万坪）の広さの埋立地を購入して、環境問題に取り組み、土壌の改良、運河の開発を行い、テーマパークとしての運営にも徹底してこの問題に取り込み、オランダにこだわったのである。建築はオランダに現存するものと寸分変わらぬものを再現し、1枚のタイルにも同じものを用いた。また、オランダの町づくりの理念にもこだわり「人と自然との共生」を追求した。このため、投資額は当初の予定の2倍、資本金の3倍にも及んだが、時は既にバブルの絶頂期を過ぎており、これが結果的に大きな負担となって経営を圧迫した。

観光政策の視点から見た場合、オランダにこだわったことは、必ずしも一概に否定すべきことではない。ただ、

①開園時、すでに、海外旅行者は1000万人の大台を超えており、オランダは、行こうと思えば行ける日本人にとって精神的に遠くの国ではなくなっていたこと。

②舞台装置は整ったが、静的なもの（建築・街並みなど）だけでは、リピーターを惹きつけるには十分ではなったこと。

が、ハウステンボスの相対的な魅力の低下を招いてしまったことは否めない。

いろいろなイベントを行ってそれなりの成果を上げたものの、入場者数が伸びないままの状況の中で、更に、

③本来のテーマパーク部門以外の不動産投資（別荘、マンションなど）に対する過大な投資をしてしまったこと。

が重なって経営不振に陥り、バブル崩壊に伴う入場者の減少が経営を直撃してしまったのであった。

かくて、2003年2月に会社更生法の適用を申請して倒産した。負債総額は2,289億円にも上った。

閉鎖すれば佐世保市のみならず、九州にとって、雇用、経済など大きな問題になることが予想されたことから、まずJR九州、西鉄、九州電力、西部ガス、関係ホテルなど九州関連企業が、ついで、いくつかの金融機関などが救済に乗り出したが、決定打は得られなかった。

2009年HISが筆頭株主となって社長の澤田秀雄氏が自らハウステンボスの再生に乗りだした。澤田氏は、再生が軌道に乗るまでの法人税の免除という条件を佐世保市に受け入れさせ、同時にこれを一つのテコとして、新たなアトラクションの導入と、施設のリニューアルによるリピーターの獲得、年間を通じての集客（それまで冬期は集客力が弱かった）、近隣アジア諸国からの来訪者の拡大促進、従業員の意識改革によるコストの削減と経営への参画意識の高揚などの施策を次々と実行に移し、2010年には単年度黒字を達成した。

大きなリストラをせずに、雇用を守ったことは、観光が地域の経済に密接な繋がりを持っていることから見て大いに評価できよう。

再生後の状況は、大略、以下の通りである（同社IR資料による）。

　　資本金　　　　15億円
　　売上高　　　　132億円
　　営業利益　　　10.5億円
　　従業員　　　　1,022人（2011年度）

観光政策の視点から、ハウステンボスの失敗における問題点を列挙すれば、①過大な投資（当初の資本金105億円に対し、投資額は2200億円にのぼった）。因みに、TDLは当時の資本金3753億円に対し、負債は2713億円、売り上げは4000億円であった。

②オープンがバブルの終焉期で、マクロの経済環境とタイミングが極めて

悪かった。

③テーマがこだわりすぎていて、かつ、日本人の性格に必ずしも合致していなかった。「すべてがオランダサイズ」「オランダ的な時間の流れ」「大人のテーマパーク」というコンセプトが高尚ではあるが日本人に理解されなかった。

④異空間が売り物のテーマパークの中で、町の裏側がないために、日常の生活が見えてしまうことへの訪問者の違和感（夢が覚めてしまう感じを拭えない）。

⑤リピーター獲得の戦略が不十分であった。

⑥大都市圏から遠いアクセス（TDLは東京から20分、USJは大阪から15分）。

⑦近隣の顧客を優遇しなかったこと。

などである。

なお、①については、リゾート法との関連も無視できない。十分なマーケティングもせずに安易に、金を借り、開発するという手法が横行したのは、金を貸したがるように銀行を駆り立て、それをリゾート法の中にも取り入れてしまった政策の失敗といわれることを免れ得ないであろう（3「リゾート法の反省」を参照）。

(3) 東京ディズニーランドと東京ディズニーシー

東京ディズニーランド（TDL）は、1983年4月15日に開園した。アメリカ、カリフォルニアのアナハイム（ロスアンゼルス東南約50km）に本拠を置くディズニーカンパニーの初めての海外進出であった。日本での運営は株式会社オリエンタルランドで、当初からディズニーランドを日本に誘致し、運営したいとの意図の下に設立された会社であった。

ディズニーに注目したのは、彼らが最初ではない。奈良にドリームランドを開いた松尾國三は、1950年代にアメリカを視察して、早くもディズニーランドの素晴らしさを認め、何とか日本にも誘致したいと考えた（前出（1）テーマパークの起源と発生を参照）。しかし、当時は、日本の社会生活に対するアメリカの認識は低く、それを説得するだけのものを松尾は持たなかった。ディズニーランドを海外展開するについてのウォルト・ディズニー・プロダクション側の条件も厳しく、フランチャイズのフィーで折り合うことのでき

ないまま、いわば、半ば「見よう見まね」の形で1961年7月15日にドリームランドをオープンしたのである。規模の大きさだけは劣らなかったが、マーケティングをあまり行わず、テーマパークについてのノウハウも十分ないままでは、やがて陳腐化せざるをえず、東京ディズニーランド、USJが開園するに及んで2006年8月31日に閉園したのであった。

　オリエンタルランドは、京成電鉄と三井不動産それに朝日土地興業[注1]の合弁会社で1960（昭和35）年7月11日に設立された。もともと、京成電鉄が同社の新線構想の一環として[注2]、需要確保のために、集客の望める遊園地などの施設（当時は「レジャーランド」と呼ばれた）を沿線に作る必要があったことから、「船橋ヘルスセンター」で成功を収めていた朝日土地興業のノウハウや埋立地の造成・開発業務に詳しい三井不動産と手を組んだとされる。三井不動産は住宅地などの開発を目的として参加し、当初はTDLの運営には消極的であったといわれる。また、京成電鉄が既に所有していた谷津遊園のバラ園を現在のTDLの敷地に作る構想もあったとされる。日本におけるディズニーランドの候補地は、浦安の他、静岡（清水）、御殿場等にもあったとされるが、清水、御殿場共に、どこからでも富士山が見えてしまい、完璧な異空間作りを目指すディズニー本社側が退けたいきさつがあるという。

　TDLのロケーションは、東京の東隣、開園当時はただの漁村にすぎなかった浦安町に広さ51万平方メートルを誇り、東京へ電車でわずか20分足らずと好立地である。

　千葉県には、東京湾の沿岸を埋め立ててその土地を利用するという手法で様々な工場・企業が誘致され、また、住宅地が供給されたが、それに伴う様々な問題点も指摘されている。埋立地を転売して儲けることが巨利を生むからである。東京ディズニーランドが埋立地を取得するについても様々な報道がなされた。本稿では、それらは本題でないので詳しくはふれないが、東京という大都市の近くに、安い価格で広い土地を取得できたことが、TDLの成功の大きな要因となっていることは、記憶にとどめておいてよいであろう。

　（注1）千葉県船橋市にあった総合レジャー施設「船橋ヘルスセンター」を運営していた会社。船橋ヘルスセンターは、1955年11月3日に開業し、温泉大浴場だけでなく大プールや遊戯施設、レーシング場などを持つ大規模な総合レジャ

一施設で、「健康ランド」とも呼ばれた。

　この頃は、まだ、ラジオ全盛時代で、センターの屋外ステージで人気歌手・グループによる、「歌謡ショー」が行われると、スターを一目見ようとする客で大入りとなり、このようなレジャーが受けて、全国に「ヘルスセンター旋風」をまきおこすさきがけとなった施設であった。しかし、1970年代に入ると年々入場者が減少した。そしてついに1977年5月5日、24年にわたる歴史を閉じて閉園した。朝日土地興業はやがて経営不振に陥り、三井不動産に吸収合併された。

（注2）京成の免許申請区間は、東陽町―オリエンタルランド―船橋港―稲毛海岸―千葉港―千葉寺。この構想は実現せず、ほぼ同じようなルートでJR京葉線が敷設された。

　オリエンタルランドは、前に述べた奈良ドリームランドの事情をかなり知っていたはずであり、どのように、ディズニーを説得するか研究していたはずである。

　ドリームランドの松尾がウォルト・ディズニー・プロダクションとの交渉でどうしても呑めない条件であったのは、フランチャイズ契約料であったとされるが、オリエンタルランドは、入場料の10％、キャラクター商品販売の5％を開園後45年間支払い続けるという厳しい条件を呑んでも誘致したかった。開園による地域経済効果は計り知れないものがあることが予想されたし、千葉県を初めとする複雑な政治関係が絡んでいたからだとされている。それはさておき、1979年4月に正式にウォルト・ディズニー・プロダクションとの契約が締結され、1980年から工事を開始して1983年に開園にこぎつけた。

　1カ月後には、早くも来場者が100万人を突破し、初年度入園者数は、1,036万人を数えたことから見ても、その人気ぶりが窺える。

　TDLを訪れてすぐに気付くのは、公園の中からは、まわりの建物などが一つも見えないことである。上空を飛ぶ航空機は仕方ないとしても、他は、周囲の植栽と建物によって、日常的なもの、現実的なものを、完膚なきまでに遮断している。これは、訪問客に「非日常世界を提供する」というテーマパークの本来の目的を具現化したもので、それに、ミッキーというキャラク

ターを加えることによって、「夢の世界」を形作っているといえる。また、広い園内には、ゴミが散乱しているのを見ない。ゴミ箱が設置されているのではなく、多数の清掃スタッフ（年配者だけではなく若いスタッフも多い）を配して、常に清潔さを保っているのである。

　1985年に「マジック・ジャーニー」がオープンして後、アトラクション・イベントは、その後、毎年のように新しい企画がされており、枚挙にいとまがない。
　TDLのイベント、アトラクションはアメリカ流のマーケティングをもとに、消費者のニーズを探り、常にリニューアルされてきた。本家と同じものを持ってきて、人物の顔や衣装、表示を英語のままにしておくことは、特に子供には、ある種のエキゾティズムを与え、何か遠い国のことのような錯覚すら与えることが、非日常体験をさらに増幅させているのである。
　それらは、擬似体験をさせるものにすぎないのであるが、そこに作られているものは決してチャチなものはなく、ものによっては、迫真性を感じるものがある。
　そして、単に見せるだけでなく、イベント、アトラクションというセッティングを通じて来園者を主役にさせる工夫が随所に見られることも大きな特徴であり、これが、「何度でも訪れたい」と思わせる契機になっているとも考えられる。
　さらに、スタッフの対応にも見るべきものがある。すなわち、ほとんど例外なく、スタッフは、感じがよい。笑みを絶やさないその応対は、彼らが「ゲスト」と呼んでいる来園者を安心させる。スタッフの言葉や行動からは、ゲストに楽しんでもらおうという気持ちが伝わってくる。決して媚びているわけではないが、来園者はこれによって、ここが「自分の居場所」だという感を深め、その心地よさを求めてリピートするのである。
　このような、日本人の性格・行動（スタッフの温かさ、園内の清潔さ）を重視していることも見逃せない成功要因であろう。
　各々のアトラクション会場の隣には、それに関連するグッズがお土産として売られている。アトラクションで感動、興奮した来園者は、その感動を長続きさせよう、忘れまいとして、グッズを買い求める。決して安い価格設定とは言い難いが、来園者はあまり抵抗なくグッズを買う。その心理を見抜い

たビジネス手法は、アメリカのマーケティングの真骨頂を示したものといえ、見事というほかはない。

　飲食ビジネスについても、徹底して園内独自のものにこだわり、いわゆる自動販売機はない。提携スポンサーによるアメリカ風の、そしてディズニー風のものが中心、日常の日本的なものはないのが特徴で、これもアメリカ的な手法といえよう。まずくはないが、必ずしも日本人の口に合うものばかりではない。若い人にはよかろうが他の客層を狙うには、さらに一工夫が必要になろう。

　アクセス面でも、1985（昭和60）年4月26日には新東京国際空港（現在の成田国際空港）との間に直通バスの運行が開始され、1988（昭和63）年12月1日には（JR東日本）の京葉線舞浜駅が開業して新木場で地下鉄と接続したことも、集客面で大きなプラスになった。1990年3月には、京葉線が東京駅まで伸び、大幅なアクセス面での改善が図られた。

　1991年5月には、1億人目のゲストが来訪して、人気を不動のものにしていることがわかる。

　2000年には「リゾート宣言」を行い、「テーマパークからテーマリゾートへ」を謳って、2001年9月4日、東京ディズニーシー（TDS）が開業し、JR東日本京葉線舞浜駅とTDR内の各施設を連絡して入園客を輸送することを目的とするアクセスラインとして「ディズニーリゾートライン」を開業した。また、ホテル業に参入して、2008年7月に705室の東京ディズニーランドホテルを開業し、また、総事業費約140億円を投じて同年10月には専用劇場「シルク・ドゥ・ソレイユ　シアター」を開業した。これは北米以外では初となる、独自演目『ZED』を公演するシルク・ドゥ・ソレイユ専用の常設劇場で地上7階建て、総客席数2,170席という大きなものである。

　これは、2011年末で営業を終了し、2012年9月から舞浜アンフィシアターと名を変えて、多目的ホールとなった。

　このようにイベント・アトラクションについても見るべきものが目白押しである。

　東京ディズニーランドを運営する「株式会社オリエンタルランド」の2011年現在における会社の概要は以下の通りである（同社IR資料）。

　　設立　　　　1960年（昭和35年）7月11日

資本金	632億112万7千円
正社員	2,201名
テーマパーク社員	777名
準社員	18,066名
売上高	356,180百万円
営業利益	53,664百万円
経常利益	52,887百万円
当期純利益	22,907百万円

売上高を項目別で見ると、

（2011FY）	売上高	営業利益	（億円）
テーマパーク事業	2,905	462	
ホテル	440	84	
その他	216	△12	
	3,561	534	

2011年の来園者数2,537万人で、テーマパークにおける一人当たり売上高
　　　チケット　4,217（+0.3％）
　　　商品販売　3,629（+7.5％）
　　　飲食販売　2,176（+0.7％）

社是は「自由でみずみずしい発想を原動力に　素晴らしい夢と感動
　　　　人としてのよろこび　　そして安らぎを提供する」となっている。

　以上の如く見てきたTDLの成功の理由を観光学のいろいろな面から考察、分析すると、
　①東京という1,000万人の人口を擁する巨大都市の都心部から電車で20分の位置にあり、半径100km以内に約3,000万人が住むという安定需要が望める、非常に有利な立地条件に恵まれていること。
　②ディズニーとのフランチャイズ契約のもとに、本場（米国）のディズニーランドとそっくりの施設・技術を持ち込み、本場となんら変わらないや

り方で運営していること。
③それは、所詮、擬似体験でしかないのだが、それを忘れさせるほどの迫真性を持たせた作り方、運営を行っていること。
④日本人の好む運営の仕方を取り入れていること。
⑤それらを可能にする、広大な土地（県有地）が格安の値段で取得でき、スペースと資金力を得られたこと。
⑥来園者を主役にするようなセッティング、スタッフの応対。それを可能にした教育の徹底。
⑦これらの相乗効果による訪問者のリピート化の徹底。
が挙げられよう。
また、ビジネス手法として、
⑧来園者の入場料だけではなく、園内での関連消費の拡大が図られるような工夫をしていること（2011 FY［会計年度］における商品販売額＋飲食販売額は、チケット販売額の1.37倍に達し、チケット販売に比して、商品販売額が大きく伸びていることに注意したい）。
⑨提携スポンサーを多く持ち、有効活用していること。商品販売だけでなくアトラクションにもスポンサーが多くついている（2012年10月現在は26社がスポンサーとなっている）。
約言すれば、物理的、経済的なものと人的なもの（人材活用、客層のニーズなどのマーケティング、ホスピタリティなど）が両輪となって相乗効果をもたらしているということが言える。
　一方で、これからの課題として、年齢層の一層の拡大と平準化が挙げられよう。
　先にも述べたごとく、現在の来園者は若い女性が中心であり、シニア世代はまだまだ多いとはいえない。時間の経過と共に、年代層は次第に中年化、高齢化へと進む。リピート化を確固たるものにするためにも、中高年齢対策が早晩必要になろう。

　そして、TDLのソフト面を、細かく分析すれば、
①イベント・アトラクションの成功。イースター、ハロウィーン、クリスマスなど季節に応じたきめ細かな対応とそれを活用したアトラクションの設定。

②常に新しい価値を創造する。新しい企画イベント・グッズの新鮮さを常に考え、来園者を飽きさせないこと。それによって、ファン層が拡大して、固定層となる顧客をつかんだこと。すなわち、何度も来園したいという、顧客のリピーター化が進んだこと。

③異空間に徹して、日常性を徹底的に排除しており、「夢を売る」というテーマパークの本来の趣旨にかなったものであることが、顧客に受け入れられ、「ようこそ夢と魔法の王国へ」というキャッチフレーズに違わぬものであると認められたことによるといえよう。

さらに、長期、短期を問わず徹底したマーケティング、スタッフへの徹底した教育、そのためのマニュアルの整備、従業員の意識を目覚めさせること（自ら進んで良い方向へ持っていく）が大きく寄与しており、その結果としてスタッフのホスピタリティ意識の向上、園内は広いけれども清潔であることなどが挙げられる。

時を同じくして開園したハウステンボスとの比較において、ソフト、ハード共にマーケティング力において差がついてしまったといわざるをえない。しかし、今、ハウステンボスがその足りなかった部分を補いつつ懸命に努力をし、再生を果たそうとしていることに敬意を表し、先行きを注意深く見守っていきたい。

(4) テーマパークの開発による地域への影響

テーマパークは、これらの例からも分かるように、地域に対する影響が極めて大きく成功すれば大きな効果が期待できるが、一旦閉鎖となれば、雇用を初めとして、地域産業、自治体の税収などに深刻な問題をもたらす。例えば、TDL、ハウステンボス（HTB）、スペイン村における開園前後におけるその地域の来訪者数の変化を見ても、

	開設前年	開設年	vs py
TDL	1,425 万人 ⇒	2,337 万人	(164 %)
HTB	309 万人 ⇒	582 万人	(188 %)
志摩スペイン村	1,508 万人 ⇒	1,954 万人	(130 %)

（日本観光協会「全国観光動向」1997 年、奥野一生「新・日本のテーマパーク研究」竹林館 2008 年）

となっており、TDL、HTB においては、開園前の年の 1.5 倍を超える旅客が訪れていることがわかる。この数字からも、地域経済に与える大きさが理解できよう。優に大型ホテルの開業に勝る経済効果をもたらすのである。

(5) テーマパークのまとめ

テーマパークはビジネスとして難しい業態であり、パラメーターが多過ぎることは、安易な参入では成功できないことを示している。このために徹底したマーケティングとノウハウが必要となり、ハード面でも、ソフト面でも陳腐化しない企画アイデアと明確なリピーターの獲得戦略が必要になる。とりわけ、ソフト面においては、人材が重要となり、そこに働く人の意識で大きく変わる要素があることを示している。さらに、出来上がったテーマパークをいかにプロモーションしていくかというノウハウも重要で、情報発信とそこへ行くことの容易化（パッケージ化＝第 3 章 1 (10) 参照）を提供することが大事な要素となる。様々な要素から出来上がっているテーマパークを運営するためには、収支、投資額などに対する確かな経営感覚が必要で、地域経済に大きな影響を与える総合産業であることをゆめゆめ忘れてはならないだろう。

3. リゾート法の反省

温泉、リゾート、テーマパークの項で、たびたび出てきたリゾート法について考察してみよう。

リゾート法（総合保養地域整備法）は、リゾート産業の振興、国民経済の均衡的発展を促進することなどを目的として 1987 年に制定された。具体的には、民間事業者を活用して多様な余暇活動が楽しめる場を総合的に整備することであった。

所管は総務省、農林水産省、経済産業省及び国土交通省で、開発計画は、都道府県が策定した。この法律に基づき国の承認を受け計画、整備されるリゾート施設については、開発の許可が弾力的に行われ、また、税制上の支援、政府系金融機関の融資を行う等の優遇措置が受けられた。おりしもバブルが始まったこともあり、政府系の金融機関を中心として低利の融資が積極的に行われ、貸付先を探していた金融機関は、盛んに開発の話を地元にもちかけ

た。受ける側も「時代に遅れじ」とばかり、マーケットニーズや収支計画の十分な検討もしないまま、開発を行ってしまった地域も多々あったといわれる。

リゾート法によって開発された地域は、全国で42地域[注]に及び、「リゾート」や「テーマパーク」が作られた。

(注) リゾート法によって開発された地域と施設（抜粋）

宮崎「シーガイア」、三重「スペイン村」、会津「フレッシュリゾート」、北海道「トマム」「キロロ」「ヤマハリゾート」（合歓の郷、掛川、志摩）、沖縄「ブセナテラス」、熱海「初島クラブ」、北九州「スペースワールド」、佐世保「ハウステンボス」、「グリーンピア」（大規模年金保養基地、年金福祉事業団が1980年から13カ所を建設。その場所は以下のとおり。大沼、田老、岩沼、二本松、津南［新潟］、中央高原［岐阜］、三木、南紀、安浦［呉］、横波［高知］、八女［黒木］、南阿蘇、指宿）。

宮崎のシーガイアが、リゾート法の第1号の適用を受けてつくられたことは、すでに述べた（第2章1 (9) 再生ビジネスの項を参照）。

リゾート法の理念である、国土均衡発展主義は、どこにも反対すべき余地はなく、過疎化が進行しつつあった地方にとっては、地域振興の起爆剤となるべきものと映ったことは想像に難くない。だが、実際には、運用において、その不十分さを露呈してしまった。つまり、方法論の十分な検討が行われず、また、リゾートを運営するノウハウも十分に持ち得なかったために、ハード面で立派な施設が作れても、採算がとれず、赤字が積み重なってしまうところが多かったのである。「リゾート」という言葉だけが先行し、それぞれの立場の人が、自己の都合のよいように勝手に解釈するという、日本的な悪い面が諸に出てしまったのであった。換言すれば、トータルに見る人がいず、そのような機能もなかったからである。

より具体的には、反省点として、環境面、地域振興のビジネスモデルの面、開発内容面、地方財政面からの批判を浴びることとなった。以下にその概略を述べると、

①大規模開発による環境の破壊

ゴルフ場、スキー場などは、広い地域を開発することになり、森林の伐採が行われることなどにより、環境が破壊されてしまった。

②**地域振興につながらないビジネスモデル**

　外部、他地域の資本による開発では、効率性などの観点から食料等を地元で調達しないことも多く、開発地域の産業に対する経済効果が期待したほど得られなかった。

③**画一的な開発内容（アイデアの貧困）**

　山間地は、どこもゴルフ場またはスキー場、海洋リゾートは、マリーナ又はゴルフ場とするなど、地域の特性を生かした開発が行われなかった。

④**日本人の観光ニーズとの乖離**

　日本人の観光行動、長期休暇を取得しにくい日本の余暇の実態に合わないリゾート施設が多く作られた。

⑤**地方財政の圧迫**

　開発金額が膨大になり、融資に伴う金利負担も過大になった。来訪者が計画上の予定数に達しているうちはよかったが、バブルの崩壊に伴って減少し始めると、開発費用はおろか、利息部分の返済もままならなくなり、開発プロジェクトに出資した地方自治体の財政を圧迫するようになった。これは、後で見るように、北海道夕張市（炭鉱跡を利用した多種の施設）や倉敷市（テーマパーク「チボリ」）の財政悪化をもたらすことになったのであった。

　バブル崩壊というマクロな経済的状況が大きなマイナス要因であることは確かだが、同時に理念を各論に移す際になんら具体的なポリシーや歯止めがなく、ハードだけを先行させてしまったことに、リゾート法運用の反省点を求めなければならないだろう。

4. 門前町の盛衰

　江戸時代から続く日本人の旅行の目的の一つが寺社の参拝であるならば、そのような旅客を当て込んだ商売が成り立つのは当然の帰結であった。社寺の関係者に加えてそのような商売をする業者が集まって町を形成したのが「門前町」である。すなわち、門前町とは、多くの参詣者を集める神社や寺院の門前に、社寺の関係者および参詣客を相手にする商工業者が集まることによって形成された町のことをいう。

　交通が不便な時代にあっては、ありがたいご利益のある寺社にたどり着くまでがとても大変で、現代のように「拝観時間は1時間です」などとバスガイド嬢が案内するような状況とは、大きく異なっていた。一生に一度と思ってやってくる旅行者も多かったから、ゆっくりと時間をとって参拝したのである。そして、参拝後は「神仏の恵みとしての」遊興や近郊の見物なども含め、必ずといってよいほど数日間の宿泊を伴ったのである。そして、時代が下がると共に、やがて、社寺以外の観光が主目的となり、社寺参詣は旅行に出かけるための名目になっていったのである。

　『東海道中膝栗毛』の弥次さん喜多さんは、四日市から南下して伊勢神宮を参拝してから奈良を経て京に向かっている。本居宣長は、松坂から吉野山に花見を兼ねて、蔵王堂他を参詣した折、吉野に2泊している（本居宣長『菅笠日記』、明和9年3月8日吉野着、3月10日吉野発）。

　門前町は、主要なものだけで154カ所あるが、最も代表的なのは、伊勢神宮のある伊勢市である。伊勢神宮は、昔から皇室を初めとして庶民に至るまで信仰が厚く、宇治山田を中心として大きな門前町を形成している（表-1　日本の主要な門前町一覧参照）。

伊勢神宮内宮

伊勢市は、内宮周辺の宇治と外宮周辺の山田から成り立っており、以前は宇治山田と称していた。江戸時代には江戸幕府が伊勢神宮の管理を目的とする山田奉行所を設置していた。江戸時代には、庶民の間でも伊勢神宮が国家の最高神という意識が徹底していて、18世紀には、伊勢に参宮する傾向は全国的な高まりを見せた。

江戸から115里で、片道約2週間を要し、決して近くはなかったが、この傾向を反映して、山田奉行が1718（享保3）年に出した報告書によると同年正月から4月15日までの参宮者が42万7,500人であったという。1日あたり約4,000人が参宮したことになる、平均3泊したとしても1日1万2,000人が伊勢とその周辺に宿泊したことになる。このことからも伊勢の門前町としての大きさが知られるのである。これは、1月に初詣客が大きな数を占めるなどの第一四半期の特殊性を踏まえて年換算すると50万人前後となる。しかし、18世紀後半以降は、おかげ参りやそれに類似した現象を呈した年を除くと、参宮者の数は横ばいないし、減少傾向となっていった。これは、旅行の普及に伴って、観光地の選択の幅が広がり、伊勢だけでなく京都、大坂、高野山などにも多くの人が訪れるようになり、そちらに、より多くの時間を割くようになったからであると考えられる（参宮者の数については、渡辺和敏『東海道の宿場と交通』より引用させていただいた）。

現代でも、似たような傾向が見られる。すなわち、伊勢市の宿泊統計を見ると、東海道新幹線の開通直後の1965（昭和40）年の宿泊人員数が前年の27万5,000人から23万4,000人（前年比85.1％）と4万1,000人の大幅な減少を見せていることである（図-6　伊勢旅館組合加入施設宿泊者数　年別

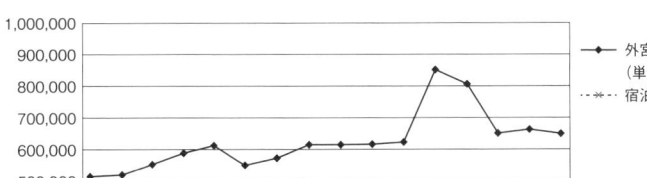

図-6　伊勢参宮客数と宿泊者数の推移

「伊勢市観光統計」による)。

東海道新幹線の開通前は、伊勢市まで東京からだと夜行の急行列車「伊勢」で一晩かかったものが (1961年10月のダイヤの場合20時00分東京発伊勢市着05時50分、毎年のダイヤ改正によって時刻は前後するが所要時間はほぼ同じ)、開通後は、名古屋で国鉄より早い近鉄特急に乗り継げば、5時間前後とほぼ半分に短縮されたのである。

これは、関東からでも、朝早く出発すれば、伊勢神宮の参拝が日帰りでも可能であることを意味した。あるいは、参拝後、さらに次の観光地、たとえば京都、奈良などにその日のうちに到着できることを意味したのである。言い換えれば、より多くの見るべきものがあるところで、より多くの時間を費やそうとする旅行者の行動の現れでもあったのである。

伊勢神宮の参宮客数自体は昭和39年の559万1,000人から昭和40年597万9,000人 (前年比106.9％) と38万8,000人の増加となっていることからみても、観光客数は伸びたが宿泊客数が減ったということが読み取れるのである (東海道新幹線は昭和39年10月1日に開業したので、39年の数字には3ヵ月分だけ新幹線開業の影響が反映されていることになるが、開業が参宮客数にはプラスに働き、宿泊者数にはマイナスに働いたと仮定すれば、開業前後での参宮客数と宿泊者数の逆相関は、この数字よりさらに大きいということになる)。パーセンテージだけで見れば、新幹線の開業は、参宮客数を増加させたが、その伸び率の2倍の宿泊者数の減少率をもたらしたということになる。

ところで伊勢神宮には「式年遷宮」と呼ばれる、20年ごとに、内外両宮の正宮の正殿を初めとする別宮以下の諸神社の正殿を造替して神座を遷し、宝殿、外幣殿、鳥居、御垣、御饌殿など計65棟の殿舎といった全社殿も造替する他、装束・神宝、宇治橋等も造り替える一大行事が催行されるが、その年には、例年より多くの参宮者が伊勢を訪れ、街に活気をもたらすことから「伊勢の町は遷宮のたびに新しくなり、20年ごとに活性化する」と言われている。東海道新幹線開業後の式年遷宮は、1973 (昭和48) 年と1993 (平成5) 年であったが、この前後の数字を比較して見ると、昭和48年の式年遷宮では、参宮者数は、前年の620万3,000人から859万人と38.5％の伸びを示したのに対し、宿泊者数は前年の287,887人から365,345人と26.9％の伸びに止まった。また、平成5年の場合では、参宮者数は、前年

の 662 万 9,000 人から 838 万 7,000 人と 26.5 ％の伸びを示したのに対し、宿泊者数は前年の 270,897 人から 286,058 人と僅か 5.6 ％の伸びに止まっている。

　これらのことからも、参宮者数の伸びに比して、門前町である伊勢市に宿泊する旅行者の割合が次第に減少してきていることが読み取れる（第 7 章 1(3) 参照）。

　交通システムの利便性向上による、目的地としての社寺までの所要時間の大幅な短縮に伴うこのような傾向は、他の門前町全般にも見られるようになってきており、門前町の旅館の不振、ひいては廃業をもたらし、旅館や宿泊客に依存していた店が閉鎖を余儀なくされて、地域の各種の産業にも打撃を与えているところが少なくない。

　現状のままでは、いわゆる門前町は衰退し、やがて消滅することになりかねない。そのためにも、門前町での滞在を現代の旅行者にも魅力あるものに変えて、滞在時間を伸ばしていく必要があり、新しい地域の魅力の再発見と情報発信が重要になっている。夕刻から夜間、あるいは早朝に旅行者の魅力となるものが付加されれば、自ずと宿泊者の数も増加するであろう。ここにも、地域の魅力の再発見という、観光による地域の振興にとっての共通の問題点が潜んでいることを指摘できる。

　伊勢市では、内宮の鳥居前町であるおはらい町が伊勢らしさを失って衰退しているのを見かねて、老舗の和菓子店である「赤福」が有志を募り 1979（昭和 54）年に「内宮門前町再開発委員会」を結成し、同社社長の濱田益嗣氏の言う「洋風化したものが氾濫する時代だからこそ、日本的なこころのふるさとが求められている」という考えに

おかげ横丁

基づいて伊勢の伝統的な町並みの再生が始まった。こうした動きを受けて市は1989（平成元）年に「伊勢市まちなみ保全条例」を制定して「伊勢市まちなみ保全事業基金」を創設した。これによる融資と地域の人々の熱い思いが実を結んでわずか10年で江戸時代の町並みがよみがえったのであった。

表-11 「おかげ横丁」入場者数推移
開館 H5.7

年	入場者数(千人)
平成 5	636
6	2,005
7	2,005
8	2,295
9	2,401
10	2,300
11	2,500
12	2,630
13	2,885
14	2,997
15	3,207
16	3,200
17	3,410
18	3,560
19	3,960
20	4,010
21	4,120
22	4,410
23	4,240

三重県や伊勢市当局もこの町並み再生に協力的で、電線の地中化と路面の石畳化を実施して、町並みが整い始めた1990年代から「おはらい町」の名を前面に押し出すようになっていった。このまちなみ保全事業は2009（平成21）年10月1日に「伊勢市景観計画」に引き継がれた。赤福は1993（平成5）年の式年遷宮に合わせて古い町並みの商店街である「おかげ横丁」を開業させたのである。おかげ横丁と生まれ変わったおはらい町は1994（平成6）年200万人、2003（平成15）年には入込客数が320万人を突破し、江戸時代のおかげ参りの頃の賑わいを回復したのである。

このように「おかげ横丁」は好調に推移しているが、ここもほとんどの店が夕刻までの営業で夜間、早朝の魅力創出には至っていない。これからは、宿泊者を増やすという問題点を明確に把握した上での対応策も必要となってくることを指摘しておきたい。

第3章
観光による地域の活性化、振興と再生

1. 観光による地域振興のきっかけになるもの

　先に、温泉、テーマパーク、門前町の盛衰について、具体的な考察を試みたが、これらの事例も含め、そもそも、観光による地域振興のきっかけになるものにはどのようなものがあるのであろうか？　以下に、その主要なものを挙げてみよう。

(1) 世界遺産への登録
　日本には2012年4月現在、16の世界遺産がある（自然遺産4、文化遺産12）。世界遺産のそもそもの目的はそれらの自然遺産・文化遺産の保存にあるのは周知の通りである。これらが、結果的に多くの観光客を惹きつけていることも間違いない。したがって、観光の視点からは大きなきっかけになるのであるが、同時に、例えば、住民の生活環境の視点、遺産自体の保護の視点から見れば、種々の問題が存することも事実であって、これらの調和をどこに求めるかが大きな課題になる。
　これについては、第7章で考察するとして、ここでは、世界遺産登録の指定を受けることが観光による地域振興の大きなきっかけになるものであることだけを記憶にとどめておきたい。

(2) 新しい観光資源の出現
　2012年に開業した東京スカイツリーが新しい東京観光の目玉となっていることは疑いをえないであろう。それは、かつてのTDL・TDS開業時の状況と似ている。大阪におけるUSJや、各地のテーマパークが開園するときも同様であった。

観光資源なのであるから、観光客が来るのは、考えてみれば至極当然のことではあるが、それにどのくらいの需要があるか、どのくらいのリピート客が見込めるかを判断することが地域振興を考える上で重要である。人気が一時的なものでは、投資に見合った振興を図ることができず、初期投資すら回収できずに終わることもあるのは、すでに見たとおりである。

(3) 姉妹都市提携による（外国との）交流

「姉妹都市」(Sister Cities) という言葉は、第二次大戦後にアメリカから入ってきたものといわれるが、その正確な定義はなく、自治体によって使われ方がまちまちであって、一般的には、市民の文化交流や親善を目的として提携した、都市（自治体）同士の関係を指す言葉である。

自治体提携には「友好都市」(friendship city) という表現が使用される場合もあり、「姉妹都市」と「友好都市」の違いについても明確で統一された基準があるわけではない。

「姉妹都市」と「友好都市」を区別する場合には「姉妹都市」に比べて範囲の限られた交流に「友好都市」が使われる傾向がある。「親善都市」などとも呼ばれる。

財団法人自治体国際化協会の資料によると、2012 年 11 月 30 日現在、国際交流として姉妹提携関係は 1,632 件、姉妹提携を実施している自治体は全国で 853 にのぼる。最も多いのが市によるもので 546 市である。我々が考えるより、はるかに多くの関係が結ばれていることに驚かされるが、このようなことは、義務教育の頃から取り上げられることが多いため、住民の意識の中に深く入り込んで、成人してからも大きく関心をもたれることが多いのである。また、自治体としての交流が年齢を問わず行われるから、地域全体を巻き込んで、折に触れ、交流が盛んになり、お互いに、相手の自治体に見るべきところを見つけ、広がっていく。『易経』の「観光」の考え方にも通じるものがあり(注)、長い時間に亘って交流が行われることで、安定的なきっかけになるということがいえよう。姉妹都市については、第 3 章 4 にて詳述する。

（注）『易経』に「観國之光、利用賓于王」(「国の光を観る。用て王に賓たるによろし」) とある。

(4) メディアによる露出

　テレビ、雑誌などのビジュアルメディアによる露出の効果がいかに効果が大きいかは周知の通りである。観光は、話をするだけでは弱く、実際に行ってみることが重要であるが、その一歩前の段階として、擬似体験ではあるが、様々な映像や音は、旅行者に「行ってみたい」と思わせる動機付けとしてはきわめて大きな意味を持っているといえる。

　とりわけ、繰り返して登場するドラマの舞台となることや、いわゆる旅番組の中でも、紹介の意味を持ったあまり宣伝臭くないものの効果が大きい。このカテゴリーの中で特筆すべきは、国鉄時代から続く『遠くへ行きたい』（現在はJR6社の共同提供）で、「DISCOVER JAPAN」（「ディスカバー・ジャパン」）のキャンペーンの後1970（昭和45）年10月4日から続いており、2013年1月で2,137回を数えている。

　2番目は、近畿日本鉄道が、沿線の文化紹介のために、1959（昭和34）年3月6日から2004（平成16）年3月27日まで45年間に亘って放送した『真珠の小箱』で2,314回放送した。奈良・伊勢方面の観光地や社寺、それにまつわる文化的なことがらをわかりやすく紹介した内容の濃いものであった。

　一私企業がこれだけのことを続けるのは、大変な努力を要するが、これは、鉄道輸送は文化産業でもあるという、近鉄の経営者の考え方を反映したものとして、観光学的には高く評価できるだろう。近鉄は沿線距離が日本の当時の私鉄としては最も長距離であったこともあり、また、奈良、伊勢を沿線に持っていて紹介するところに不足はなかったのである。時代の流れと共に、惜しくも、2004年に放送は終了したが、阪神電気鉄道なんば線が開通して近鉄と繋がったとき、兵庫県のローカルテレビ局であるサンテレビで3カ月間だけリバイバル放送されたことがある。これが兵庫県からの乗客を増やす一助となったことは言を俟たない。近鉄によれば、阪神なんば線との直通によって平成21年度上半期の近鉄奈良駅乗降客数（定期外）は前年比＋3.7％、増収効果は＋4億9千万円であった。

　近鉄についで、路線の長かった名古屋鉄道も『ふるさと紀行』という番組を持っていたが、どちらかというと、観光客誘致というよりも日本の原風景としての沿線を紹介したもので、1963（昭和38）年5月から始まったこの長寿番組は2007（平成19）年9月に44年間続いた放送を終了した。

いずれも、現在のように売れっ子の芸人を登場させることはなく、地味ではあったが、旅行好きの人にはたまらない人気があった。だからこそ、いずれも、際立った長寿番組となったのであり、テレビのモノクロ時代にすでに現在の旅番組の原型を見ることができるのである。
　現在では、旅番組は飛躍的に多く放送されるようになった。質的に不満足なものも少なくないが、これらが、観光客を作り出し、地域の観光振興に果たす役割は、はかり知れないものがあるといってもよいであろう。中でも、JR東海の京都・奈良および周辺各地を紹介するプログラム（『京都、心の都へ』『都のかほりスペシャル』『美しき古都、千年の旅人』）が上質といえよう。

　メデイア露出として過去にあったものの中で、主要なものは以下の通りである。

①テレビドラマの舞台
● 大河ドラマ……『平清盛』（京都、宮島、神戸）、『江』（長浜）、『龍馬伝』（高知、長崎、京都）、『利家とまつ』（金沢）
● 連続テレビ小説……『カーネーション』（岸和田）、『おひさま』（安曇野）、『ゲゲゲの女房』（安来、境港、調布）、『だんだん』（松江、京都）、『ちりとてちん』（小浜、大阪）、『ほんまもん』（那智、熊野）
● 地方局製作ドラマ……福岡発ドラマスペシャル（柳川）、仙台発ドラマスペシャル

②TVの旅番組　広報的なもの（沿線紹介）、宣伝的なもの
『遠くへ行きたい』（JR6社）、『真珠の小箱』（近畿日本鉄道）、『京都、心の都へ』（JR東海）、『都のかほりSPCL』（JR東海）、『美しき古都、千年の旅人』（JR東海）、『いい旅　夢気分』『アド街ック天国』（TX系）『おとな旅・あるき旅』（JR西）

③旅行雑誌及び雑誌の特集
　旅専門の雑誌として長い歴史を持つのは『旅』と『旅行読売』である。
　前者は、戦前、日本旅行文化協会（1922年設立、日本交通公社の前身）

が、1924年4月より機関紙として刊行したもので、戦争中一時休刊されたが、戦後の1946年に日本交通公社によって復刊され、多くの著名作家の紀行文を掲載した。

編集長にも著名な人が多く、女流の戸塚文子は名文家として知られる（「名張、秋の漂う町」など）。時代を反映して鉄道の記事も多かった。また、松本清張が推理小説作家としての地位を確立したといわれる名作『点と線』は1957年から『旅』に連載されたものであった。列車の時刻表の間隙をたくみについたこの小説は、「旅行ミステリー」という新しいジャンルを開いたものでもあったのである。

『旅』の内容の一例を挙げよう。1961（昭和36）年10月号は、「京都・奈良特集号」で、編集長は、岡田喜秋氏。カラー口絵1ページにモノクログラビア20ページ、合計226ページで定価120円（現在の価値で1200円程度）であった。

『旅』

寄稿者は、水上勉、オシュコルヌ、恒藤恭、松田道雄、梅棹忠夫、北条秀司、奈良本辰也、司馬遼太郎、市川雷蔵、平岩弓枝、谷口吉郎など錚々たる顔ぶれである[注]。内容を見ても、「京都の街はひとつの芸術品である！」「京都は日本人の心のふるさと」「観光バスに乗って見直したわが京都」「哀愁・私の好きな嵯峨のをあるく」「舞妓の生い立ち裏ばなし」「祇園祭の宵の楽しさ」「洛北・八瀬から大原の里へ」「修学院離宮の見どころとその真価」「京美人を解剖すれば」「京の味どころ・ぜひ喰べたいもの」「奈良の万葉遺跡めぐり」「仏像鑑賞法ABC」「これだけはぜひ見たい古寺コース」「万葉植物園にある草木」。特集以外では、「日本最長片道切符12000キロ！」「仙台東京百里の徒歩旅行」などと、旅行を軸としてきわめて広い範囲に亘っており、松本清張が、『点と線』のヒットに続いて『時間の習俗』を連載している。

1. 観光による地域振興のきっかけになるもの

　現在の旅行に関する雑誌と比べて、写真で見せる部分が少なく、文章が主になっているから、それなりの内容を持った記事にしないとまとまらなかったということもあろうが、文化的、教養的なものが多く、グルメ、買い物、enjoyment など、実用的なことに関するものが少ないのが目立つ。それは、裏を返せば、当時、ゆっくりと旅を楽しめたのは、それなりのレベルの人たちが多かったということでもある。

　これらから明らかなように、「旅」を媒介として、それらの読者の様々な好奇心を満たすように、多方面から編集されていたのである。それは、とりもなおさず「旅」や「観光地に行くこと」が、現在よりも、より多くの意味を持っていたことを示しているともいえよう。

　これだけの内容を毎月、本にするというのも大変なことであるが、それを実際に行っていた当時の編集者のレベルの高さには、ただ、脱帽するばかりである。

　『旅』は、その後の旅行ブームに乗って長いこと発行されていたが、次第に部数を落とすようになり 2003 年をもって休刊した。2004 年、版元が新潮社にかわり、それまでの総花的な内容から、女性を主なターゲットに修正したが、新潮社へ引き継がれた後も発行部数は落ち込みを続け、2012 年 1 月発売の 3 月号（通巻 1002 号）をもって休刊となった。

　（注）水上勉（小説家。『雁の寺』で第 45 回直木賞を受賞、社会派推理小説作家として知られる）、オシュコルヌ（関西日仏学館教授）、恒藤恭（法哲学者。大阪市立大学教授などを歴任、芥川龍之介の親友でもあった）、松田道雄（当時有名な小児科医。『私は赤ちゃん』『私は 2 歳』などの著書がある）、梅棹忠夫（民族学者、京大教授。『文明の生態史観』などの著書がある）、北条秀司（劇作家。『王将』などの劇作がある）、奈良本辰也（日本の中世史を専門とする歴史学者、立命館大学教授）、司馬遼太郎（現在では小説家としてあまりにも有名だが、当時は、前年の 1961［昭和 35］年、『梟の城』で第 42 回直木賞を受賞し、この年、産経新聞社を退職して作家生活に入ったばかりだった）、市川雷蔵（映画俳優。大映の看板スターだった）、平岩弓枝（小説家、脚本家。当時は、1959［昭和 34］年に『鏨師』で第 41 回直木賞を受賞したばかりだった）、谷口吉郎（著名な建築家で東工大の教授などを歴任。慶應義塾大学第 2 研究室［新万来舎］、藤村記念館、原敬記念館、石川県美術館、千鳥ヶ淵戦没者墓苑、東宮御所 などの作品があった）。

『旅行読売』も古い歴史をもつ雑誌で 1972（昭和 47）年から月刊で発行している。こちらは、旅行についての実用的な記事が多く掲載されている。

一般雑誌がかなりのページをさいて旅の特集を組むようになったのは、『an-an』が最初であるとされる。これは、国鉄が「DISCOVER JAPAN」のキャンペーンを行った 1970 年に平凡出版（現在のマガジンハウス）によって創刊された若い女性向けの雑誌で、カラーグラビアを多用し、「読む」雑誌というより「見る」雑誌を志向していた。それは、「旅」というものを紹介するのに、格好なメディアであった。翌年創刊された『non-no』と共に、国鉄のキャンペーンと相俟って、個人の若い女性を日本の魅力再発見の旅に駆り立てるきっかけとなったものであった。日本の多くの地方都市が「小京都」として取り上げられるようになったのもこの頃からであった（第 4 章 2 (1)「鉄道会社によるキャンペーン」の項を参照）。

現在では、毎月、多くの雑誌、とりわけ写真を多用する女性誌が旅・旅行を特集しており、枚挙にいとまがない。流行に敏感で、ショッピング、グルメの記事がやたらに目に付くが、これらが読者に与える旅行動機は、世代を超えて大きなものがあるといっても過言ではない。

④ガイドブック・情報誌に取り上げられること

ガイドブックに取り上げられるのも、観光地にとって大きな力になる。

ガイドブックといえども、すべてを取り上げるわけにいかないので編集者のセンスがものをいう。読者は、もともと、その地域に対して豊富な知識がないのでガイドブックを買うのであるから、そこに取り上げられたことは、旅行者を誘導するのに大きな力を持つ。紹介の仕方によって、場合によっては過大評価すらしてしまうのである。旅行者は、これから出かけようと考えるとき、どうしても「精神的にハイな状態にあるので」冷静に読むことができにくくなるのも事実であろう。このような読者心理をうまくつかんだものに「情報誌」というものがある。これは定義があいまいで、本書では、企画記事（スポンサーが自分の施設などを紹介するために記者に書かせる記事）と定型化された情報が主要な部分を占めるものを「情報誌」と呼ぶことにする。

旅行の素材である、航空座席、ホテルそれらを組み合わせたパッケージ旅行に関する情報は、実は、宣伝であることが多く、編集者は、その中身に対

してなんら責任を持たない。「格安旅行」といわれるものが多く、これを利用して、情報誌の発行元の知名度によって商売をしている。旅行会社の倒産など何かトラブルが起きたとき、出版社は、何の責任もとらないで、社会問題になったことがあった。読者は、それがニュートラルな「情報」なのか、実はオブラートに包んだ「広告」なのか、まず、見極めてから読むことが必要である。

　情報誌は、発行部数が大部で、中には数十万部を数えるものもある。これは、ガイドブックの10倍近くにもなり、露出効果は大きい。現在発行されている「情報誌」の主要なものは、『るるぶ』『まっぷる』で、日本のほとんどの地域をカバーしている。

　外国人の訪日促進のため、日本政府観光局（JNTO）（正式名称は国際観光振興機構＝Japan National Tourist Organization）がフランスの著名なガイドブックの発行元であるミシュランに働きかけて、ミシュラン・グリーンブック（仏語版のデスティネーションガイドブック）『ミシュラン・グリーンガイド・ジャポン』）が2009年3月に発行された。

　これによって、フランス人を初めとするヨーロッパ人が多く日本を訪れるようになったのは、記憶に新しい。

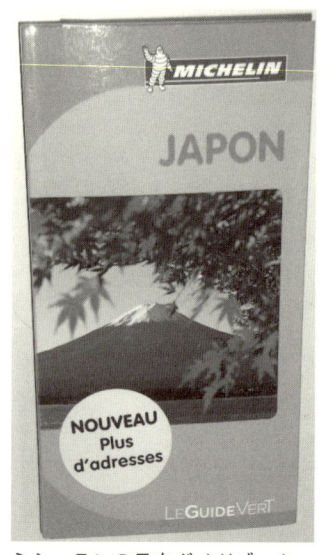

ミシュランの日本ガイドブック

　また、「美味しく、かつ、サービス、雰囲気のすぐれた」レストランを紹介する『ミシュラン・レッドブック』[注]の東京編が2007年に発行されたとき、初版12万部が4日間で売り切れとなり、そこに紹介された店は、予約が3カ月先まで取れなくなるようなことが起きた。力あるガイドブックに紹介されることの影響の大きさが理解できるであろう。現在では、『東京・横浜・鎌倉』だけでなく『京都・大阪・神戸』も発行されている。

　（注）いずれも表紙の色からこう呼ばれている。

(5) 新線、相互乗り入れ、特色ある列車、交通システムの変化

　航空、鉄道の新しい路線の開設（航空路線の場合は特に「INAUGURAL」と呼ぶ）、新空港の開港、航空会社による航空機の新機種の就航、新会社による路線の就航などは、それ自体が、観光振興のきっかけになる。

　たとえば、近年では、2011年3月12日の九州新幹線の全通が記憶に新しい。その前日に東北に大地震が起こり、その陰になって、ニュースとしては、やや隠れた感じになってしまったのは、誠に残念なことであったといわねばならないが、とりわけ西日本の人々にとってこの意味は大きい。

　たとえば、熊本県への県外からの来訪者数は、前年に比べ＋4.4％（日帰り＋4.7％、宿泊＋3.4％）（熊本県統計表）、鹿児島県の観光客数は、前年に比べ＋3.4％（延べ宿泊者数＋5.6％、延べ日帰り客数＋2.8％）（鹿児島県観光統計）の伸びとなった。鹿児島県では、九州新幹線の全通と大阪からの直通運転の開始によって、それまで手控えていた新規の観光客を惹き付けることができたこと、とりわけ関西・中国地方からの観光客が増加し、「どうせ乗るなら終点まで」という観光客の増加によって訪県観光客数が伸びを示したものと分析している。宿泊者数の伸びが日帰り客数の伸びを上回ったことは注目すべきで、新幹線全線開業と同時にJR九州が鹿児島から指宿まで『指宿のたまて箱』という観光列車が運行を開始したことが主な要因となって指宿地区への需要が喚起された結果、この地区の延べ宿泊者数が前年比＋22.1％と大きく伸びたことからも、鉄道に係わるさまざまなことが、観光振興の大きなきっかけとなっていることが知られる。

指宿のたまて箱

　少し遡れば、1974（昭和49）年の湖西線の開通がある。かつて、ほぼ同じようなルートで江若鉄道という私鉄が走っていたのであるが、当時は濱大津から近江今津までででしかもディーゼルカー1両でしかなかった。このルートがJRと結びつけば、飛躍的に便利になるのは明らかである。現在、1日

に100往復を数え（通過のみ32を含む）、北陸方面に抜ける動脈として発展している。

山陰方面に目を転じれば、兵庫県の山陽本線上郡から因美線の智頭へ抜ける智頭急行（1994年開通）が挙げられ、これによって鳥取方面への輸送力が大幅アップとなったし、私鉄ではあるが、宮福鉄道（北近畿タンゴ鉄道）の開通（1988年）によって、それまで、綾部から西舞鶴を経て宮津に達していたものが福知山からほぼ真北に宮津にぬけ、最短ルートで結ばれることになった。これによって、日本三景の一つ天の橋立への観光がすこぶる便利になった。

東京から北陸方面に行くには従来、長岡まで行きそこから西行していたが、ほくほく線の開業によってショートカットされ上越方面から直江津方面に直に行くことができるようになった。

このような「デスティネーションの容易化」（zigzag路線の直線化による短縮）は目的地までの時間短縮が図ることができ、効率的な旅程を組むことが可能になることから、短いdurationでの旅行を増やし、週末を利用した旅客の増大に寄与するところが大きい。

都市部でも、新線の建設は行われている。例えば、2009（平成21）年3月阪神なんば線が開業して、大阪市内を横切り、市内の屈指の繁華街なんばで近鉄奈良線と接続し、相互乗り入れを行ったことは、神戸方面から奈良への利便性がアップし訪問者数を増やすことになった（前出）。

関東では、2006年3月東武日光線が途中でJRへ乗り入れ、新宿駅を一部の特急の始発とすることで、山の手地区の旅客の利便性が向上したことが特筆できる（東武の始発駅は、下町の浅草であり、従来は新宿から上野まで山手線、上野から東京メトロを利用して浅草に行かなければならなかったのである）。2013年3月に東京メトロ副都心線が東急とつながり、埼玉、東京、横浜が乗り換えなしで結ばれることにも大きな期待がもたれている。

電化システムの変更も効果をもたらす。北陸本線米原長浜間が交流電化から直流電化に変わり、関西からの直通電車「新快速」が誕生したとき、長浜は直流化の恩恵を最も受けた。1991年9月14日のダイヤ改正以降、京阪神からの新快速が長浜駅まで直通し、観光客の増加と人口増加という経済効果をもたらした。新快速の乗り入れで長浜市が京阪神の通勤圏となった一方、黒壁スクエアなどの地元の観光資源の再開発などが反響を呼び、多くの観光

客が長浜へと足を運ぶようになった。つまり、地域振興の起爆剤としての直流化工事は注目を浴びたのである。これに要した費用は7億円であったが、県や地元自治体がこれを負担した。結果から見れば、7億円をはるかに超える経済効果を地域にもたらしたといえる。

これを見た、長浜以北の湖北の町々も直流化を望むようになり、2006年9月14日に敦賀までの直流化が完成した。これによって、琵琶湖の東西を頻度多く列車が走ることになり、地域の振興に果たした役割は極めて大きい (第3章2 (1) 長浜のケーススタディを参照)。

このような新線建設やそれに伴う相互乗り入れだけでなく、既存の鉄道に新しい付加価値を付けるということも行われる。例えば、鉄道ファンに人気の高いSL運転(山口線、磐越西線、大井川鉄道)や、電車の内装、外装を変えて、それ自体に魅力を持たせ、地元の足としてだけでなく、観光電車として旅行者をひきつけているものとして和歌山電鐵貴志川線の「たまちゃん電車」「おもちゃ電車」「いちご電車」を挙げることができる(第3章2 (4) 貴志川線のケーススタディを参照)。

日本は島国で北海道や四国、九州に行くには、連絡船を利用しなければならなかった。それらに代わってまず1942(昭和17)年、関門トンネルが開通し、1988(昭和63)年に青函トンネル、瀬戸大橋が共に開通した効果はきわめて大きかったのである。

また、スピードアップによる所要時間の短縮では、1964(昭和39)年に東海道新幹線が開通して、東京大阪間は、所要時間が一挙に半分近くになったとき、ビジネス旅客だけでなく、観光旅客も大幅に増やすことになったのであった。

鉄道の中でも、新型の車種が投入されることによって、快適性だけでなく話題性も高まり旅客が増えることが多い。最近では、東北新幹線へのE5系が話題となっている。かつての「ブルートレイン」(「あさかぜ」など)や、乗っていることに楽しみを見出す寝台特急「トワイライトエクスプレス」(大阪-札幌)、「北斗星」「カシオペア」、展望列車「ゆふいんの森」「リゾートしらかみ」、子供連れの旅客のために保育士が同乗するJR九州の「あそボーイ」など、工夫を凝らした列車を走らせることによって、沿線の観光振

興に役立てることができる。展望列車は、伊豆急行も走らせている。展望列車は、ヨーロッパの氷河特急（スイス）に、寝台特急は「オリエントエキスプレス」にその原型を見出すことができる。

展望列車「ゆふいんの森」

　事情は異なるが、話題性という意味では、三陸鉄道が東日本大震災からの早期の復興を果たしたということで、多くの共感をよび、地震の被害に対する支援のため他地域からの旅客が増えていることも見逃せない。

　以上を要約すれば、どのような形をとるにせよ、「輸送力のアップ、付加価値のアップにつながるものは効果が大きい」ということができる。

　航空輸送についても、鉄道と同じことがいえるが、とりわけ、新空港の開港が大きな意味を持つ。近年では、神戸空港、コウノトリ但馬空港、能登空港、静岡空港、茨城空港の開港が記憶に新しいし、静岡空港の開港にあわせたＦＤＡ（Fuji Dream Airlines）の就航（静岡県を基盤とする物流会社鈴与グループの出資）も地元キャリアということで話題を呼んでいる。

　1970（昭和45）年のパンアメリカン航空、日本航空による「JUMBO（ジャンボ）」の就航は輸送力を飛躍的に増大させたことで、2011（平成23）年11月に全日空が就航させたＢ－787は低燃費型ジェットということで話題を呼んでいる。

　さらに、2012年から、「LCC」（Low Cost Carrier）といわれる、低運賃の航空会社が多く就航を開始し、沖縄、北海道にも低運賃で行けると評判を呼んでいる。同じ機種でも多数の乗客を乗せるため、乗客一人あたりのスペースが狭いこと、少ない機材で運行するため、ひとたびトラブルが発生すると後続の便の運行に支障が出やすいことなどの問題があるが、航空需要の底辺を拡大する効果は大きいものと期待されている。LCCには「Peach（ピーチ）」「Jetstar Asia Airways」などがある。

　輸送力が大きくなり、競合が激しくなれば、割引運賃が導入される。すで

に航空運賃に関しては、多くの割引運賃が設定されているが、鉄道とくに旧国鉄の JR 各社に関しては、十分とはいえない。国鉄時代から続くものとして、「ジパング倶楽部」と「ジャパンレイルパス」がある。前者は、シニア向けの割引運賃であり、後者は訪日外国人向けの割引運賃で、7 日間パス＄341.00、14 日間パス＄543.00 で「のぞみ」「みずほ」を除き JR 6 社の全路線を自由に乗ることができる。現在、国策として観光振興が行われており、日本の人口がさらに減少するこれからにあっては、これらをさらに拡充する必要があるが、JR 6 社に分割してからは、むしろ後退の方向にある。経営の問題といってしまえばそれまでだが、大局を見据え、グローバルな考え方でのぞまないと日本の観光に対する姿勢、ひいては信頼を失うことになりかねない。鉄道が極めて公共性の高いものであることを忘れることなく、狭い私企業的発想に陥ることのないようにしてもらいたいものである。

(6) 公営の観光・リゾート施設ができる

「公共の宿」といわれるものがある。もちろん、宿だけでなく広く余暇関連の施設をも含むものも多く、これらは、国、地方自治体、それらの外郭団体、共済組合、保険組合、年金組合などが所有し運営するもので、福利厚生に資することを目的としたものである。このような公営の観光・リゾート施設の代表的なものとして、国民休暇村（旧厚生省が 1961［昭和 36］年から国立公園及び国定公園に設置を始めた総合的休養施設）、グリーンピア（旧厚生省が被保険者、年金受給者等のための保養施設として、1980 年から 1988 年にかけて 13 カ所設置。旧年金福祉事業団が運営していたが、多くは赤字続きで 2005 年度までに廃止することが 2001 年 12 月に閣議決定された）、公営ユースホステル、かんぽの宿（もともとは旧郵政省の管轄する簡易生命保険法第 101 条に基づき設置された保険加入者のための保養施設・老人福祉施設で宿泊も可能なものを指した）などがあり、必ずしも利潤を上げることだけを第一に考えてはいないので、営利企業が考え付かない場所、考え付かないことをすることがある。それゆえそれらが立地する地域にとっては、またとない観光による地域振興のきっかけになることであるので、運営さえうまくいけば、その地域の活性化を促すことができる。ただし、役所的感覚、親方日の丸的発想で経営すると、赤字を続けることになり、やがて破綻してしまう。1980 年代以降にできた公営、第 3 セクターの施設の多くが、そのきっかけはよかったものの、やがて行き

詰まってしまったのは、マーケティング不足と経営感覚の稀薄さによるものであったことは、すでに、繰り返し指摘されているところである。

　立地の選択がなされたら、そこでの経営を可能にするマーケティングを十分に行い、必要な施策をあわせて行っていくことが極めて肝要である。

　国土交通省が整備を進めているものに「道の駅」がある。ドライブによる観光旅行が多くなったのに伴い、高速道路におけるサービスエリアに相当する施設が一般道にも必要となった。これを踏まえ、旅行者のための休憩施設に加えて地域振興のための情報発信と地域の連携のための施設を併せ持ったものを「道の駅」として登録することになったのである。1993年に旧建設省と地方自治体の協力で全国で103カ所が登録されたのを皮切りに、登録数は伸び続け、2012年9月現在、全国に996カ所あり、そこでは誰もが24時間自由に利用でき、その地域の文化・名所・特産物などの観光案内所的な機能も併せ持ち、各種のサービスを提供している。「道の駅」は、その地域の核となり、道路を介した地域連携が促進されるなどの効果も期待されている。

道の駅　夕張

(7) キャンペーンの実施 （第4章も参照）

　企業、団体などが販売促進のために行う一連のまとまった施策を「キャンペーン」と呼ぶ。観光関連では、航空会社、鉄道会社、観光局、観光協会、ホテルなどが行うことが多い。

　たとえば、航空会社は、夏休みを利用した旅行者の誘客のために沖縄キャンペーン、北海道キャンペーンを行うことが定例化している。また、新路線の開設、新機材の導入に伴ってキャンペーンが行われる（前出）。かつては、JALの世界一周便開設キャンペーンを初めとして、ブラジル線、ベルリン線など新路線が開設されるたびごとに、大々的なキャンペーンが行われたし、最近でも2012年のJALのボストン線開設キャンペーン、ANAのシアトル線開設キャンペーンが記憶に新しい。

鉄道会社によるキャンペーンは、旧国鉄によって行われた「DISCOVER JAPAN」が、その嚆矢となるものであったが、以来、「いい日旅立ち」など、継続的に行われており、国鉄の分割民営化後もJR6社が提携する形でキャンペーン（県別、地域別）を行っている。これは、3カ月ごとに、目標とする県を定めてJR6社でキャンペーンを行うものであり、全国にキャンペーン情報が発信され、臨時列車の増発、地域の観光産業関連企業の協賛も得られることから、旅行の容易化、魅力付けの強化が図られるため、集客力が大きいとされる。2004年に行われた北陸のキャンペーンでは「ジャパニーズビューティ北陸」と題して、フランス人女性が温泉を楽しむという趣向であった。

　各社が個々に行うものでは、JR東海の「そうだ 京都、行こう。」「うまし うるわし奈良」など、JR西日本の「DISCOVER　WEST」「三都物語」などがある。

　日本政府観光局が外国人を誘致するためのキャンペーンとして「ビジット・ジャパン・キャンペーン」（VJC））を行ったことは記憶に新しい。2003年から2010年まで7年に亘って実施したもので、この間、訪日外国人は年間800万人を超えるまでになったのである。「YOKOSO！JAPAN」はこのキャンペーンのスローガンであった。

　観光協会が行うものとしては、多数があるが、毎年継続的に行われるものでは、京都市観光連盟による「京の冬の旅」「京の夏の旅」がある（京都市と共催）。京都の真冬はとりわけ寒く真夏は盆地ゆえに酷暑となり、旅行者数の季節による変化が著しく、これを補うため、京都市の観光関連団体が連携して、この時期の誘客キャンペーンを行うのである。普段は公開されていない文化財（社寺の秘宝や庭園など）を期間限定で公開することや京都の伝統文化の体験が大きな目玉となっている。このような新たな魅力付けを行うことで、オフシーズンの集客を図ることができる一つの好例となっていて、今では、冬の旅のリピーターも多くなってきていると言われる（これについては第4章2（4）自治体のキャンペーンで詳述する）。

(8) 地域の努力による魅力の創出

　観光振興を目指す地域自らが独自の魅力を作り出し、その情報を積極的に発信している例も多数ある。それらは、以下に示すように、すでにあるものに魅力を付加するものと、新たに魅力あるものを作りだしていくという2つのやり方に大別でき、それらは、さらにいくつかに分類できる。

①町並みの保存

　歴史的な景観を残すことによって、一種の「異空間」を作ることができることから、これは大きな観光資源になりうる。地域の歴史的な風情、情緒を生かしたまちづくりを国が支援する「歴史まちづくり法（正式名：地域における歴史的風致の維持及び向上に関する法律）」が平成20年に成立、施行されたことを受け、観光庁は、金沢市、高山市等の31市町（平成24年3月末現在）の歴史的風致維持向上計画を認定し、各市町が行う歴史まちづくりに対して支援を行っている。

②年中行事

　年中行事は、もともとその土地の住民のものであるが、その土地の文化を伝えたものであるがゆえに、文化に関心のある旅行者の関心の的でもあり、結果的に、年中行事が観光振興の一助となっている例を多く認めることができる。

　以下に、いくつかの例を挙げれば、初詣（伊勢神宮など各地）、三社祭（東京）、祇園祭（京都）、天神祭（大阪）、お水取り、春日若宮おんまつり（奈良）、秘仏ご開帳（奈良、京都）、今宮戎（大阪）、東北三大まつり（宮城・秋田・青森）、どんたく（福岡）、くんち（長崎）、高千穂神楽（宮崎）、阿波踊り（徳島）、郡上踊り（岐阜）、風の盆（富山）、御柱まつり（長野）、曳山祭り（滋賀）、除夜の鐘（各地）……などである。

③伝統芸能

　日本の伝統芸能は、それ自体が無形の観光資源である（第1章3「観光地の成り立ち」参照）ことから、文楽、能・狂言、歌舞伎、神楽などの郷土芸能の上演が観光客を呼ぶきっかけとなっており、これらの情報を発信することは観光振興にとって重要な要素となっている。

④魅力あるイベントの開催と誘致

　その地域に独特のイベントを開催したり、博覧会を開催することは、多くの観光客を集めることができる有効な方法であるが、期間が限定されていることから、年間を通じての需要の底上げにはならないのが欠点である。毎年、恒例となって開催されるものはリピートが期待できるが、そのとき、その年だけのものは、イベント効果をいかに継続させていくかが課題であり、期間に見合った適正な支出を行わないと思ったほどの経済効果は期待できないので慎重なプランニングが必要である。

　以下に、具体例を挙げよう。

　札幌雪祭り、よさこいソーランまつり、正倉院展（毎年の好例開催に伴ってファンが増大し、リピーターが多い）、平城遷都1300年祭（タイミングを捉えた魅力の再発見）、長崎さるく博愛地球博、冬季オリンピック（札幌、長野。オリンピックの開催による世界的な知名度アップ）、サッカーワールドカップ（開催による世界的な知名度アップと合宿地に対する注目）、オリンピック（開催による世界的な知名度アップと経済波及効果。かつての東京オリンピック開催が日本の経済発展に果たした役割は大きなものがある）。

正倉院展のパンフ

⑤地元の食の開発

　食べることが人間の大きな楽しみである以上、その土地に食の魅力があることは、旅行者をひきつける大きな要素となる。お土産品として、その土地に独特の美味しいものがあることも大きな魅力である。それが都会では手に入らないものであればなおさらである。その意味で都会に出店を作ること、あるいは通信販売は、個別には売り上げを増加させるが、旅行者の誘客にとっては必ずしもプラスにならないのではという疑問が残る。

以下に地方都市の例を挙げる。

佐世保バーガー（地域にもともとあったものが全国に広まる）、和菓子（叶匠壽庵、大津、テーマパークもある）、たねや（近江八幡、テーマパークもある）、マルセイバターサンド（六花亭、帯広）、はりま焼（はりま屋、生野＝豊岡）、くりーむパン（八天堂、三原）、ガトーラスク（カトーフェスタ・ハラダ、高崎）。

⑥観光施設自体による努力

旭山動物園の行動展示

旭川市にある旭山動物園は、寒冷地にあるにもかかわらず、動物の見せ方を工夫することで見学者から喜ばれ、多くの観光客を全国から集めている。ここでは、従来からあるただ単に動物を見せる動物園から動物の行動を実感してもらう「行動展示」の動物園へ進化させたのである。

(9) MICE

「MICE」という言葉は、「Meeting」「Incentive」「Convention」「Event・Exhibition」の頭文字をとったもので、それぞれ、「会議」「報奨（旅行）」「大会・学会」「展覧会・博覧会」などと訳される。いずれも、各地から多数の人々が集まり、VIPやキーパーソンというべき人も多いので、これが観光振興のきっかけになるのである。MICEについては、第3章4外国人による地域の活性化で詳述する。

(10) パッケージ旅行への取り込み──旅行の容易化

今まで述べてきたような様々な観光資源や観光振興のきっかけになるものをとりこみ、商品化して露出することは、商品のパンフレットに掲載される宣伝効果が大きいこと、及びそこを訪れることの「容易化」（法律に出てくる言葉）が同時に達成されるので有効な方法である。近年は「パッケージ」という言葉に対する抵抗感もまま見受けられるが、観光が様々な要素を含む

ものであることを考えれば、観光によって地域の振興を図るためには、その具体的な方法論として一概に排除すべきものではなく、やり方に留意すれば、比較的少ない予算で大きな効果を上げることができることを十分に念頭に入れておく必要がある。このことから、パッケージ旅行（募集型企画旅行）に対する正しい認識とそれに関連する法的知識が必要になるのである。

　以上述べた如く、地域を訪れる観光客数を増加させ、地域の振興に寄与させるためには、①何を魅力として、②どのような客層を、③どのような方法で取り込むか、④そのためにどのような施設が新たに必要になるのか、⑤どのような情報の発信を行っていくか、を考えることであり、この総合的な作業を観光業におけるマーケティングと呼ぶのである。これらを行うものとしての人材の確保、育成を初めとして地域の努力がきわめて重要になるのである。

　言い換えれば、「いかにきっかけをつかむか？」「いかに組み合わせるか？」「いかに継続させるか？」。

　きっかけは、すでにあるものでも、これから作るものでもよい。それを、いかに組み合わせるかが大切だ。きっかけは静的なものでしかないが、それを観光活動によって動的なものにしていく。きっかけを複合的に組み合わせることによって、振興の道が開かれる。これらの「きっかけ」によって回り始めたものをいかに持続（リピート化）させていくかが大切で、そのための施策こそを観光政策というべきであろう（たとえば法律の制定）。

（例）「伝統芸能」というきっかけ⇒「地域伝統芸能を活用した行事の実施による観光及び特定地域商工業の振興に関する法律」という法律の制定。

（例）美しい自然（観光資源）⇒というきっかけ、露出⇒交流のための努力
　　　　　　　　　　（STATIC）　　　　　　　　　　（DYNAMIC）
という図式。

　このようなことを、頭に入れながら、観光振興の実際の例を見ていこう。

2. 観光による地域振興のケーススタディ

　日本には、古い町並みが残っているところが多いが、折角の歴史空間も、そのままにしておけばやがて朽ちてしまうだけである。古い町を観光をきっ

かけとして再生するには、どのようなことが必要になるか。実例から見ていこう。

(1) 歴史的な古い町の再生——長浜

　琵琶湖の北岸に位置する長浜(注)は、豊臣秀吉が初めて城持ち大名となった1573年にここに築城するまでは今濱と呼ばれた湖岸の町であった。浅井氏滅亡の後、織田信長からこの地に封ぜられ、築城し町を整備するに及んで、名を長浜と改めたのである。北国街道をおさえ、琵琶湖水運の要としての地理的条件に加え、蚊帳、ちりめんなどの特産品もあり、さらに秀吉のとった政策、楽市によって商業が発展し町は繁栄した。これに自信を得た町人は「町衆」として、自治の気風を生むことになった。毎年4月に行われる「長浜曳山祭り」は、日本三大山車祭りのひとつで、現在、重要無形文化財に登録されている。長浜八幡宮を中心に行われるが、その豪華さと運営方法は長浜の町衆の実力をよく表しており、秀

曳山祭り、左の鳥居は長浜八幡宮

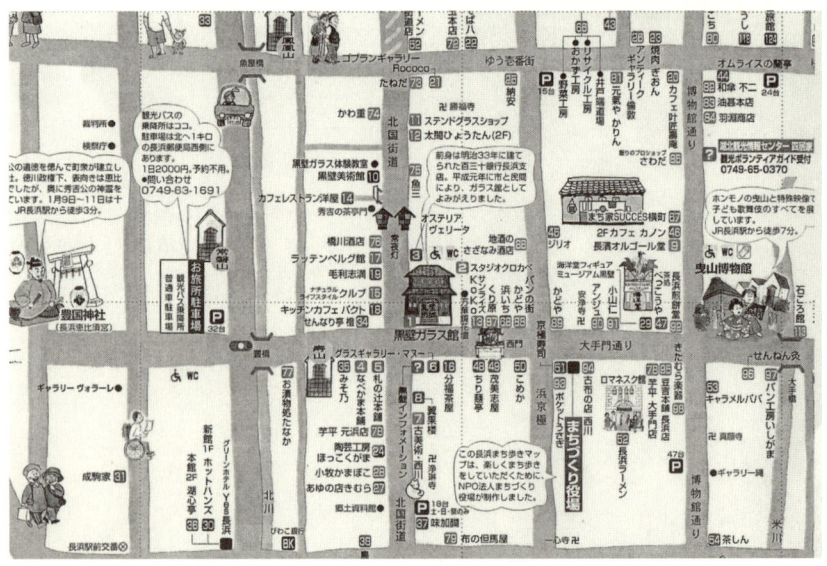

図-7　長浜まち歩きMAP

吉が長浜を治めたときから始まったものである。
　（注）2010 年の町村合併によって、新しい長浜市が誕生したが、この事例における長浜は、旧長浜市域についての叙述であることをお断りしておく。

「町衆」とは、この祭りの山組の構成員を指す言葉であった。長浜八幡宮は、1069（延久元）年京都の石清水八幡宮を分祀勧請したといわれている古い神社で 1000 年の歴史を持つ。長浜には他にも、大通寺（浄土真宗の長浜別院で、通称「長浜御坊」と呼ばれる）、知善院などの寺院、北国街道沿いの古い町並み（安藤家など）、明治時代に建てられた百三十銀行の建築（これが有名な「黒壁」である）、長浜駅舎などの文化遺産が多く残っており、このような地域の歴史と伝統を見直し、町の活性化に活かそうとしたことが、後出する「博物館都市構想」の原動力になっていることに注意しておく必要がある。長浜では、400 年以上も続く「町衆文化」が街づくりの重要な資源になっているのである。市街地域ではないが、竹生島も行政上は長浜地に属している。

大通寺　　　　　　安藤家

　前述した歴史的経緯から、市民の間には現在でも、秀吉を憧憬する気持ちが根強い。たとえば、昭和 58（1983）年の春から始まった「出世祭り」は、秀吉の出世城といわれる長浜城が約 400 年ぶりに市民の手によって再興されたのを記念して始まったものだし、湖岸の公園は「豊公園」、国民宿舎は「豊公荘」と名づけられていることからもわかる。また、秀吉の木像が市内の知善院におさめられている。

　このような歴史、文化的背景を持った長浜であったが、経済発展では、出

遅れた地域であった。この頃、東海道の彦根のほうが市域も大きくずっと活気があった。長浜が町の再開発をする大きなきっかけになったのは、1979年、郊外に大型店が出店申請をしたときである。今でこそ大型店は珍しくないが、当時、規模も大きく、品揃えも豊富で、且つ、廉価な、いわゆるアメリカのスーパーマーケットのビジネス手法をとりいれた大型店が出店することは、個人商店にとってはまさに生きるか死ぬかの大問題であったのである。

合併前の人口は6万人で、市域の5%に当たる地域に人口の20％が集中していた。その後次第に郊外の新市街への人口の拡散によって、商店街は次第に衰退し、1970年ごろになるとシャッター通りの様相を強めていったのであったが、このニュースによって一挙に市民の間に危機感が広まり、市民運動が始まったのであった。以下にそれらの動きを時系列に見てみよう。

1982（昭和57）年、「ながはま21住民会議」が発足し、町の現状の問題点を討議することになった。その結果、共通認識として、「町の魅力は文化・歴史にある」ことに気付き、これらを活かして地域の歴史・伝統を見直すことによって町を活性化できないかを考えたのである。その際に、

①自然環境との共生、調和を図ること
②訪れるものの目を意識した町づくりを行うこと
③訪れるものとの交流を大切にすること

を確認したのであった。

そして、1983（昭和58）年、そのような町のシンボルとして、市制40周年を記念して長浜城を再建した。このための費用は、総額41億3,000万円にのぼったが、すべて町民の寄付によってまかなった。因みに当時の大卒初任給は約13.2万円（男子）、12.4万円(女子)[注]であった。
(注)「賃金構造基本統計調査」による。

再建された長浜城は琵琶湖岸の豊公園の中にあって、天守閣は3層、内部は

長浜城から見た琵琶湖夕景

歴史博物館になっている。余談ぽくなるが、ここからの琵琶湖の眺めはとても美しい。晴れた日の午後、湖面は多数の銀波が光を反射して輝き、はるかに見はるかす比良の山並みは、さながら絵のようである。太陽が湖面に沈む夕景は一幅の日本画のようである。

上述の「出世祭り」は、長浜時代の秀吉を偲ぶ祭りであり、長浜城の竣工を祝って始まったものであったが、そのベースにあるものは長浜に根強く残る町衆文化であり、それを住民自身が再認識して地域の振興にあたったことが成功のカギとなった。これはやがて 1984（昭和 59）年の「博物館都市構想」となって結実する。

それまでの市民会議での問題点を踏まえ、取りまとめにあたったのは、当時の市役所の企画課課長補佐の三山元瑛氏で、その要点は、

①従来の都市計画策定の方法にとらわれず、住民の声に広く耳を傾ける。
②長浜の文化と歴史を活かして町全体を博物館のようにする。

というもので、観光政策として、「町の風景を文化として公共が支える」という理念に基づくものであった。

ここで注意すべきは、文化と歴史の古さを強調するのではなく、伝統文化を大切にしながらも、進取の気象を取り込み、新しい文化を創出し、個性と魅力を持った街づくりを目指そうとしたことである。

長浜のまちなみ、左奥の建物が「黒壁」

1987（昭和 62）年には、「お花館観光物産センター」が大通寺参道にオープンした。

また、近郊に「国友鉄砲の里資料館」も開館した。

国友は長浜市域の西方にある村で、知名度がそれほど高くはないが、泉州堺と並んで鉄砲鍛冶が多く居住していた。

家康は、秀吉の死後、これを取り込み、鉄砲の供給を大坂に近い堺に依存することなく受けることができた。これが、関ヶ原の戦いで軍事的に大きな

力になったとされる。
　国友は鉄砲に関する資料が多いことから、ここに資料館を開館したのは長浜の知られざる魅力をまたひとつ引き出したものであるといえよう。
　1988（昭和63）年には、郊外に大型店、西友「楽市」がオープンし、買い物客の郊外への拡散はこれによって本格化した。

「博物館都市構想」の理念の具体化の最初の例が、1988（昭和63）年4月の「株式会社　黒壁」の設立と、同社による1989（昭和64）年の黒壁1号館の開館であった。
「黒壁」とは、長浜市中心部元浜町にある、黒い壁の一種独特な建物で、明治時代に第百三十銀行長浜支店として建築され、その外壁が黒漆喰の様相から「黒壁銀行」「大手の黒壁」の愛称で市民に親しまれていたものである。それが移転、解体されるとの噂に、住民が「町の風景である黒壁」を保存し、中心市街地の活性化の拠点として活用することを目的に、民間企業より8名の有志が集い、長浜市の支援を受け出資総額1億3,000万円で、1988（昭和63年）4月、第3セクターの株式会社を設立したのである。
　このとき、中心となって活躍したのは、長谷定雄、琵琶倉庫会長の笹原司朗、高橋政之の各氏で、2012（平成24）年末現在、高橋氏が代表取締役社長を務めている。
「黒壁」の大きな特徴は、新しい事業として、それまでの長浜とは何の関係もないガラス事業を行っていることである。

　「株式会社　黒壁」の事業内容
　①国内ガラス工芸品の展示販売
　②海外アートガラス輸入、蒐集、展示販売
　③ガラス工房運営、オリジナルガラス制作販売
　④食堂喫茶の運営
　⑤ガラス文化に関する調査研究、イベントの企画運営
　⑥まちづくり文化に関する情報、資料収集、提供
　⑦国際交流に関する業務（関連会社　バイリンガルジャパン）
　⑧旅行業
　⑨酒類販売業

なぜ、長浜でガラスなのか？　筆者も、実際に何度か訪れるまでは、合点がいかなかった。黒壁の一角に作られたガラス工房で、若い工芸家が働いているのを見て初めて納得したものである。これは町が低迷から脱出するための活性化の起爆剤となるべく、従来からある伝統的な地場産業にとらわれない、また、既存の民業を圧迫することのない事業があるかと探し求めた結果であった。それは、同時に、郊外中央資本の大型店舗の脅威にさらされないものでなければならず、すみわけできる町としての建物、風情を含めた「歴史性」「文化芸術性」、世界を視野に入れた「国際性」を持つことが求められ、長浜から全国へ、情報発信をするものでなければならなかったのである。このような、条件をクリアーするものとして、「ガラス」事業に着目したのであった。

　また第3セクターであることから、大きく儲ける必要がなかったことも幸いした。収支トントンでもよかったのである。大きく儲けようとするとどこかに無理がくる。無理をするよりも開発に力を注いで、長浜の中核企業となるべき「黒壁」がものづくりの原点に帰る必要があったのだと、前出の高橋政之氏も後日語っている。

　当時、「ガラス」は大手のガラスメーカーを除いては、多くが個人作家活動の域もしくは土産物の域を出ていなかった。「黒壁」はこの点に着目し、ホンモノのガラス文化を追求し事業化による国内初のガラスの本場を目指そうとしたのである。ガラス工芸は、「歴史性」「文化芸術性」「国際性」の理念を内在しており、長浜人のもつ進取の気象、長浜の推し進めている「博物館都市構想」の理念と合致するものであった。

　笹原氏は、ガラス工芸の若い芸術家に支援を惜しまず、公私にわたって面倒を見た。それを聞きつけた芸術家の卵たちがさらに集まり、工房は活気を呈することになったのである。このような動きは、情報発信されて、各地から訪問者が増え、長浜のシンボルとしての「黒壁」、そして、その一角は「黒壁スクエア」と呼ばれ、全国的な知名度を持つようになっていった。

　町並みの整備は、この「黒壁」「黒壁スクエア」から、歴史的建造物である大通寺、長浜八幡宮にかけてまず行われた。商店街のアーケードを撤去して、店の正面（ファサード）を整備し、歴史的な白壁の格子で揃えた。これによって、来街者は、地方都市の商店街に来ているという感じから、歴史の

中に引き戻された感じを受けるようになった。前述の如く、大通寺参道入り口には、物産センター「お花館」が開館し、長浜の特産品を揃えた。

「黒壁　ガラス館」の開館によって商店街が復活の兆しを見せ始めた。1989（昭和64）年に9万8000人であった来街者数(注)は翌年には、早くも倍増し20万5000人を数えるに至った。

（注）長浜市の統計では、黒壁ガラス館の入館者数をもって近似的に来街者数とみなしている。

「黒壁」だけでなく様々なイベントを絡めて町の振興が続けられることになる。長浜のユニークな町おこしを聞きつけたメディアがまず注目した。そして、1994（平成6）年には、当時、絶大な人気を誇った映画『男はつらいよ』の長浜ロケが行われたのである。また、1996（平成8）年には、NHK大河ドラマ『秀吉』が放映されたが、これを長浜が「全国区」となる知名度アップの好機と見て、すかさず「北近江秀吉博覧会」を開催した。この博覧会も従来のやり方とは異なり「博物館都市構想」の理念に沿ったものであった。すなわち、いわゆる展示場（パビリオン）を新たに作るのではなく、寺や映画館を利用し、来場者が「博物館である」町全体を回遊するようにしたのである。このようなやり方は、後年2010（平成22）年の「平城遷都1300年祭」にも取り入れられているが、これは結果的に、長浜が博物館都市であることを全国に宣伝することになり、長浜の町づくり理念は、ここに軌道に乗ったのであった。

2000（平成12）年には、曳山博物館がオープンして、祭りの時期以外でも、山車を見ることができるようになった。

北近江秀吉博覧会の成功をきっかけに、観光まちづくりの組織である「まちづくり役場」を設立し、住民と行政の連携によるまちづくりは、成功を収めた。「まちづくり役場」は、大手門通り商店街の旧商家（金物店）の建物の中にあり、「北近江秀吉博覧会」の事務局があった場所でもある。自由な発想、早い実行力でイベントを仕掛け、街づくりの情報を日本全国に発信している。たとえば、平成11（1999）年5月から「感響フリーマーケットガーデン」を運営しており、これは黒壁のプロデュースによって、「環境」を切り口に心に感じて響くものを消費者に提案しようと試みているものであるし、また、「プラチナプラザ」という熟年スタッフが経営する店舗も運営しており、野菜工房、おかず工房、リサイクル工房、井戸端道場の4店舗があ

る。ここのスタッフは北近江秀吉博覧会で活躍した年配者で構成されているのが特徴である。さらに黒壁グループの事務局としての機能を持っている。「長浜まちづくり大学」は、すでに10回が開講された。長浜は、街づくりの成功例として、年間400件以上の視察が行われているが「地方都市の典型である長浜が、いかにして地方都市であるがゆえの弱みを強みに変えていったのか」をテーマに長浜の実例を紹介して、全国のまちづくりを支援するために行われたのが「まちづくり大学」であった。「まちづくり役場」は、2002年にはNPO法人として認定されている。

2011（平成23）年現在、「黒壁」はガラスショップ、工房、ギャラリー、ガラス美術館、レストランなど10館（長浜市内）を直営しており、グループ館として黒壁 まちづくりに参画する20館と共に、街の求心力を高め、理

表-12　長浜黒壁スクエア来街者数推移

年度	来街者数
平成1年（1989）(9カ月営業)	9万8千人
平成2年（1990）	20万5千人
平成3年（1991）	34万5千人
平成4年	49万2千人
平成5年	73万7千人
平成6年	87万8千人
平成7年	116万2千人
平成8年	140万2千人
平成9年	150万8千人
平成10年	162万3千人
平成11年	189万8千人
平成12年	195万5千人
平成13年	202万2千人
平成14年	210万7千人
平成15年	217万7千人
平成16年	204万8千人
平成17年	183万9千人
平成18年	233万9千人
平成19年	205万8千人
平成20年	192万2千人
平成21年	179万5千人
平成22年	198万人
平成23年（2011）	244万人

黒壁スクエア

念の拡大と充実が『ガラス工芸とまちづくりを融合させた総合文化サービス業』を創生させたといっても過言ではなかろう。

長浜の来街者数の推移は、表-12のとおりである。

外的要因ではあるが、前述した如く北陸本線の直流化も街の振興の見逃せない要因であった。かつては北陸本線の米原－田村間が直流1500Vで、田村から先は交流20kV　60Hzで電化されていたが、国鉄の分割民営化に伴い、東海道本線は、JR西日本の管轄が米原までとなった結果、JR西日本は輸送力の増強を北陸本線に伸ばすことが必要となり、京阪神から長浜まで新快速電車（直流専用）を乗り入れるため、1991（平成3）年9月に田村－長浜間が直流化されたのである。これによって、長浜駅の乗車人数（定期外、一日平均の数値）は、前年の1,167人から1,611人と38％の伸びを示した。1991年からの、来街者数の伸びは、JRによる輸送力のアップによるところも大きいことを忘れてはならない。

それまでは「1時間に通るのは、人4人に犬1匹」といわれた町に、現在では旧市街地だけで年間210万人（平成14年度）の来街者を迎えるに至ったのである。長浜市全域では、2002年の数字によると日帰り477万人、宿泊客27万人、合計504万人が訪れている。

2006（平成18）年をピークに、微減傾向にあるのが気になるが、持ち前の進取の気象と、バイタリティ、斬新なアイディアで新たな局面を切り開いていくだろう。

長浜の街づくりには、大きな特徴がある。それは人材である。人材が地域の住民を動かし、積極的に参加させ、全体のうねりとなったのである。そこに行政も連携したことが成功の理由と考えられる。長浜まちづくりのキーパーソンの一人である笹原司朗氏は、平成14年12月26日の選定委員会で、観光庁の「観光カリスマ」100人の一人に認定されている。

町衆だけでなく、JC（青年会議所）の存在も大きい。若い力が、積極的に企業経営のノウハウをまちづくりに注入したのである。

また、北近江秀吉博覧会のプロデュースをした出島二郎氏は金沢在住の外部の人材であった。外部の人材を登用することでその町の持つ本来の魅力が引き出されることがある。同時に欠けている点も浮き彫りにできる。地元の人ではよきにつけ悪しきにつけ、見慣れてしまった事柄ばかりだからである。

その意味で、地元の人が外へ出て自分の町を見直すというのはいつの場合でも意味のあることだ。由布院の町を振興させた溝口薫平、中谷健太郎、志手康二の3氏が、若い頃、ヨーロッパを巡って北欧やドイツから自分の街づくりに多くを学んだことは広く知られているし、稲取の再生に一役買った渡邊法子氏も地元とは何の関係もない「よそ者」だった。その土地の魅力を再発見するのは意外と難しいものなのである。

出島氏は、その後も「まちづくり役場」の事業の一つとして、まちづくりの実践とアドヴァイスを行う「出島塾」を行っている。

長浜の成功は、他の町に大きな刺激を与えた。視察に来る人は引きもきらず、「まちづくり役場」による「長浜まちづくり大学」も開講されている。

長浜のまちづくりの視点には、「自らの生活の満足」が先にある。観光立国推進基本法の理念として、「住んでよし、訪れてよしの国づくり」というのがあるが、観光で地域を振興させた街は住民が生き生きしている。駅の観光案内所を訪ねても、店の人も「ここに住んでいてよかった」という表情をしていることが多い。そのようなところは、口コミで他の町に広がり、自然と行きたくなる。長浜はまさにそれを目指し、「町の文化と住民の元気」を基に、地域振興を成功させたといえるだろう。それが、工場誘致による経済発展ではなかったことに、観光政策として学ぶことが多いのである。

(2) 観光によって活気を取り戻した歴史ある町

歴史ある町がその最初の役目を終えた後も、観光によって活気を取り戻した例はある。例えば、小樽、門司港レトロがそうであり、古い、場所によっては歴史的ともいえる家並みをできるだけそのままの形で保存し、それを観光振興に役立てているところに、今井町（奈良県橿原市）、谷根千（東京

門司港レトロ(門司港駅の駅舎)

都台東区、文京区)、川越 (埼玉県)、武生 (福井県)、豊後高田 (大分県)、備中高梁 (岡山県)、木曾の妻籠、馬籠 (長野県) などがある。このようなところでは、たとえば、電線を地下に埋設したり、ファサードを整えるなどして、古い家並みを残しつつ景観を整えるなどの手法が多く用いられている。

(3) 商店街の再生

　また、観光振興だけが目的ではないが、町並みの変化によって活気を取り戻したところに大阪市の天神橋筋3丁目商店街、高松市の丸亀町がある。

　この両者に共通するのは、生活、買物という身近な視点でそれまでの商店街の問題点を抽出し、街づくりの再開発を行ったことである。それが、結果的に多くの観光客をも惹きつけていることに大きな特徴がある。

　天神橋筋3丁目商店街は、そこにある歴史に根ざした文化を掘り起こし、単なる「日本一長い商店街」から「カルチャーと文化のある商店街」に進化することで活況を取り戻した。カルチャーセンターの創設、それを受けた4代にわたる文化ホールの開館や、天満宮境内に常設の寄席である「天満天神繁盛亭」をオープンして、芸能のある町を売り物にした。地元文化人や企業、関西大学との連携を行ってプロジェクトを組むことで様々なアイデアが生まれた。大川での七夕や天神祭りへの協賛などの各種のユニークなイベントを行ったり、修学旅行生のための「1日丁稚体験」などで、地域以外の観光客を呼び込むことにも力を注いだ。これらが次第に相乗効果を発揮して、今では、往年の活況を示す商店街に戻りつつある。商店街の振興組合の理事長である土居年樹氏は「天神橋筋の街商人 (まちあきんど)」と自称し、この商店街で陶器を扱う店の代表取締役であるが、現在まで25年以上にわたって商店街の再開発に情熱を燃やし、平成17年2月23日、観光庁の選定委員会で観光カリスマ (後出3「観光を支える人材」も参照) にも認定されている。

観光カリスマ　土居年樹さんと著者　天神橋筋3丁目商店街にて

丸亀町は、商店街の復興には、住人の数を増やすことが先決と考え、それまで郊外に流出していた住民を呼び戻すために、街に必要なものは何なのかという検証を徹底的に行って、それをベースに必要な店舗の業種、業態を調べ、出店依頼や従来の店の業種変更を行った。郊外に進出してきた大型店に対抗できる商店街としての魅力作りを行おうとしたのである。商店街を7街区に分け、「高級ブティック街」「美・健・ファッション街」「アート・カルチャー街」「ファミリー&カジュアル街」「地産地消街」によって構成し、両端にはイベント用の広場を設けることにした。そして、商店だけでなく診療所、低価格のマンションなどもつくり、さらに高齢者、身障者を意識した街づくりを目指したのである。個々の店舗がバブル崩壊以後、資金繰りの面で苦しい状況にある中で、プロジェクトがスムーズに進行するよう、土地の所有権と利用権を分離し、利用権を持つ会社がプロジェクト全体の趣旨に沿う形で再開発を行えるような仕組みを作ったのである。すなわち、商店街の地権者が、街づくりを行う中核で振興組合の保有する「高松　丸亀町まちづくり株式会社」に土地を貸与し、出店者の家賃を地権者に還元するというユニークなやり方を行ったのである。これは、都市計画の専門家である、西郷真理子氏とそのグループのアイデアであるとされる。当初は、反対する人が多かったといわれるが、このプロジェクトの地元側のまとめ役である振興組合理事長古川康造氏をはじめとする有志の粘り強い説得で地権者の了解を取り付けプロジェクトが本格的に始動したのであった。振興組合には2008年現在、104名の組合員（出資者）がおり、157店が加入しているが、特筆すべきは、振興組合が早くから駐車場経営を行って組合としての財政的な基盤づくりを確立していたことである。資金不足でこれに類する「組合」が計画途中で苦境に陥り、計画が頓挫することが多いのを見越してのことであった。さらに、プロジェクトの進行に伴って発生するさまざまな問題に対処するため、学識経験者を集めた委員会を組織し、一つ一つ解決に当たってきた地道な努力も見逃せない。商店街には、既存の有名デパートもあるが、商店街と互いに補完する関係にあり、良好な関係にあるのもプラスに働いている。デパートには、商店街にはない、いわゆる外国の有名ブランドも多く出店していることから、買い物やそれを目当てにする観光客を飽きさせない。また、地方都市の商店街としては閉店時間が比較的遅いのも特徴で、夜になると火が消えたようになるところが多い中で、丸亀町は都市型の若い客のニーズを

先取りしているとも言える。これらの結果、ここにとってのあるべき姿、望ましい街づくりは着々と進行しつつある。まだ、すべての街区が完成したわけではないが、すでに活況は戻りつつある。高松市内、香川県はもとより、四国全県から、買い物を主とする客が訪れるようになり、それまで岡山や関西方面まで出かけていた客を取り戻すことに成功している。バブル以降減少が続いていた高松中央商店街の通行量が、2005年を底に下げ止まり、翌年から微増に転じ、1年間の売り上げは35億円と再開発前の10億円を大きく上回り、これによる税収は年間3.9億円にものぼっている（固定資産税、法人税、所得税および消費税の合計）。

丸亀町の再開発は平成2年の計画策定から平成18年の一部オープンに至るまで実に16年を要したが、すべてが完了した暁には、きわめて近代的な、言葉の不適当さを省みず言うならば、地方都市とは思えない田舎臭くないまちが出現するのは間違いないであろう。

まちの住人が戻り、地元の商店が復活することは、雇用を増やし、また、自治体の税収が増加することを意味する。それは、すなわち、地域の経済循環が強まり活性化することを意味する。丸亀町や天神橋筋に見られる商店街の再生は、観光学の視点からも大きな注目に値するものなのである。

（4）交通の変化をきっかけとした町づくり（貴志川線のケーススタディ）

JR和歌山駅から東に延びる私鉄がある。和歌山電鐵貴志川線である。かつては南海電気鉄道の一路線であったが、赤字が続き2005年9月末に廃止が決まった。地元は足が奪われることに危機感を持ち、住民運動が起こった。これを聞き知った、岡山に本社をおく両備グループが2006年に新たに和歌山電鐵を設立し、この路線の経営再建に乗り出した。

両備ホールディングスの社長である小嶋光信氏は、すでに、岡山県内の定期バス路線でお客様の目線に立った運営を行って実績を回復させていた。氏のやり方は徹底した現場主義で、自ら実際に現場に立つことで問題点を的確に把握し、改善のアイディアを考えたことにあった。そのため、たとえば両備グループの運送会社の経営再建に当たっては、自ら、自社の大型トラックを運転して、改革に異を唱える運転手たちを説得し、彼らの信頼を得たことが経営再建の大きな要因となったという。

氏は、貴志川線の再建にあたっても、単なる合理化によって従業員に負担

を強いるのではなく、さまざまなアイディアと乗客である住民のニーズを先取りして支持を得、沿線の活性化を図ったのである。このいきさつは、氏の著書『日本一のローカル線をつくる』に詳しく記されている。沿線一帯は和歌山市と紀の川市の農村地帯でいちご、ブルーベリーなどの果物が名物である。ほぼ中間の伊太祈曽（いたぎそ）には『延喜式』に名前が見える古社、伊太祈曽神社がある。ほかにも大池遊園などの行楽地があるが、いずれも地元ないし近隣からの来訪者が中心で、いわゆる観光地と呼べるほどのものはないといってよい。そのようなローカル私鉄の沿線が今やブームに沸いている。それは、和歌山電鐵の斬新な運営方式に旅客が反応したからである。

終点の貴志駅はもともと無人駅であったが、新会社になるとき、業務を委託していた小山氏の飼い猫「たま」を新会社の貴志駅の駅長としたのである。駅に「駅長室」（つまりこれは猫の居場所なのだが）を作り、駅を「たま」のミュージアムとし、ラウンジを設け、地元のいちご、ブルーベリーを活かしたジェラート、おかき、有機栽培のコーヒーなどを提供する一方、「たま」にかかわるグッズを販売している。これがそもそも斬新なアイディアである

貴志駅の駅舎　　　　　　　　　　　　　　　　　　　　たま電車

いちご電車 　　　　　　　　　　　　　　　　　たま電車の内部

が、さらに、電車の内装外装をかわいらしいものにした。

すなわち、「たま」をフィーチャーしたものを「たま電車」、いちごをフィーチャーしたものを「いちご電車」、社内におもちゃを置いているものを「おもちゃ電車」としたのである。これはまさに子供の夢を誘うものであった。この噂が広がると、近隣はもとより、関西の各地から家族連れが訪れるようになった。

このデザインを手がけたのは岡山在住のデザイナーで、JR九州の様々なユニークな電車の外装内装を手がけて評価の高い水戸岡鋭治氏で、氏のお客様の立場に立ったデザインがここにも遺憾なく発揮されている。それは、単に小さな子供だけでなく、若い女性や大人に対しても何かほのぼのとした気持ちにさせるものをもっていて、いわゆる「子供騙し」的なものではない。これに乗るために何度も訪れるお客様がいるのだという。

貴志川線の一日券は650円で、値段は安めの設定である。

例えば、平日の午後（2012年4月）で2両編成の電車に60人の乗客があった。30分おきの運行で終電も和歌山発23時33分（2012年9月現在）は、地方都市ではかなり利便性の高いものといえる。

和歌山電鐵の運行に関連して特記すべきは、住民たちが主導する「貴志川線の未来を作る会」があることで、沿線の駅のいたるところで、これに関連する掲示が目につく。「もっとずっと貴志川線」というスローガンは、住民の本音と希望を表現したといっても差し支えなく、このような地元の心からの努力なくしては、鉄道の存続もそれによる観光客の誘致も地域の振興もありえないのだということを実感したのである。

和歌山電鐵総務課によれば今では、地元の利用客が6割、その他が3割、外国人が1割というのがおおよその構成である。

表-13　和歌山電鐵実績

単位：千人、％

年度	実績	前年比
23	2,182	100.5
22	2,171	100.1
21	2,170	99.1
20	2,190	103.4
19	2,118	100.2
18	2,114	110.0
17	1,922	

(5) 家並みの美しい町──伝統的建造物群保存地区

古い町でも美しい家並みの残る町は「伝統的建造物群保存地区」として、これを未来に残そうとの努力がなされている。これは1975（昭和50）年の文化財保護法の改正により設けられた制度で、文化財としての建造物を「点」

(単体)ではなく「面」(群)で保存しようとするもので、保存地区内では社寺・民家・蔵などの「建築物」はもちろん、「工作物」「環境物件」を特定し保存措置を図ることとされ、文化財保護法には、「伝統的建造物群及びこれと一体をなしてその価値を形成している環境を保存するため」(第142条)、市町村が「都市計画区域又は準都市計画区域内において定め」(第143条)、文部科学大臣が、「その価値が特に高いものを、重要伝統的建造物群保存地区として選定する」(第144条)地区と定義している。

2012(平成24)年12月現在、日本全国で41道府県82市町村の102地区が選定されており、この中には、城下町・宿場町・門前町・寺内町・港町・農村・漁村などの伝統的建造物群およびこれと一体をなして歴史的風致を形成している環境が含まれている。

代表的なものとしては、末広町(函館市＝港町)、角館(秋田県＝武家町)、大内宿(福島県＝宿場町)、川越(埼玉県＝商家町、)佐原(千葉県＝商家町)、宿根木(佐渡市＝港町)、五箇山(富山県＝山村集落)、白川郷(岐阜県＝山村集落)、金沢東茶屋町(石川県＝茶屋町)、妻籠(長野県＝宿場町)、高山三町(岐阜県＝商家町)、近江八幡(滋賀県＝商家町)、坂本(大津市＝里坊群・門前町)、産寧坂(京都市＝門前町)、祇園新橋(京都市＝茶屋町)、上加茂(京都市＝社家町)、鳥居本(京都市＝門前町)、美山(京都府＝山村集落)、伊根浦(京都府＝漁村)、富田林(大阪府＝寺内町・在郷町)、北野町山本通(神戸市＝港町)、出石(兵庫県＝城下町)、篠山(兵庫県＝城下町)、今井町(奈良県橿原市＝寺内町在郷町)、湯浅(和歌山県＝醸造町)、倉敷川畔(岡山県＝商家町)、吹屋(岡山県高梁市＝鉱山町)、竹原(広島県＝製塩町)、打吹玉川(鳥取県倉吉市＝商家町)、大森銀山(島根県大田市＝鉱山町)、萩(山口県＝武家町、宿場町、港町)、内子町(愛媛県＝製蝋町)、土居廓中(高知県安芸市＝武家町)、黒木(福岡県黒木＝在郷町)、秋月(福岡県朝倉市＝城下町)、有田内山(佐賀県有田市＝製磁町)、豆田町(大分県日田市＝商家町)、東山手、南山手(長崎市＝港町)、知覧(鹿児島＝武家町)、竹富島(沖縄県＝島の農村集落)がある。

このように挙げてみると、読者の中には、すでに観光ポスターなどで大きく取り上げられて

秋月の町並み

いるのを見た人も多いのではないかと思う。実に多彩で日本にはこんなにも変化に富んだ魅力のある町々があるのかと驚かされる。いわゆる「小京都」といわれる町の多くがこの中に含まれていることにも頷けるのである。

　これらの町について語ることは、筆者にとってもとても楽しいことである。すべてを説明することは紙面の制約からできないが、特徴的なことをコメント的に記してみよう。

　秋月に行ったのは、晩秋であったが、緩やかな坂道の途中に、葛を売る店がある。葛は吉野とばかり思っていたが、ここでも上質の葛が取れ、皇室にも献上したそうだ。

　上りきったところは、いわゆる武家町で角館によく似ている。黒と塀が特徴的だ。

　高山の春祭りと秋祭りを同じ年に見たことがある。そのときは、上三之町の町屋に泊まった。秋祭りは10月だが、朝起きたときは涼しさを通り越して寒い感じだった。

　金沢の東茶屋町は京都の祇園の風情そっくりだ。金沢自体が京都の文化を移した町なのだから当たり前だが。

　近江八幡はしっとりとしたいい町だ。鉄道を敷くのに反対したから、駅から遠いので不便なのだが、それゆえに古い町並みがそっくり残ったのだろう。日本的な古さだけでなく、ヴォーリスの手になる洋館もあり、不思議な対照を成している。メンソレータム（現在の商品名は「メンターム」）の発売元近江兄弟社はここに生まれた。城や堀割があるのも独特な風情だ。何故ここに「かわら博物館」があるのか、見て理解できた。日豊礼八幡宮と和菓子の

近江八幡の堀割　　　　　　　　　近江八幡　新町通り

「たねや」も捨てがたい。自転車でまわるのによい広さである。

坂本に行ったら、西教寺と坂本城の跡を見て明智光秀のことに思いを馳せるがよい。西教寺の庭もよい。境内にある明智の墓は彼の人柄をよく現しているように思える。

祇園新橋は、やはり桜がよい。それも、少し散り始めた頃の夜桜がよい。夜空に、明かりに照らし出された桜の花の美しさは夢幻的でさえある。花びらが白川に流れるのを新橋の上に立って眺めれば、これが日本の美しさだと感じざるをえないだろう。

鳥居本はその名のとおり、愛宕神社のある愛宕山の麓にある。それほど高い山ではないが、かなりきつい登りである。千日講の碑がある。愛宕神社の宮司さんに、実際のところはどんな感じなのでしょうかと伺ったら、サラリーマンの人が定年になって後、毎日登ったのだという。雨の日

西教寺と明智光秀の墓

も雪の舞う日も。その熱意には打たれる。11月に登ったとき、頂上近くの神社に着いたときは汗でびっしょりだったが、日が翳るとすぐに冷えてくる。参拝者の待合所には、もうストーブに赤々と火が入っていた。

美山は最近売り出して旅行者が多い。初夏から夏がいい。子供を遊ばせるのに最高だという人もいる。秋も捨てがたい味わいがある。そば、豆、餅など地元の実りの産物や、山里特有の澄んだ空気が美味しく感じられる。「かやぶきの里・北村」が2013年の日本郵

美山かやぶきの里

政グループの年賀状のモデルになったので知る人も多かろう。

伊根浦は、自家用の船着場が家にあるという特異な形態の舟屋が並ぶ。部屋数は多くないが、民宿で新鮮な魚を食べさせてくれる。

山本通は、神戸北野町の中では一番高いところを東西に結ぶ道で、洋館や、それに影響を受けた家が多い。NHKの連続テレビ小説の舞台になった「風見鶏の家」も近くにある。在住の外国人も多く異国情緒が漂う。

篠山も明治時代に鉄道を敷くのに反対したため寂れてしまった。福知山線の篠山口から5kmキロ以上もはなれている。後の時代になってからここで分岐して、京都府の園部に向かう鉄道が途中の福住まで敷かれたが、それも今は廃線になってしまった。城跡を中心に町が広がるが、丹波の古陶を集めた博物館や豆を商う有名な店がある。

2010年から京都府との県境を越えて、福知山、亀岡などの自治体と「大丹波キャンペーン」を開始した。

大丹波キャンペーンの配布用マップ

出石（いずし）は、人気を感じさせない静かな町だ。真夏の暑さの中に、蝉の鳴き声だけが聞こえるのは、まるで人間がすべての活動を停止してしまったかの印象を与える。白くて繊細な出石焼は女性の美しい肌を感じさせ、それに載せて供せられる「皿そば」も上品なそばである。東京人にはそばは威勢のよいもののように思っていたが、こういうのもあるのかと知った。

今井町　今西家、手前に堀がある 　　今井町　電柱、電線がないことに注意

今井町は近鉄の八木西口駅から数分のところにある。町は堀で囲まれ、江戸時代から自治が認められていた。その南端近く、かつては跳ね橋のあったところに、町の行政を仕切っていた今西家の住宅を見ることができる。市のボランティアガイドが親切に説明してくれる。町は東西に走る通りが6本あり、1本は電柱を取り除き電線を地下に埋設して、江戸時代そっくりの家並み景観を取り戻した。おいおい、すべての通りもそうするという。ここに、春の昼下がり、立ち止まって眺めていると、江戸時代にタイムスリップしたような錯覚に陥る。同じ感じを前出の出石でも味わった。

湯浅は和歌山県中西部にある、醤油発祥の地として知られている。昔のままの醤油づくりが行われ、町並みも変わっていない。ここの人たちが出かけていった先が千葉県の銚子である。湯浅の醤油の方が濃い感じがした。

倉敷川畔については、今さら説明を要しまい。川畔の蔵と柳は、日本的な美しさを示している。

吹屋は紅殻色の町が並ぶ。色彩的には特異な感じがする。

大森銀山にはもう何十年も前に行ったことがある。交通の不便なところで、1日数本しかないバスの時間を気にしながら歩いてまわった。先年、世界遺産に登録されてから改めて訪れたが、人が多くなった以外は何も変わっていなかった。これが本来の世界遺産というべきものなのであろう。

萩は、古い町並みの中でも代表的なもので、今さら言を要しない美しい町である。人気のない街中は共通しているが、海があることが特徴的である。指月山の形も特徴的で忘れられない。熊谷（くまや）美術館に残る、日本で一番古いピアノや雪舟に関連する書画類など、また、江戸時代の美術工芸品なども多く見られる。

内子町は、大洲から少し山側に入った小さな町で、大江健三郎氏の故郷である。

土居廓中は、大河ドラマ『竜馬伝』にも出

休道の色紙

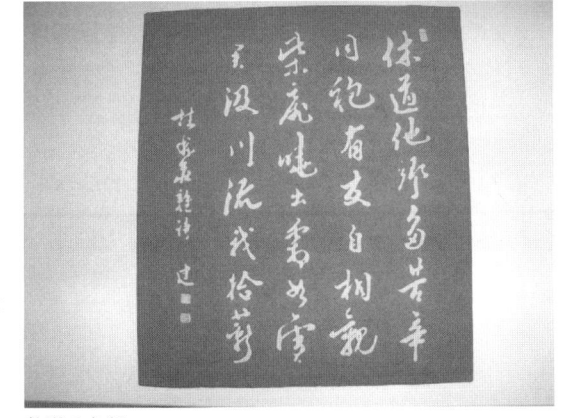

てきた岩崎弥太郎の出身地で、武家屋敷の造りは城下町の様相を呈す。

黒木はお茶で有名な八女からさらに奥に入ったところで、有名な宝塚出身の女優の出身地である。大きな藤の花が印象的だった。

日田は天領であった。中でも豆田町は江戸時代の面影を残している。日田の水は天領水といって長寿に効くといわれている。近くに広瀬淡窓の私塾「咸宜園」の跡がある。筆者がまだ若い頃、ここを訪れ、往時を偲びながら、「休道」の詩の書かれた色紙を求めたのは、懐かしい思い出である。

長崎の東山手、南山手は今さら説明を要しまい。唄に歌われた雨のオランダ坂やグラバー園など異国情緒にあふれている。

観光庁は、このような歴史的な建造物群の観光への活用として、公開活用施設の見学などを通して学習と交流が図られるような方策を検討している。

旅行者が美しい景観を求めるのは、景観を創出した背景としての人々の豊な生活を感じたいからであるという下村彰男氏の分析（「景観──人と環境との相互作用で作られる」AERA MOOK 2002 年 7 月号所収）は、傾聴に値しよう。

(6) 炭鉱町の再生──夕張と常磐

昭和 30 年代のエネルギー政策の転換によって、それまで隆盛を誇った炭鉱町は、離職者の増加による人口の減少、それに伴う経済の停滞によって、次第に衰退していくことになる。こうした中にあって、観光をその町の新たな産業にしようという動きが見られるようになった。そのような地域の中から、転換がうまくいっていない例と比較的うまくいっている事例を対照しながら検討してみよう。

①夕張

夕張は北海道空知地方にある日本でも有数の良質な石炭を産出する炭鉱として知られ、北海道炭礦汽船（北炭）、三菱鉱業などが採掘していた。北海道炭礦汽船株式会社は、北海道でも名門企業であり、盛時は、

夕張鹿鳴館

北炭の社員は泣く子も黙るといわれた。今、夕張の鹿ノ谷に残る「夕張鹿鳴館」は、北炭を訪れるＶＩＰの迎賓館として建てられたもので、その建築、庭が往時を偲ばせる。昭和天皇がご来訪の折、ここに泊まられたことでもその重要度が理解できよう。ここには、今でも有名なシェフがいて美味な料理を供している。結婚式を挙げることもできる。

しかし、エネルギー政策の転換が進み、炭鉱の相次ぐ爆発事故によって閉山が実施されると、職を失った人々は次々と夕張を離れ、人口の減少が起きた（表-8、9　夕張の人口と来訪客数推移）。夕張は山間に人工的に作られた町であり、平地が少なく、農業への大々的な転換はできにくかったのである。

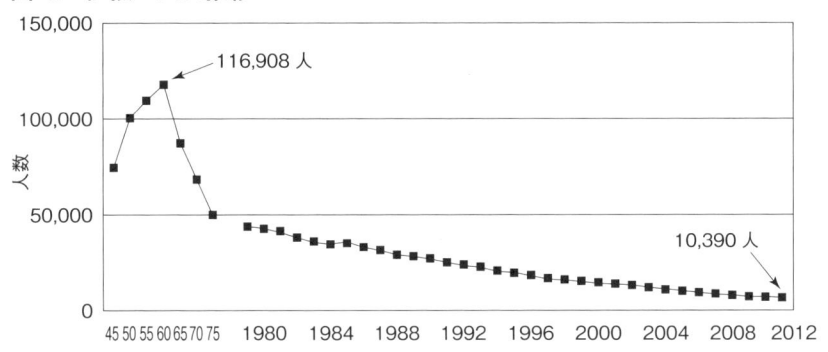

図-8　夕張　人口推移

図-9　夕張　来訪客数推移

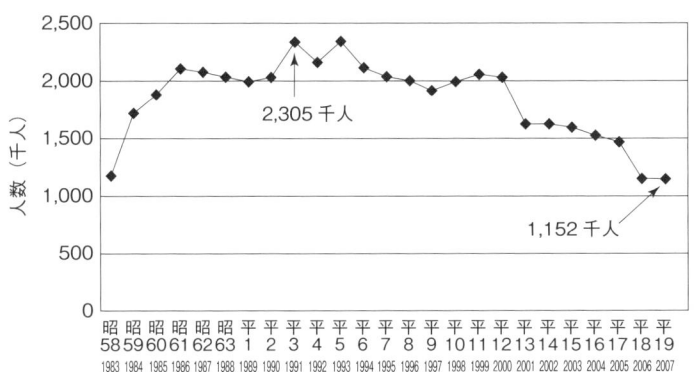

寒暖の差の激しいことを利用し、メロンが栽培されるようになり、糖度の高い良質なメロンを生み出すことになった。これは「夕張メロン」として知られるようになったが、これだけで当時の夕張の全人口約 11 万人を扶養するのは到底無理であった。このような状況の中で、市長に選ばれた中田鉄治氏は、観光産業への転換による経済の維持をスローガンとして、次々と観光施設を作ったのであった。

表-14　夕張の観光施設「石炭の歴史村」各施設の入館状況

単位　人

	石炭博物館	炭鉱生活館	ロボット館	その他	合計
2000 平成 12	111519	57066	57797	276607	502989
2001 平成 13	100279	52632	51467	235346	439724
2002 平成 14	105038	50836	51042	262831	469747
2003 平成 15	91454	38274	34326	176086	340140
2004 平成 16	83401	33808	27515	129365	274089
2005 平成 17	80004	31482	28589	146793	286868
2006 平成 18	66148	24859	22784	107547	221338
2007 平成 19	34699	34699	0	138796	208194

その他は、SL 館、知られざる世界の動物館、イベント館、遊園地、ローラーリュージュ、化石館、希望の杜各館の合計。夕張には、このような 10 施設があった。（一部は閉館）

　観光施設を作るには大きな資本を必要とする。これを銀行や公庫等の借金でまかない、炭鉱離職者をそれらの観光施設の従業員とすることで人口の減少を食い止めようとしたのであった。これは総論的に間違っていないと思われる。しかし、バブルがはじけ、観光客が次第に減少していくと、初期投資にかかわる借入金の返済が滞るようになった。そして利払いのために、また、借金をするという悪循環に陥り、ついに市が財政再建団体になってしまったのである。

　表-14 にある「夕張の観光施設」を見ると分かるように、それらは、統一的なテーマが見られるとは言いがたい内容である。石炭関係のものは理解できるものの、来訪者がリピートしようと考えるには、突込みが足りないように思われる。また、映画の舞台、ロケ地という好条件がありながらも、「キネマ街道」があり「映画祭」が行われるだけで、一時の催事で終わってしまっている。さらに言えば、このような施設が分散して作られ、坂道の多い町の徒歩圏内にないのである。従って、町を自由に歩き回ることができないと

いうのが折角の魅力を生かせない大きな理由になっている。

夕張は広い町で、現在の玄関口であるJR北海道石勝線の新夕張駅から市街地の夕張駅までは16.1kmもあり、とても歩ける距離ではない。この間の鉄道は1日9往復（2013年2月現在）があるだけで、とても観光には利用できない。

大ヒットした映画「幸せの黄色いハンカチ」（山田洋次監督）のロケ地、中に記念館と展示がある

石炭という文化遺産（あるいは教育的な遺産として学校教育にも利用できよう）、鹿鳴館や高層ホテルという宿泊施設、美味しい食（夕張メロン）、日本人の喜ぶ温泉そして映画の舞台となったというアドバンテージ、観光客には魅力と映るものが多数ありながら、それらがバラバラに存在している。これらを有機的に結びつけることができなかったのは、ひとえに観光産業に対するマーケティング不足と言えよう。別の言い方をすれば、観光業のプロがいなかったということでもある。観光業の経営が難しいのは、すでに見たとおりである。それを、失業者を増やさないという観点からだけで施設を多数作り、従業員を扶養しようとすることに無理があったのである。住民が地域ぐるみに観光に共感し理解を深め協力したというよりは、行政のトップダウンによるにわか観光政策が破綻してしまったといわれても仕方がないであろう。

これからの夕張の観光にとって好材料がないわけではない。それは、道東自動車道がそれまでの夕張までではなく、占冠（シムカップ）まで2011年10月に開通したことである。夕張のICの近くには2011年6月に「道の駅」がオープンした。ここは、JR北海道の新夕張駅のすぐ下手にある。新夕張は以前の紅葉山駅であったが、石勝線の開通に伴って改めたものである。石

勝線は札幌から帯広方面に抜ける幹線であり、新夕張駅には特急も停車する。この機会をうまく捉えられないものか。ただし、前述の如く、夕張の町は広い。新夕張からもともとある市街地までのアクセスをどうするか。こういうような民間だけではどうにもならないことにこそ行政がリーダーシップをとって町の再建となることを進めるべきであろう。観光客の足を確保すること、点在する観光スポットを再吟味し、食、温泉、文化遺産という多様な観光資源を統一的なコンセプトの下に軌道修正すること、さらに、過去のことだけでなく未来に向けての観光産業をリードしていくことが必要である。過去のものばかりでは、一度は訪れてもリピートしてくれない。今の世代は、石炭に関する予備知識もないし、このままでは、若者の興味を呼び起こすことはできないであろう。また、古い映画もそれを見て知っている人たちが高齢化すれば、郷愁で訪れる人も減ってくる。そういう古さを、若者も興味を持つように仕掛けを作ることが、観光産業のマーケティングといえるであろう。昭和が見直され、蒸気機関車が観光用に復活する時代である。夕張の持つ多様な観光資源はやり方によってきっと復活できるに違いないし、そう願わずにいられない。

②常磐

転換がうまくいっている例としては、常磐炭鉱が挙げられる。福島県いわき市にある常磐炭鉱は、早くから石炭産業に見切りをつけていた。従業員は約2,000人であった。

たまたま近くにいわき湯本温泉があり、坑内にも高温の湯が湧出して、炭鉱夫を悩ませていたことから、業種の転換に際して、この温泉を利用して何かできないかと考えていたが、経営陣は、1955（昭和30）年にオープンした船橋ヘルスセンター（千葉県）の成功を見て、ここに大きなレジャー施設を作ろうと考えたのである。

当時は、まだ、海外旅行は自由化されておらず、日本人が南国、外国ではとりわけハワイが「最も行きたい」場所であったので（それは、例えば「トリスを飲んでハワイに行こう」というＣＭが1961（昭和36）年に流行ったことでも知られる）、レジャー施設にハワイのイメージを大きく取り入れることにし、名前を「常磐ハワイアンセンター」とした。「ヘルスセンター」という、やや泥臭い呼称に比べて、「ハワイアンセンター」という呼称は、

新鮮で、夢があふれるように聞こえたのである。

　海外渡航の自由化は、1964（昭和39）年に始まったが、その頃のハワイ旅行の価格は、29万8,000円で（当時は、まだ普通運賃しかなく、航空運賃と現地のホテルを組み合わせたものを「セット旅行」と称していた。現在のいわゆる「パッケージ旅行」とは、条件が異なる）、この頃の大卒初任給は2万円前後であるから、現在の価格に直すと300万円近くにもなり、庶民には高値の花であったから、国内にそれに代わるようなところがあれば、十分に旅行客を呼び込むことが可能であったのである。

　かくて、常磐炭鉱を経営していた常磐興産は1964（昭和39）年に常磐ハワイアンセンターを運営する子会社として「常磐湯本温泉観光株式会社」を設立し、1966（昭和41）年に、温泉と大型温水プールを利用した大型レジャー施設「常磐ハワイアンセンター」をオープンした。翌年には、南国のイメージを追加すべく熱帯植物園「バナナ園」および「ナイアガラ風呂」（大きな露天風呂）をオープンした。目玉となったのは、ハードな大型施設だけでなく、ハワイをイメージしたフラダンスのショーであった。踊り子を外部から雇わず、炭鉱労働者の家族を教育してダンシングチームに育てたこともユニークなやり方であった。この間の事情は、後に映画化され『フラガール』として2006年に公開されたので、知っている読者も多いだろう。

　常磐ハワイアンセンターのオープンに伴って会社は約500人の直接雇用を確保することができた。同時にこのプロジェクトが軌道に乗ったことで、炭鉱しか知らない地域住民にとって産業転換が大きな期待となり、希望となったのである。

　開業前には、社内にも悲観論がなかったわけではないが、予想に反して、東京方面を中心に多くの観光客を集め、温泉を利用した大型温水プールとハワイをイメージしたフラダンスのショーを中心にした高級レジャー施設として、宿泊代金が当時としては破格の1泊3万円近くと高価であったにもかかわらず年間120万人強の入場者があった。年間入場人員は、1968（昭和43）年度には140万人を突破し、1970（昭和45）年度には155万3,000人となりピークに達した。同じ年、常磐興産は、常磐湯本温泉観光株式会社を吸収して、常磐ハワイアンセンターをその主たる業務とするに至ったのである。

　1990（平成2）年、オープン25周年を機に、名称を「スパリゾートハワイアンズ」に改称し、現在に至っている。

2011年の東日本大震災に伴う原子力発電所の事故で、一時、休業を余儀なくされたのは不幸な出来事であったが、休業中も、フラガールたちは、練習を怠らず、5月3日から「フラガール全国きずなキャラバン」として各地を回ってアピールしたことは記憶に新しい。これは、10月1日に終了したが、フラガールのダンシングチームは地域振興への努力が評価されて第3回観光庁長官表彰を受賞している。
　このような地域一丸となっての努力が、常磐を支えているといっても過言ではなかろう。
　常磐炭鉱の観光業への転換の成功は、経営者の先見性と継続的な努力、住民の理解と協力によるところが大きいというべきであろう。

（7）鉱山町の振興——直島

　直島は、地理的には岡山県に近いが、行政上は香川県に属し、大正時代から、三菱金属の銅の精錬所があった。そこから排出される亜硫酸ガスのため、木が枯れ、島の北半分は禿山となってしまっていた。精錬所を建設することと引き換えに、島の人々は比較的豊かな生活を手に入れたが、精錬所の合理化による人員削減や銅の精錬事業が次第に低迷するに及んで、新たな方法も探らざるをえなくなっていた。幸い、島の南半分は、風光明媚で、国立公園にも指定されているので、これを有効活用して、リゾート地への転換を試み、1960年にリゾート開発に詳しい藤田観光を誘致して、キャンプ場の建設を行ったが、国立公園内という制約のため思うように開発もできないまま、オイルショックとなり、リゾート化構想は頓挫してしまったのであったが、隣の岡山県に本社を持つ福武書店（現在のベネッセコーポレーション）の創業者が「直島を文化的な場所にしたらどうか」と持ちかけ、町長との間で合意が成立すると1987年から開発が始まった。
　福武書店2代目の社長、福武總一郎氏は、「直島文化村構想」を発表して「直島南部を人と文化を育てるエリアとして創生」するとしたのである。1989年に関西出身の著名な建築家安藤忠雄氏の設計で研修所・キャンプ場をオープンし、1992年には、同じ安藤氏による「ベネッセハウス」を建設した。「ベネッセハウス」は、現代美術館とホテルなどからなっていて、共に、建築物としてとてもユニークなものである。例えば、美術館は、周りの

景観を壊さないために地中に作られ、現代美術を展示している。ホテルは、現代的なインテリアで構成されており、「文化村」にふさわしいものである。このような明確な主張を持った施設を建設することで、話題を呼び、文化村ひいては直島の知名度が上がり、全国から旅行者が訪れるようになった。今では、予約がとりにくいほどの状況になっている。

また、新しい建築物を作るだけでなく、島に残るものを生かそうとする試みも行われ、島の古民家を再生する「家プロジェクト」では、島の住民にも参加してもらうことによって、古民家が現代美術家と島の住民のコラボレーションによって現代アートとして蘇ったのである。

直島の例は、島という地の利のよくない、しかも、産業誘致によって疲弊してしまった環境を蘇らせ、観光という人の交流によって、町の活性化をはかるという地域振興の好例であろう。ここでも、何をすることによって地域を振興させるのかという明確な主張と共に、住民が主体的に取り組むという意識の変化と協力が大事なことを教えている。

直島の美術館

3. 観光を支える人材——ボランティアガイド、観光カリスマ、観光地域プロデューサー

観光によって地域を振興させる場合、観光資源と共に、人材はきわめて重要な要素である。なぜならば、それらにかかわる人々が、その地域の魅力をどのように伝え、旅行者をもてなすかで、口コミによる評判が大きく左右されるし、また、リピーターとして再び訪れてもらえるかが決まってしまうからである。つまり、旅行者としてその地域を訪れるのが人間である以上、観光振興にとって、観光にかかわる人材はきわめて重要なのである。また、いろいろなことが絡む観光振興活動には、様々な知識が必要になり、そのような事情に通じ、ノウハウを持った人、人脈を持った人をまとめ、活用して、

地域住民の力を一つの方向に向かわせる、いわば、観光振興活動の演出家ともいうべき人材も必要になる。観光庁は、このような働きをする人を「観光地域プロデューサー」と呼んでその育成を図っている。さらに、観光による地域の振興に実績のあった人を100人選んで「観光カリスマ」の称号を与えている。

通訳案内士は、通訳案内士法に基づき、国が認めたガイド業務を行う者で、国家試験「通訳案内士試験」に合格してから、登録する。試験は、外国語別に行われ、その国の語学力だけでなく、日本の地理、歴史、さらに産業、経済、政治および文化といった分野にわたる幅広い知識、教養が問われる。

用いられる外国語は、英語、仏語、西語、独語、中国語、伊語、ポルトガル語、露語、韓国語及びタイ語で、2011年現在の登録者数は、合計15,371人（表-15）で、日本のインバウンド旅行者の数を900万人、平均滞在日数を1週間とすると、休暇などを考慮して通訳案内士の稼働日数を年間200日程度と仮定しても現在の通訳案内士の数は、かなり少ない。つまり、登録された正式のガイド以外の人が「ガイド」として実は多く稼動しているということになる。

表-15　通訳案内士登録者数の推移　　　　　　　　　　　単位：人

語学 年	英語	フランス語	スペイン語	ドイツ語	中国語	イタリア語	ポルトガル語	ロシア語	韓国語	タイ語	合計
2005	6,642	462	486	420	893	94	67	189	437	0	9,690
2006	6,985	473	492	428	1,041	98	67	19	466	0	10,241
2008	8,353	533	533	455	1,344	110	73	201	584	4	12,190
2011	10,434	672	650	498	1,816	147	92	243	803	16	15,371

通訳案内士試験は、筆記試験と口述試験の2段階制で筆記試験合格者だけが口述試験に進むことができる。JNTOが事務を代行しているが、合格率は、14.3％程度でかなり難しいといえる（使用言語によって異なる）。

試験は、例年5月に受付を開始し、筆記試験は8月に行われ、筆記試験の合格者発表が11月、口述試験が12月、口述試験の合格発表が翌年2月であ

る。
　このような長期にわたる試験に対応できる人は、かなり限られよう。
　このような試験を突破してガイドになっても、1年を通じて仕事が保証されているわけではない。外国人旅客は春秋に集中するし、給与の面でも、他の仕事に比べて格段によいわけではない。いわゆる出来高払いであるから、単価がよくても、賞与が出るわけではないのである。このような、収入的に不安定な職に、多くの人がかかわることはないのである。勢い、収入面で不安のない、女性や高齢者がつくことが多くなってしまう。それがよいか悪いかはともかく、通訳案内士が重要な役割を担っているのは言を俟たない。外国人旅行者に日本の良い印象を持ち帰ってもらうことは、正しい日本理解の第一歩となり、その面からすれば通訳案内士の仕事は、「民間外交官」とも言える国際親善の一翼を担っているともいえる。
　このように国の政策として必要な職種であるならば、待遇や身分保障の面で、政策的に今まで以上に国がかかわって必要な補助を与えていくことがこれからは必要になろう。また、「もぐりガイド」をなくし、正式な通訳案内士を育成するためにも、教育体制の整備、通訳案内士を目指す者が受験しやすいような試験事務の迅速化が求められている。

　外国人を相手にするだけでなく、国内の旅行者を相手にするガイドも多く必要である。日本には、各地にいろいろなガイド組織があり、日本観光振興協会の資料によれば平成24年1月1日現在、全国で1,643の組織があり、ガイド数は42,483名を数える。1組織あたりの人数は20人から30人が最も多い。これらの人々は一般的には「ボランティアガイド」と呼ばれ、ボランティアで自分達が暮らしている地域等を案内、紹介する人々を指す。プロではないので無償のものが多いが、有償のもの、交通費のみ実費が請求されるものなどがある。
　近年、全国各地でこのようなガイド活動が活発になっており、地域の紹介にとどまらず、地域づくりに貢献するなど、観光ボランティアガイド活動が地域の活性化や交流に果たす役割の重要性が高まってきている。
　観光ボランティアガイドは、各団体あるいは市町村で実施している養成講座を受講し、その修了生を中心に構成されており、「おもてなしの心」を大切にしながら、地域を訪れる人々に喜んでもらうことをその大きな目的とし

ている。また、この活動によって、日頃からボランティアガイドの地元である地域を知る努力や、新たな知識を習得しようとの機運が高まり、ガイドはもちろん、その地域の住民にとって大きなプラスとなっていることも指摘できる。

　ここでは、代表的な観光地、京都のガイド組織の一つである「京都SKYガイド協会」を例にとって説明しよう。

　同協会は、1993（平成5）年に発足した。「ねんりんピック」京都開催がきっかけであった。SKYは、「健やか（S）」「快適に（K）」「豊かな（Y）」の頭文字をとったもので、公益財団法人京都SKYセンターの趣旨にリンクし、高齢者の生きがい事業の一環として、主として定年退職者によって構成されている。

　2012年4月現在の会員数は138名で、平均年齢は68歳、年間稼動ガイド数は17,401人日（平成23年度）であった。ガイド1人あたりでは、約126日／人となっている。

　同協会が行っているガイド業務には3種類あり、①一般ガイド②修学旅行ガイド③定点ガイドと区分けされている。

　③の「定点ガイド」は、聞きなれない言葉であるが、観光スポットの同一箇所で案内するものである。京都には多数の歴史的観光資源があるから、たとえば東寺、たとえば仁和寺という、常に拝観できる同一のスポットにガイドが常駐して、詳しい説明をするのである。また、京都では、毎年、「京の冬の旅」「京の夏の旅」というキャンペーンが行われている（第4章2(4)「自治体のキャンペーン」を参照）。これは一種のオフシーズンキャンペーンで、2011（平成23年）度は7/9〜9/30に「夏の旅」が行われ、106,852人の参加者が、（翌）1/7〜3/18に「冬の旅」が行われ、337,412人の来訪者があった。これらの目玉となるのは、通常非公開の宝物、庭園などが見られることであって、そのため、臨時にその場所に対応した定点ガイドを置いている。これらはいずれも京都市観光協会との密接な連携の下で行われており、地域におけるガイド業務としての好例であろう。年間稼動ガイド数合計17,401人日のうち、12,355人日が定点ガイドとして稼動して業務の71％を占め、定点ガイドの重要性を示すと共に、深い専門知識が必要とされる京都におけるガイド業務の性格と、それが高年齢者の経験を生かすことができる場所で

あることをよく示している。

　修学旅行ガイドは、業務の24％で、主として中学生、高校生の修学旅行に付き添うもので、特に説明を要しないだろう。一般向けのガイドは今のところ業務の5％に過ぎないが個人からのリクエストに応じて行っている。これらは、旅行業者から予約が協会に入り、会員に配分される仕組みになっている。料金は、2時間以内が3,000円、2時間を超え1時間増す毎に1,000円が加算される。夜間、年末は、割増料金が課せられる。

　これらのガイド業務につく前に、協会では1年余に亘る研修を実施しており、観光スポットに対する知識だけでなく、接客方法、人心の把握の仕方などさまざまなことを行って、SKYガイド協会の主要なメンバーである高齢者の知識と経験を生かすように配慮している。

　また、同協会では、ガイドとしての経験を生かし、ガイド業務のほか、京都駅内にある京都総合観光案内所における案内業務も受託している。

　協会の組織として、理事会、支部会があり、各々事務局がある。会員の定年は75歳で、年額24,000円の会費を納める必要がある。

　ガイド業務は、人生の経験を積み、多くの知識と体験を持つ高齢者に向いた業務であるといえる。長期に亘ってグループに随行するにはそれなりの体力がいるが、スポット的なものであれば、広範囲に対象者を探すことができ、旅行者にとっても働く高齢者本人にとっても、有意義なものとなると考えられ、これからの業務として、今後、さらに注目してよいであろう。その意味で、京都ＳＫＹガイド協会の活動は、高齢者の社会参加活動の好例として評価されるべきもので、実際に2002（平成14）年9月には、「長寿社会における高齢者の社会参加活動の模範事例」として、内閣府より表彰をうけ、2008（平成20）年10月15日には、京都市自治110周年記念式典で京都市長より、表彰されている。

　「観光地域プロデューサー」は、自身の知識と経験、熱意を持って地域のために活動する「プロデューサー」的人材のことで、観光振興のため、地域の多様な観光資源を再発見・創造して適切に情報発信を行い、旅行者ニーズを踏まえ、関係者が見せ方、楽しませ方を工夫・改善して地域が一体となった観光地づくりを行っていけるような、地域を牽引していく人材を育成する必

要があったのである。

　これは、制度としては2009（平成21）年度に終了したが、同じような考え方は、地域住民の間に根ざし、次第に各地に浸透する傾向にある（観光庁のホームーページによる）。

　ここでは、台東区の例を挙げよう。

　台東区には浅草があり、国内、海外からの観光客が多い。しかし、それまで、外国人に何が好まれ、それらをどのように取り込んでいくかを体系的に研究したことはなかった。外国人の側にしても、見たり聞いたりして知ってはいても、どのようにすればそれらを体験できるのかまで知っている旅行者は極めて少ない。そこで、台東区は「にぎわい計画課」において、平成19年10月から平成24年3月まで旅行会社出身の鈴木英雄氏を非常勤職員として雇い、氏の持つ観光全般に亘るノウハウ、人脈を生かし浅草の魅力を外国人に伝え観光客として取り込むために様々な施策を実施したのである。

　たとえば、上野の山で桜を見るツアーや、奥浅草での芸者お座敷体験、浅草に残る伝統工芸品作り体験などの着地型小旅行の企画・実施、ボランティアガイドや、旅館・ホテルなどの従業員に対するおもてなし、外国語研修の実施などであった。それは、言い換えれば、インバウンドはどうあるべきかを考え直し、外国人に対する体験作りにヒントを与えるものであった。台東区におけるこのような試みは、その後のプロデューサー事業の雛形ともいえる成功事例となった。

　今までに挙げたものの他にも、芸能人などを活用して自治体が任命する「観光大使」（呼称は自治体によって微妙に異なる）や、訪日外国人を増やすために、観光庁が任命する「VISIT JAPAN 大使」（旧称「YOKOSO！JAPAN 大使」）もある。

　県や市の観光大使は、いずれも、その県の出身者や、居住者、その県をテーマとしたドラマの主役など、「県の顔」と目される著名人がなっている。例えば、

　●秩父市……藤原竜也
　●鎌倉市……鶴田真由、中井貴一
　●三重県……萩本欽一、磯野貴理
　●大阪府……三倉茉奈、三倉佳奈

●奈良市……堂本剛
●呉市………島谷ひとみ
●熊本県……スザンヌ
●宮崎県……斉藤慶子
などである（いずれも 2013 年 1 月 1 日現在）。

　「VISIT JAPAN 大使」は日本の魅力の発信や外国人旅行者の受け入れ体制の充実といった取り組みの手本を国民に知らせるために観光庁が任命している者で、これらの業務に貢献した 63 名からなっている。以前は「YOKOSO！JAPAN 大使」と呼ばれたが、2010（平成 22）年にキャンペーンのキャッチフレーズが「YOKOSO！JAPAN」から「Japan, Endless Discovery」に変更になったことから大使名も変更された。
　この 63 名の中には、ファッションデザイナーのコシノジュンコ氏、きもの研究家の市田ひろみ氏、英語が堪能な俳優として知られる別所哲也氏、加賀屋専務取締役営業本部長で、能登を中心とする広域観光ルートを設定し台湾からの誘客を推進した鳥本政雄氏、福武總一郎氏（2.（4）直島の項を参照）などがおられる。
　日本人では、日本文化発信系の人たちだけでなく、交通系、宿泊系の関係者が多く任命されている。
　日本人だけでなく、「京都の町家再生等に取り組み日本文化を体感できる観光資源創出に貢献した」とされるアレックス・カー氏（アメリカ）や、高野山無量光院役僧で仏・独・英・伊の各国語で、高野山の魅力を海外に紹介しているクルト・キュブリ氏（スイス）、「北海道のニセコやふらのの国際的リゾート化を推進した」とされるルーク・ハッフォード氏（オーストラリア）など外国籍の人々が含まれていることは注意してよい。また、観光カリスマに選出された人も含まれている。

　観光カリスマとは、観光による地域振興に貢献し、すでに実績を上げた人たちの中から、観光庁が選定委員会を設けて選んだ人々で現在 100 人が認定されている。
　観光は多彩な要素を持っていることはすでに何度も述べてきたが、このような観光地の魅力を高めるためには、観光振興を成功に導いた人々の実例を

学ぶことが極めて効果的との考えから「観光カリスマ」を設け、そのため、制度として「『観光カリスマ百選』選定委員会」をつくり、観光振興の先達となる人々を「観光カリスマ百選」として選定し、各地で核となる人材を育てていくための範としたのである。

　観光カリスマ選定委員会は、内閣府、国土交通省、農林水産省が事務局となり、民間の7人の委員で構成され、2012年10月現在の委員長は島田晴雄氏が勤めている。

　観光カリスマ100人の中から、幾人かのカリスマに選定されるに至った選定理由を見てみよう。

　たとえば、東京の谷中に家族で旅館を経営する沢功氏は、「下町の外国人もてなしカリスマ」で、「東京下町の低廉な宿泊施設で、これまで延べ10万人もの外国人旅行者を受け入れ、さらに外国人客の下町での触れ合いに尽力している」とし、選定理由は「倒れかかった下町の小さな旅館を、積極的に外国人旅行者を受け入れることによって再生するとともに、全国各地で外国人旅行者の待遇方法などを説明して、宿泊施設が外国人旅行者を受け入れる際に抱く危惧を払拭することに努め、外国人旅行者の受入促進の啓蒙を図っている」。

　和倉温泉で前出の加賀屋を経営する小田禎彦(さだひこ)氏は、「外客誘致と広域観光のカリスマ」で、「国内でもいち早く台湾からの旅行者誘致を成功に導き地域の活性化に大きく貢献するとともに、旅館業を観光産業の核として位置づけて、時代と共に変化するお客様の旅行ニーズに応じた地域づくりと観光業の発展のため、広域的な連携で観光地づくりを推進」と紹介し、その選定理由は、「旅行の国内需要が限られ、海外誘客が課題になる中、日本の旅館文化そのままに、いち早く台湾からの誘客に成功した。また、自社の旅館業にとどまらず、和倉温泉の魅力アップのための事業を展開するとともに、能登半島、ひいては石川県全体の観光産業の発展や地域の活性化に尽力し、交流人口の増加に貢献した」。

　「歴史的な古い町の再生――長浜」で紹介した笹原司朗氏のカリスマ名称は「無一物からの再興のカリスマ」で、選定理由は「ガラス工芸と黒壁の街並みを中心とした独創的なアイデアで地域を再興した」。「欧州と比較して文化的認知度が低かったガラス工芸に着目し、株式会社黒壁を中心に、古い街並みと新しいガラス細工の新旧の観光資源の対比をうまく演出した。その結果、

来客が少なくなっていた商店街がわずか数年で活性化した」。

「商店街の再生」に登場した土居年樹氏は、「ほんまもんの街商人（まちあきんど）」「街活かしのカリスマ」で、選定理由は、「早くから天神祭を生かした商店街の観光振興や空き店舗対策に取り組むほか、カルチャーセンター設置や修学旅行生の誘致、ストリートミュージシャンの育成など、ユニークな活動を展開している」などと紹介されている。

朝廣佳子氏の選定理由は、「奈良公園付近一帯を幻想的なろうそくの灯りを用いて演出する『なら燈花会』の第1回目から実行組織リーダーを務めている中心的人物。このイベントをボランティアの協力による市民主体のイベントとして地域に根付かせるとともに、多くの来訪者を呼び寄せることができる『奈良の夏の一大イベント』として成長させることに貢献し、第6回目となる2004年（平成16年）は期間中（11日間）に70万人もの誘客に成功している」。

なら燈花会

由布院のケーススタディに登場した玉の湯代表取締役会長である溝口薫平氏は、「『心の活性化』のカリスマ」。「観光地の自然保護、住民参加のまちづくりなど、観光地づくりの先覚者」で、選定理由は、「観光地において自然保護を主張したさきがけ的存在であり、自然景観を大切にした温泉保養地づくりに成功。また、町内の情報交換の促進などにより、住民のまちづくりへの参加意識の高揚、地域の活性化に貢献した」となっている。

100人の方々はそれぞれ、顕著な実績を挙げられた方ばかりで、ここにすべてを紹介することができないのが残念である。

このような、観光カリスマを招いて、観光振興の実例（取り組みのプロセス）を現地で直接、講義を受け、意見交換をすることによって学んでもらい、次代の観光街づくりのリーダーを育成しようとするのが「観光カリスマ塾」

である。20名程度の受講生を対象に、講義だけでなく現地視察を行い、宿泊を伴うセミナー形式で実施する、いわばカリスマの成功事例を他の地域の人が学ぶ仕組みである。

平成16年度から、当時の湯布院町、草津町など全国56カ所で開催され、22年度をもって終了したが、カリスマに学ぼうとする人々は、その後も引きもきらず、各種の講演会などが催されている。

現代から見れば、古い時代にも同じような発想を持った人たちはいた。

たとえば、阪急電鉄の創始者である小林一三は、宝塚の観光開発による沿線地域の振興に心を砕いたし、宮崎交通の社長であった岩切章太郎は、日南海岸の道路、沿道風景の整備を行い、「子供の国」を作り、ドライブインをオープンし、さらに花一杯運動を行って観光開発を行ったのであった。これらの結果日南海岸は、昭和40年代にはハネムーンのメッカとなり、地域の振興に大いに役立ったのである。

観光カリスマの中で、上記の選出理由を記した方々は、マスコミに登場することも多く、全国的に知られている。

観光カリスマの各氏は、自分のビジネスとは必ずしも関係なく、地域全体が活性化するように、地域で話し合い、住民の意見をまとめ、行政とも話し合って、少しずつではあっても、継続して地域の発展に寄与してきたことが共通項として指摘できる。

そのやり方は十人十色、必ずしも同じでないが、何が成功の原因であったかを見極め、その成功例に学ぶことは、これから観光で地域を振興させようと考えているところにとってはとても重要なことである。と同時に、それらをただ無意味に模倣するのではなく、自分たちの地域にあったやり方に置き換えて、実施することが肝要である。

観光カリスマたちに共通するいくつかの項目としては、
①理念を明確にする
②地域資源のブランド化を図る
③異業種への興味、関心と連携
④地域コミュニティとの連携
⑤モノマネはしない

⑥域内流通システムの構築（地産地消）
⑦継続は力
が挙げられる。

これらから理解できるように、観光による地域の振興には、住民も含めた誰でもが理解できる理念（何をするのか）、どのように地域の魅力を作り上げていくのかを明らかにすることが重要で、そのため、マーケティングを強化して地域の観光産業の付加価値を高めることが必要で、安売り競争という安易な方法では本質的な解決にはならないことを示唆していると思われる。

これらを総合的に見通して、多種多様な連携を行い、牽引力となり、実績を挙げた人々が「観光カリスマ」なのである。

4. 外国人による地域の活性化

(1) 外国人による魅力の発見

外国人がいち早く魅力を発見し、日本人が再認識させられた例は明治以来枚挙に暇がない。古くは、フェノロサによる法隆寺の救世観音像、ラフカディオ・ハーンによる松江の街並みと文化、ヴォーリスによる近江八幡、ヴェンセスラウ・デ・モラエス[注]による浄瑠璃や徳島、そして最近では、ドナルド・キーン氏による平安朝文化など。いつも接している者は、それが当たり前になり、近すぎて、かえってその魅力に気づかないことが多いが、遠くから来た感性豊な外国人には、何気ないことでも魅力になる。

この感覚は観光というものの本質を表している。訪れる人にとっての感動、「**ときめき**」、それが観光行動の原点にある。

（注）ポルトガルの軍人、外交官（1854～1929年）リスボンに生まれ、モザンビーク、マカオに勤務の後来日。神戸総領事となり、日本人女性と結婚。神戸、後に妻の実家のある徳島に住み、日本紹介のエッセイ「徳島の盆踊り」「おヨネとコハル」など多数を著し

徳島にあるモラエス館

た。新田次郎の小説「孤愁」は、モラエスをモデルにしている。

　現在の日本で、外国人がとりわけ多く見られる町がある。その代表的なものが、北海道のニセコ地域である。ニセコは早くから、壮大なスケールのスキー場として有名であったが、場所が必ずしも大都市圏から便利ではないがゆえに、大きく発展していたわけでなかったが、オーストラリア人が多く訪れるようになってから急速に開けた。オーストラリアには、多様な気候が見られるが、人口密集地帯は地中海性気候や亜熱帯気候で総じて穏やかであり、雪を見ることはまれであるので、基本的に雪に対する憧れがある。カンタス航空が札幌に定期便を飛ばしたとき、北海道のプロモーションを行ったのであるが、その頃から徐々にオーストラリア人が訪れるようになり、評判が口コミで広がったのである。長期休暇を取得しやすいオーストラリア人がリピート化し、コミュニティができた。倶知安町もこれを好機と捉え、外国人が滞在しやすいような施策を講じるようになった。町全体が、オーストラリア人を受け入れる雰囲気になり、商店も英語表記をはじめ英会話にも力を入れるようになった。

　一般にニセコといわれる地域は、行政上は倶知安町とニセコ町にまたがった地域を指す。スキー場は両方にあり、前者には比羅夫、花園、後者にはアンヌプリなどがある。中心となるのは比羅夫スキー場で周辺に約300のコンドミニアム、ホテルなどがあり、約7,000人の収容能力がある。平成22年には、34,091人の外国人が倶知安町に宿泊していて、その国籍別内訳は、オーストラリア14,669人（43％）、香港8,126人（24％）、シンガポール4,296人（12.6％）、中国960人、台湾410人、韓国292人、北米856人、ヨーロッパ1,759人となっていて、圧倒的にオーストラリア人が多いのが目立ち、雪を見ることのできないアジアの国々からの旅行者が続いている（倶知安町商工労働係資料による）。

　また、2012年現在、倶知安町に491人、ニセコ町に119人の外国人が住んでいることからも人気のほどが知られよう。町も受け入れに力を注いでおり、外国人向けの食事メニューを用意したり、サインボードなどの英語表記の徹底や英会話研修を実施して対応している。最近、倶知安町では、スキー場周辺だけでなく次第に町の中心部にも外国人による経済効果が及んできており、町全体を活気付かせているのが現況である。これを受けて、町では、

中心部からスキー場周辺までのコミュニティバス、「ナイト号」を運行し、スキー場周辺住民の利便性を高めると共に、オフシーズンである夏には日本人に長期滞在してもらうようなプロモーション活動を始めている。

(2) 姉妹都市

　外国との交流で古くからあるものに「姉妹都市」と呼ばれるものがある。「姉妹都市」の概略については、第3章1 (3)「姉妹都市提携による（外国との）交流」で述べたとおりである。

　提携した都市は、スポーツ、学術、文化、経済などの様々な分野で、青少年を初めとして、幅広い市民参加の友好交流を進めるのが一般的である。小学生のように年少のときに得た体験は強く印象付けられるから、彼らが長じた暁には、再び訪れてみたいという欲求をもたらすし、理解が他の人々に比べて深いから、国際親善に果たす力も大きい。国と国が難しい問題にぶつかったときでも、姉妹都市の市民たちは、マスコミの報道に流されることなく、比較的冷静な判断ができるとされる。

　このように、姉妹都市提携は国と国の関係を越え、都市と都市、互いの市民が友好を深めることを目指しており、グローバル化が進展する現在、姉妹都市との交流を中心に世界の都市とのネットワークを形成していくことが重要になっている。

　主要な都市の姉妹都市・友好都市は表-16に示すとおりである。これは筆者が観光に多少とも関係のある自治体だけを絞り込んだものであるが、両者には共通な性格（地理、産業など）や、歴史的事件をきっかけにした繋がりがあることが分かる。ここにあげた姉妹都市間の関係をすぐに思い浮かべることができる読者はかなりの事情通といえるだろう。

表-16　姉妹（友好）都市提携相手先一覧

2012/11/30 現在
主要都市のみ抜粋
複数ある場合も主要提携先のみ記載

都市	提携相手先
札幌市	瀋陽　ミュンヘン　ポートランド（オレゴン）
函館市	天津
小樽市	ナホトカ　ダニーデン
盛岡市	ビクトリアB.C.州　カナダ
遠野市	サレルノ（イタリア）
平泉町	天台県（中国）
仙台市	ミンスク　ダラス　アカプルコ　レンヌ　リバサイド　長春市　ミンスク　光州
岩沼市	ナパ（カリフォルニア）
松島町	イル・デ・パン島（ニューカレドニア）
秋田市	ウラジオストク
山形市	吉林市　キッツビューエル　ボルダー（コロラド）
米沢市	モーゼス・レイク（ワシントン州）
いわき市	撫順
水戸市	アナハイム
土浦市	パロアルト（カリフォルニア）
つくば市	ケンブリッジ（マサチューセッツ）
宇都宮市	オルレアン
日光市	敦煌
益子町	セント・アイヴス（イギリス・コーンウォール県）
高崎市	サントアンドレ
沼田市	フュッセン
草津町	ビーティッヒハイム・ビッシンゲン
さいたま市	ピッツバーグ　リッチモンド
川越市	セーラム（オレゴン）　オッフェンバッハ
熊谷市	インバーカーギル
千葉市	ヒューストン　天津　アスンシオン
浦安市	オーランド
東京都	ニューヨーク　ベルリン　ローマ　パリ　北京　ジャカルタ　モスクワ
横浜市	ムンバイ　マニラ　バンクーバー　コンスタンツァ　上海　リヨン　オデッサ　サンディエゴ
川崎市	シェフィールド　ザルツブルク　リューベック　ボルチモア　瀋陽
鎌倉市	ニース　敦煌
藤沢市	マイアミビーチ　ウインザー　昆明
新潟市	ウラジオストク　ハバロフスク　ナント　ガルベストン
長岡市	フォートワース　ホノルル
妙高市	ツェルマット
十日町市	コモ
富山市	ダーラム　ウエリントン
魚津市	チェンマイ
南砺市	デルフィ（ギリシア）
金沢市	ポルト・アレグレ　ゲント　イルクーツク　蘇州　ナンシー　バッファロー　全州
七尾市	モントレー（カリフォルニア）　金泉
福井市	ニューブランズウィック　杭州
敦賀市	ナホトカ　台州　東海
小浜市	西安　慶州
甲府市	ポー（フランス）　デモイン　成都
富士吉田市	シャモニ・モンブラン　コロラド・スプリングス
長野市	クリアウォーター　石家庄
松本市	ソルトレークシティ　カトマンズ　グリンデルワルト
諏訪市	セントルイス（ミズーリ）　アンボワーズ　フランス
大町市	インスブルック　メンドシーノ
軽井沢町	ウィスラー　カンポス・ド・ジョルドン　ブラジル・サンパウロ州
野沢温泉村	サンクト・アントン
岐阜市	サンダーベイ　シンシナティ　ウィーン市マイドリング区　フィレンツェ　カンピーナス　杭州
高山市	デンバー　シビウ市（ルーマニア）　麗江
白川村	アルベロベッロ
静岡市	オマハ　カンヌ　ストックトン
浜松市	ロチェスター　シェヘリス　キャマス　ポータービル
熱海市	サンレモ　カスカイス　珠海
下田市	ニューポート（ロードアイランド）
名古屋市	南京　トリノ　シドニー　メキシコシティ　ロサンゼルス
瀬戸市	利川　ナブール（チュニジア）　リモージュ　景徳鎮
豊田市	デトロイト
長久手市	ワーテルロー
新城市	ニューキャッスル（ペンシルヴェニア）　ヌシャテル
四日市市	ロングビーチ
鈴鹿市	ル・マン
尾鷲市	プリンス・ルパート
大津市	ヴュルツブルグ　ランシング　インターラーケン　牡丹江
長浜市	ヴェローナ　アウグスブルク
近江八幡市	レブンワース（カンザス州）　グランドラピッズ　マントヴァ
甲賀市	利川
京都市	キエフ　ザグレブ　グアダラハラ　プラハ　ボストン　フィレンツェ　パリ　西安
舞鶴市	ナホトカ　ポーツマス（イギリス）　大連

第3章 観光による地域の活性化、振興と再生　157

大阪市	サンフランシスコ　ハンブルク　ミラノ　メルボルン　シカゴ　サンクト・ペテルブルグ　上海　サンパウロ	下関市	イスタンブール　サントス　釜山　青島
堺市	ウェリントン　バークレー	宇部市	ニューカッスル
豊中市	サンマテオ	山口市	パンプローナ（スペイン）
池田市	蘇州	徳島市	レイリア（ポルトガル）
吹田市	バンクスタウン	鳴門市	リューネブルク
高槻市	マニラ	美波町	ケアンズ（オーストラリア）
茨木市	ミネアポリス	松茂町	マウント・ヴァーノン
箕面市	クエルナバカ	高松市	トゥール（フランス）　セント・ピータースバーグ（フロリダ）
神戸市	シアトル　バルセロナ　マルセイユ　リガ（ラトビア）　リオ・デ・ジャネイロ　ブリスベーン　天津　仁川	丸亀市	サン・セバスティアン
		坂出市	サウサリート（カリフォルニア）
		直島町	ティミンズ（カナダ）
姫路市	フェニックス　アデレード　クリチーバ　シャルルロワ（ベルギー）　昌原　太原	松山市	フライブルク　サクラメント
		今治市	パナマ
		宇和島市	ホノルル
明石市	バレホ	内子町	ローテンブルク
宝塚市	オーガスタ	高知市	フレスノ　スラバヤ
芦屋市	モンテベロ	土佐清水市	フェアヘーブン及びニューベッドフォード（マサチューセッツ）
尼崎市	アウグスブルク		
西宮市	ロンドリーナ（ブラジル）　紹興　スポーケン	福岡市	広州　ボルドー　アトランタ　オークランド（カリフォルニア）　イポーマレーシア　釜山　オークランド
奈良市	慶州　ベルサイユ　西安　揚州　キャンベラ　トレド		
		久留米市	モデスト
大和高田市	リズモー（ニューサウスウェールズ州）	太宰府市	扶餘郡
		唐津市	西帰浦　揚州
天理市	ラ・セレナ（チリ）　瑞山　バウルー（ブラジル）	有田町	マイセン　景徳鎮
		長崎市	ミデルブルフ（オランダ）　サントスポルト　セントポール　ヴォスロール（フランス）　福州
橿原市	洛陽		
桜井市	シャルトル		
明日香村	扶餘郡	佐世保市	アルバカーキ　厦門
和歌山市	済州　リッチモンド（カナダ）　ベイカースフィールド　済南	大村市	シントラ
		平戸市	ノールトワイケルハウト（オランダ）　南安
有田市	デレノ（カリフォルニア州）		
白浜町	ホノルル	雲仙市	バンフ
新宮市	サンタクルーズ	熊本市	ハイデルベルグ　桂林　サンアントニオ
串本町	メルシン、ヤカケント（トルコ）　ヘメット（カリフォルニア州）		
		大分市	アベイロ（ポルトガル）　オースチン　武漢
鳥取市	ハーナウ		
三朝町	ラマルー・レ・バン（フランス）	別府市	バース　済州　ロトルア
湯梨浜町	ハワイ郡	日田市	メヨメサラ（カメルーン）
松江市	ニューオーリンズ　杭州　吉林　晋州	佐伯市	ホノルル
浜田市	ブータン	臼杵市	キャンディ（スリランカ）　敦煌
出雲市	エビアン　サンタクララ	鹿児島市	ナポリ　マイアミ　パース　長沙
津和野町	ベルリン市ミッテ区	西之表市	ヴィラ・ド・ビスポ（ポルトガル）
岡山市	サンノゼ（カリフォルニア）　サンホセ（コスタリカ）　プロブディフ（ブルガリア）　新竹（台湾）　洛陽	与論町	ミコノス（ギリシア）
		那覇市	ホノルル　サン・ビセンテ
		石垣市	蘇澳鎮（台湾）　カウアイ郡
倉敷市	クライストチャーチ　鎮江　サンクトペルテン（オーストリア）　カンザスシティ	名護市	ハワイ郡ヒロ
		宮古島市	マウイ郡
		久米島町	ハワイ郡
広島市	ホノルル　重慶　モントリオール　ハノーバー　大邱　ボルゴグラード		
呉市	マルベージャ		

5. MICE による地域の活性化

　MICE とは、先にも述べた通り「Meeting」「Incentive」「Convention」「Event・Exhibition」の頭文字をとったもので、それぞれ、「規模の大きな会議」「招待旅行・報奨旅行」「大会」「行事・展示会」などと訳される。これらはその性格から、大きな展示スペースと、会議場、通訳施設、宴会場、大量の客室など高度な受け入れ施設が必要になるが、それと引き換えに、いずれも、

①大きな数の旅客が動く。
②旅行費用に関する単価が高い。
③日本で多様な観光行動を伴う。
④参加者が VIP やキーパーソンであることが多く、彼らが自国に帰ったときに周囲の人たちや一般大衆に対する影響が大きいことから、地域で開催できれば、その効果は、経済面を始めとして大きなものがある。

　当然、それらに関心のある人々、それも会社や地域、国を代表してくる人が多いから、開催される場所にとっては、自分の地域を知ってもらう絶好の機会となる。本来の目的である、会議、見本市の後に、「Fam tour」が参加者や家族（外国ではこのような催しへの出席は夫人同伴が一般的である）のために企画されるのが普通であるから、実体験が口コミで伝わる可能性が非常に高いのである。また、一時に多くの人が集まるから、受け入れ側にとっての経済効果は非常に大きい。キーパーソンが多く参加すれば、マスコミによる報道も大きくなり、その地域のマスコミによる露出度も大きくなり、宣伝効果は、地元が行うものよりも効果が大きい場合すらあるのである。

　小泉内閣のとき、北海道でサミットが開かれた。「洞爺湖サミット」である。このとき会場になったのが洞爺湖を見おろすリゾートホテル「ウィンザー洞爺」であった。それまでも、関心のある人には知られていたが、これによって一躍有名になった。

　また、2010年「平城遷都1300年祭」のとき「東アジア未来会議奈良2010」

ウィンザー洞爺

の名の下にＡＰＥＣ観光大臣会合など16の国際会議が実施され、VIPが多数参加したことから、これによって奈良、ひいては観光立国を目指す日本の知名度が上がり、大きな波及効果をもたらしたと考えられている（平城遷都1300年祭については第4章2（7）キャンペーンとしての平城遷都1300年祭を参照）。

　MICEは、第5章に述べるとおり、大きな経済効果が期待できることから、これを誘致するのはキャンペーンとしても大きな意味を持ち、インバウンドビジネスの中でもとりわけ重要な事柄として位置づけられており、観光政策の中での役割も大きい。観光立国基本計画の中でも、その開催件数を、目標設定時の168件の50％増にすることが掲げられていた。

　2010年における開催件数は239件でほぼ目標を達成した。また、旅行消費額は9,230億円で、その内訳は、

Meeting	130億円
Incentive	110億円
Convention	900億円
Exhibition	1,120億円
Event	6,970億円

となっているが、旅行消費額全体の4.1％に過ぎず、これからのさらなるプロモーションが期待されている。

　アメリカには「コンベンション・シティ」という考え方がある。人口は多くないが、コンベンションのために訪れる人が多い町のことである。ラスベガスや、オーランド（フロリダ州、「ウォルト・ディズニー・ワールド・リゾート」がある）、サンフランシスコ、ニューオーリンズなどがこれにあたる。いずれも、人口は100万人前後であるが、これらを受け入れるための、大きな会議展示会場（ドーム）があり、ホテルの客室数も合計すると5,000室を超えるところが多い。

　シンガポールも、国際会議の多いことで知られる。2010年の国際会議開催は725件で、都市別で見たとき世界第1位である。

　日本では、以前から京都の宝ヶ池に国際会議場があったが（1966［昭和41］

年オープン)、国際交流の進展に伴って、2000年に中之島に大阪国際会議場が建設され、地方にも多くの国際会議場ができた。たとえば、長良川国際会議場(岐阜市、1995年開場)などである。また、博覧会場としては、幕張メッセ(千葉、1989年開場)、東京ビッグサイト(1996年開場)、横浜国際平和会議場(通称「パシフィコ横浜」、1994年開場)が有名である。

　2010年の日本での国際会議開催件数は、741件で、世界で第2位(JNTO「国際会議統計2010」による)であるが、観光立国の中でのMICEの重要性を考えれば、今後もさらなる誘致に向けた努力が必要となろう。

第4章
キャンペーンとプロモーション・広報活動

1. キャンペーンとは何か

(1) キャンペーンの4段階

　観光とは、自分の見知らぬ土地へ出かけて、新しいものを見、食べ、体験する、ということが大きな要素を占める。つまり、新たな需要層は、その目的地に関して十分な情報を持っていない。ここから、観光振興のためには、目的地をプロモーションする活動——キャンペーン——が重要になる。これは顧客に対しては目的地の諸情報を発信することであるが、同時に、情報発信のみにとどまらずそこに実際に行けるような手立てと旅客が実際に訪問したときの受け入れ態勢の整備、すなわち「旅行の容易化」が必要になる。

　これを、第1段階とするならば、需要の季節変動をより平準化すべく、オフシーズンの需要の底上げをねらうキャンペーンは第2段階ということができる。なぜなら、需給バランスがとりにくい業種である観光業において、季節変動をより平準化することは、産業としての観光業の経営の安定を図る上で必須条件だからである。

　さらに、訪問してくれた旅行客の再来を促すこと、すなわち、観光客のリピーター化を図ることは、キャンペーンの第3段階といえる。

　外国人を受け入れるための諸条件の整備は、キャンペーンの最終段階とも言うべきものであり、それまでのキャンペーンの施策のあらゆる要素が求められると共に、その国（日本）の魅力・文化力を明確に認識し、キャンペーンの中で訴えていくことが必要になる。

　キャンペーン活動を段階的に分類すると、下記の如く分けられる。

キャンペーンの4段階
第1段階
- ●目的……ビギナー客の取り込み
- ●具体的な施策とその例
- ・デスティネーションについての基本的な情報発信
- ・旅行の容易化（1）
    ハード面－交通アクセス、バスの運行本数、道路などの整備、宿泊設備、観光施設など
    ソフト面－サインボード、食事、お土産
    ヒューマン面－人材、ガイド・通訳、住民のホスピタリティ
    （かつての）ミニ周遊券
    2次アクセスの整備「**駅から観タくん**」、ぐるりんパス
- ・旅行の容易化（2）
    デスティネーションのパッケージ商品での取り込み

第2段階
- ●目的……OFF期における顧客の取り込み
- ●具体的な施策とその例
- ・オフシーズンキャンペーン
- ・デスティネーションについてのOFFにおける有益情報発信
    「京の冬の旅」など
- ・旅行の容易化（3）
    個人旅客のための受け入れ態勢の整備

第3段階
- ●目的……顧客のリピーター化
- ●具体的な施策とその例
- ・（例年行われる）沖縄キャンペーン、北海道キャンペーン、ハワイキャンペーン
- ・デスティネーションについてのリピーター向け有益情報発信（通り一遍でない有益情報）

第4段階
- ●目的……外国人旅客の取り込み
- ●具体的な施策とその例
 ・旅行の容易化（4）
  外国人旅客のための受け入れ態勢の整備、情報発信
  VJC（Visit Japan Campaign）

（2）キャンペーンとプロモーション

　観光によって地域の振興を図ろうとする場合、そこがどのようなところでどのような魅力を持っているのか、どのようにすればそこに行くことができ、体感できるのか、情報を発信しなければならない。観光は居住地からの移動を伴い、多くの人はそこに行ったことがないわけだから、そのような人たちに「あそこに行ってみたい」と思わせるような様々な情報を与えることはきわめて大切なことである。そして一度行ったことのある人には再び来てもらえるような（リピート）動機付けを行うことも必要になる。なぜなら、観光客、とりわけそこへ行くのが初めての旅客（ビギナー）はそれらの限られた情報を基に、夢を膨らませ、自分の好みにあったところであるか、望む体験ができそうなところか判断するからである。

　このような販売促進活動を広くプロモーションといい、期間を限って目的達成のために集中的に一連の活動を展開することをキャンペーンと呼ぶ。"CAMPAIGN"は、もともとラテン語の平原を意味する言葉で、やがてそこでの「会戦」、軍隊の「作戦」を意味するようになった戦争用語である。これが転じて、対象になる目的地を集中的に露出して、一般大衆の認知度を高め、魅力を発信し、それらを販売促進につなげる一連の活動をもキャンペーンと呼ぶようになった。従って、プロモーションは観光客にとって目的地となる地域の自治体や観光局、そこに路線を持つ輸送機関（鉄道、航空など）が中心となって行われることが多いが、観光振興には、多様な業種が絡むので、これらの機関を軸として多くの関連業界が連動しないと大きな効果が得られないというのが定説になっている。

　次に、日本におけるキャンペーンをその主体によって分類すると、次の如くなる。

1. キャンペーンとは何か

（キャンペーン主体のレベル）　　具体例
　●国（JNTO）……………………VJC
　●県　………………………………平城遷都1300年祭
　●市　………………………………京の冬の旅
　●航空会社（JAL）………………沖縄キャンペーン、北海道キャンペーン、
　　　　　　　　　　　　　　　　　ボストンキャンペーン
　●航空会社（ANA）………………シアトルキャンペーン
　●鉄道会社　………………………JR6社による県別のキャンペーン
　　　　　　　　　　　　　　　　　「いわて」「ぐぐっとぐんま」「そうだ京
　　　　　　　　　　　　　　　　　都、行こう」
　　　　　　　　　　　　　　　　　東北キャンペーン、九州キャンペーン
　●観光局　　　　　　　　　　　　（多数ある）

　VJC（Visit Japan Campaign）は JNTO（Japan National Tourist Organization＝独立行政法人国際観光振興機構〔通称日本政府観光局〕）が主体となって2003年から行われ、2010年を「VISIT JAPAN YEAR」として、一旦終了した。これは国レベルの観光プロモーション活動といえる。日本全体をデスティネーションとして捉え、外国人に広い意味での観光目的で訪日を促すものだからである。VJCについては、稿を改めて触れる（第4章2(6)を参照）。

「京の冬の旅」パンフレット

地方自治体レベルのものでは、例えば、2010年に奈良県全域で行われた「平城遷都1300年祭」、京都市と観光連盟が主体となって毎年行われている「京の冬の旅」、「京の夏の旅」がその代表的なものとして挙げられる（第4章2(4)を参照）。

鉄道、航空ともに、①新路線ができたとき（新しく開設されたルートはもとより新空港、新駅ができた場合なども含まれる）②新機材（車両、航空機）が導入されたときなどに大々的に展開されることが多いが、季節的に毎年行われるものもある。

前者では、能登空港開港キャンペーン（2003年）やJALのボストン線就航記念キャンペーン、ANAのシアトル線就航記念キャンペーン（ともに2012年）が記憶に新しい。鉄道では、2011年3月に九州新幹線が全通したときのキャンペーンが大掛かりなものであった（開業の前日に東日本大震災が発生したため、出鼻をくじかれた感は否めないが）。

後者には、

①毎年、一定の需要を安定的に確保しようとするためのもの（例えば、夏季に航空会社が行う北海道や沖縄キャンペーン、冬のスキーキャンペーンなど）。

②オフシーズンの需要底上げをねらったもの。航空輸送、鉄道輸送は共に需給バランスがとりにくいため、オフ期の需要開拓は重要な課題であることはすでに述べた。

③さらに、一度、訪れてくれた顧客に再訪問を促すリピート化促進対策のためのキャンペーン。

などがある。

以上のごとく、キャンペーンはその主体のレベルと、施策内容によって分類することができるが、逆に言えば、キャンペーンを実施しようとする場合、それが、どのようなことを主たる目的とするものであるのか、はっきり認識しておくことが肝要で、あれもこれも含めようとすると、かえって焦点がボケて、虻蜂とらずになってしまう危険性が高いのである。

プロモーションの第1段階における施策の中で、パッケージ旅行に目的地を組み込むことは、旅行者にとって単に便利で安いというだけでなく、パンフに紹介されることにより、何万部もの情報発信のためのチラシを作ったと同様の効果を持つのできわめて有効である。最近は、「パッケージ離れ」などという言葉が聞かれるが、新規のデスティネーションを開発するに際しては、パッケージ商品の作成は、きわめて有効な手段であり、その効果をあら

ためて見直すべきであろう。

以下に、プロモーション・キャンペーンの代表例を見てみよう。

2. キャンペーンの実例

(1) 鉄道会社によるキャンペーンとプロモーション
① 「ディスカバー・ジャパン」とJR分割後のキャンペーン

日本の観光キャンペーンの中で夙に有名なのは、JR分割民営化以前の国鉄が行った「ディスカバー・ジャパン」である。

1970 (昭和45) 年3月14日から9月13日の間、大阪の千里丘陵を切り開いて半年間に亘って万国博覧会が開かれた。来場者は183日間で6,421万9,000人と凄まじいブームとなった。公開初日には27万人の来場者があったといわれる。この大部分の輸送を担ったのが国鉄であった。国鉄は慢性的な経営不振にあえいでいたので、このような特別な需要は大いに歓迎すべきものであった。同時に、万博の旅客輸送作業は、当時の国鉄の輸送力の限界に近いものでもあったから、国鉄は万博終了後の反動による需要の減少についても大きな懸念を持たざるをえなかったのである。国鉄幹部が、それに対応すべく、キャンペーンを企図し、採用されたのが「ディスカバー・ジャパン」であった。

採用された「ディスカバー・ジャパン」は電通のチームが発案したもので、そのリーダーは藤岡和賀夫氏であった。それまでの国内における観光旅行の形態はグループが主流であった。個人だけで旅行するというのは、周遊券[注]の導入などによって促進努力は払われていたものの、新婚旅行など一部を除いて少なかったのである。国鉄はこのような状況を踏まえて、鉄道を利用した個人旅行、それも若年層の取り込みを狙ったのであった。

キャンペーンのコンセプトを「日本を発見し、自分自身を再発見する」とし、全国的な規模で進められた。

(注) 国鉄を101km以上利用し、国鉄の指定した「周遊指定地」を2カ所以上回るルートでキップを予め購入すると、周遊指定地内の私鉄やバスも含めて全体が1割引になる観光用の周遊キップのこと (第1章2「観光地の歴史」を参照)。

初めて作られたキャンペーンポスターには、禅寺の中で一人瞑想する若い

女性の姿があった。これは大きな反響を呼んだ。キャンペーンのキャッチフレーズは、「美しい日本と私」。1968年にノーベル文学賞を受賞した川端康成の受賞講演「美しい日本の私」に酷似していた。キャンペーンチームは、日本の魅力の再発見を意図していたのである。事情の説明を受けた川端はこれに納得したという。

ディスカバー・ジャパンのポスター

一方で、次第に物質的に豊かになりつつある社会状況を背景に、精神的なゆとりも求められるようになっていた。それは出版メディアにまずあらわれ、多くの雑誌が創刊されることとなったが、先鞭をつけたのは『an-an』（平凡出版、現在のマガジンハウス）で、洋服、化粧という従来のテーマに加えて、旅行が大きくクローズアップされることになったのである。パリやローマだけでなく、京都、金沢をはじめ、日本本来の美しさを保った地方の中小都市も取り上げられた。当時、海外旅行はまだ憧れとしての要素が強かったから、身近な日本の地方都市は個人でも実現可能なデスティネーションとして脚光を浴びることになったのであった。この頃から、このような美しい日本の面影を残す中小の地方都市は「小京都」と呼ばれるようになった。『an-an』は、若い女性が好むような美しい写真だけではなく、一人で「小京都」を歩けるような親切なガイドも掲載したから、程なくして、雑誌を片手に持った若い女性が個人で出かけるようになった。これらの若い女性は翌年、集英社が発行した同じような雑誌『non-no』の読者とあわせて、「アンノン族」と呼ばれた。

　これに呼応してテレビ番組も作られた。日本の再発見を意図して各地の魅力を紹介する『遠くへ行きたい』が1970年10月4日に始まり、1962年にジェリー藤尾が歌った『遠くへ行きたい』（永六輔作詞、中村八大作曲）をキャンペーンソングとし、番組の中でデュークエイセスが歌ったものが流された。

　　　知らない街を　歩いてみたい
　　　どこか遠くへ　行きたい
　　　知らない海を　ながめてみたい

どこか遠くへ　行きたい
遠い街　遠い海
夢はるか　一人旅
愛する人と　めぐり逢いたい
どこか遠くへ　行きたい

　歌詞の内容からも窺われるように、やや感傷的ではあるが、個人の旅行を志向し、また、若い女性の心をくすぐるものであった。
　ここに、雑誌、音楽、電波を有機的に結びつけた一大キャンペーンが展開されることになったのである。
　雑誌では『an-an』に続いて『non-no』(集英社)が発刊した。両誌とも、編集者が「お教えします」というのではなく、「読者が主役」というスタンスで構成されていたのが、旅行に駆りたてる大きな要因となったと考えられる。
　おりしも、こういう状況を察知して、日本的な美しさと情緒を歌う歌謡曲がつくられた。その最初は『私の城下町』(安井かずみ作詞、平尾昌章作曲)で小柳ルミ子が歌ってミリオンセラーとなった。

格子戸をくぐりぬけ
見あげる夕焼けの空に
だれが歌うのか子守唄
わたしの城下町
好きだともいえずに
歩く川のほとり
往きかう人に
なぜか目をふせながら
心は燃えてゆく

『私の城下町』のジャケット

　この歌に織り込まれているのは、古き日本の情景である。「格子戸」「夕焼けの空」「子守唄」「川のほとり」、これらは、失われつつあった日本の美しさを再発見するキーワードとなったのであった。自分の住んでいる都会にないそれらを探し求めて、ひとり旅に出ることは、青春の象徴ともいえる初恋と絡まって、日本の魅力を再発見するのみならず、自分を再発見することで

あったのである。そしてそれは、「ディスカバー・ジャパン」のコンセプトとぴったりと合致するものでもあった。

　時代が変わることを否定はできないが、残すべきもの、引き継がれてゆくべきものを見失ってはならない。樹齢数百年の木を切れば、その木が再び現れるには数百年待たねばならない。この歌は日本の原風景とは何なのか、日本人の精神性とは何なのか、それを今も私達に問いかける。
　フランス語に堪能であったという安井かずみがこのような詞を書いたのにも驚かされるが、それに大きく共感した当時の日本人が、それまでの「モーレツ」な生き方から抜け出して「ビューティフル」や「ゆとり」をいかに求めていたか、そして、その象徴として「ディスカバー・ジャパン」に象徴される個人の旅行が位置づけられていたか、その意味するところは大きく、観光旅行を考える上で、常に問いかけねばならないものを含んでいる。
　翌年、再び小柳が歌ってヒットした『瀬戸の花嫁』も同じ線上に並ぶものであった。
　前述の『遠くへ行きたい』は国鉄分割後も続き、2010年には2,000回を越える長寿番組となっている（2013年1月6日現在で2,137回）。今でこそ、旅番組は花盛りだが、当時としては珍しいものであった。

　「ディスカバー・ジャパン」の精神は分割民営化後も受け継がれ、JR6社は年に4回、3カ月を1クールとして、県別のデスティネーションキャンペーンを実施している。2012年第2四半期は岩手、第3四半期は北海道、第4四半期は山陰であった。2013年第1四半期は、京都市のキャンペーンに相乗りする形で「京の冬の旅キャンペーン」を行っている。
　新幹線が日常のものとなるにつれ、新幹線をベースとした、観光プロモーションも盛んになってきている。
　JR西日本はこのネーミングを援用して、「ディスカバー・ウエスト」（「DISCOVER WEST」）キャンペーンを実施している。山陽新幹線が開通したとき、新幹線の駅が在来線の駅と繋がっていないことで観光客の誘客の妨げになっているとみて、地域の関係者を集めて地域プロモーションのためのプロジェクトを立ち上げ、観光地としての整備と2次アクセスの整備を急いだ。その結果生まれたのが「駅から観タくん」である。これは新幹線の発

着に合わせた駅からの観光タクシーであるが、運転手にも必要な教育を施して、観光客が容易に、楽しめるようにしたものであった。今では、「駅から観夕くん」は、JR 西日本以外にも広がり、観光客に利便を提供している。

　JR 東海はその収入のほとんどがビジネス旅客で、観光に必ずしも力を入れてるとはいい難い面もあるが、逆にビジネス客の少ない時間帯、曜日、季節の底上げを図るべく、また、リニア新幹線開業後の在来新幹線を利用した観光戦略を見据えてプロモーションを展開している。その代表的なものは、京都、奈良を目的地とするもので、最初に実施されたのは 1993 年から始まった「そうだ 京都、行こう。」である。これは平安遷都 1200 年を機に、京都に観光客を集客しようとするものであったが、同時に、東海道新幹線というドル箱路線を持つ同社が、ようやく力をつけてきたことを示すものでもあって、JR 東海の存在感を内外にアピールするという戦略的意味を持っていたのである。「京都　心の都へ」という 6 分間の番組を関東地区で放映して、京都の代表的な寺社観光地だけでなく、それほど知名度のないところでも取り上げるようにしたのであった。それは、京都という文化的、歴史的評価の高い町を、必ずしも実際に旅先に選ぶとは限らないという、マーケティング分析に基づいて、旅行者がハザードと感じているもの、すなわち「利便性」「費用」に加えて「今の自分との関係及び今の自分にとって京都に旅行することの意味」を旅行者に与えることが最も重要だと結論したからであった。これは、観光地の付加価値を考える上でかなり重要な意味を持っている。結論から先に言えば、**観光地には、「鮮度」が必要なのである。**

　JR 東海は、京都を「現代を生きるあなたに必要なものがある場所」と位置づけて、徹底的にこのキャンペーンを行ったのである。実際に行かないと体験できないものを強調して、ポスターや CM の映像に用いたのが、首都圏という都会に暮らす人々の心を捉え新たな観光需要を創出したと考えられる。

　現在では、「京都　心の都へ」は終了したが、それに代わって「都のかほり」を、奈良については「うまし うるわし 奈良」を放映してデスティネーションの紹介を行い、これに合わせてキャンペーン商品の設定を行って、需要の平準化に注力している。京都市と京都市観光連盟が実施している「京の夏の旅」「京の冬の旅」キャンペーンのうち後者とも連動して、一層多面的

なプロモーションを展開していることには注目してよいであろう。

　旅行者に訴えかける高邁な「旅の意味論」と、その影に隠れて見えにくいが、鉄道輸送にとって避けて通れない在庫処理的発想を巧みに結びつけたものが、京都・奈良のキャンペーンの性格だといっても過言ではないであろう。

　JR九州は早くから観光に力を入れていた。分割後すぐに多角化の一端として、旅行業にも力を入れ、社員に旅行業法や約款などの必要な教育を積極的に行うなどの取り組みを行ってきた。また、観光列車に対する取り組みもユニークで、単に移動手段としてではなく、出発地から目的地への移動中から旅行が始まるという考えのもとに、展望列車や、親子連れを意識した座席の位置、内装などに意を用い、付加価値を高めて旅客の満足度を高めている。中でも、深緑色の「ゆふいんの森」号や、子供を相手にする乗務員がいる「阿蘇ボーイ」「指宿のたまて箱」などは、スピードだけでなく移動中の付加価値を高めることによって旅客の満足度を高めた点において、観光業の本質をついているといってもよいであろう。これらはいずれも水戸岡鋭治氏のデザインによるもので、旅客の利便性を意識したデザイン、ユニークな発想はすでに定評がある。氏は第3章2（4）で紹介した和歌山電鐵貴志川線の「たまちゃん電車」「おもちゃ電車」「いちご電車」のデザインも担当している。

　2013年10月からは、九州を一周する豪華寝台列車「ななつ星」の運行を開始することが決まっており、それに合わせ、阿蘇駅を改装し、同駅のホームに木々や畑、カフェテラスなどを配置する「阿蘇駅ガーデンレストラン」（仮称）をつくる計画も明らかになった。デザインは、前出の水戸岡鋭治氏が担当。木調の屋根付きカフェテラスでは、「ななつ星」の乗客らに地元食材を使った食事を提供するほか、ホーム上に畑やビニールハウスを設け、野菜などを栽培するという。また、長崎県や佐賀県を通る新しい観光列車を、2014年以降に走らせる構想も明らかになった。

　さらに、韓国釜山への高速船「ビートル」を運航しており、これを利用した日本人の韓国ツアーや、韓国人旅客の取り込みも行っており、加えて中国など、近隣アジア諸国との提携にも積極的である。

　ハウステンボスができたとき真っ先に、ホテル建設を表明したのもJR九州であった。このような、鉄道を核とした観光産業への多角化の動きがJR

九州の特色である。

　唐池恒二社長は、「鉄道に乗ること自体に感動を覚えてもらうこと」を目指して、前述の如き、自由な発想で様々なアイディアを出し、広く職員の声を聞くと共に、お客様本位、沿線地域住民本位の鉄道輸送を標榜しており、運送業というよりも観光業の発想に近い。JR九州の動きは観光業者にとって注目すべきものが多々ある。同社が総合的な観光産業のモデル企業となる日が、近い将来に来るかもしれない。

② 『真珠の小箱』
『遠くへ行きたい』より以前から、近畿日本鉄道が行っていた沿線の紹介番組があった。これは『真珠の小箱』と呼ばれ、モノクローム時代の1959年から2004年まで実に45年間、2,314回に亘って放映された。近鉄は、JRを除く日本の私鉄として最長の営業距離を持ち、伊勢、奈良など歴史に富むデスティネーションも多い。かつての会長であった佐伯勇氏は文化活動にも関心が深く、沿線の文化の紹介を思い立って始めたとされている。タイトルは言うまでもなく、志摩の真珠から来ている。1回ごとに主に関西在住の旅人が設定され、彼（女）と一緒に、目的地を歩く形式をとっている。たとえば、2,163回では作家の立松和平が竹内街道の紹介をし、2,290回では女優萩尾みどりが奈良の法華寺、海龍王寺、不退寺を紹介している。終了するまでの45年間に沿線の主要な観光地はほとんど紹介し尽くされた感があるが、奈良においては一寺一寺を丁寧に紹介するものも多かった。『真珠の小箱』は、内容に宣伝臭さがないのがよく、見ていて好感が持てるものであった。阪神電車が近鉄なんばまで開通したとき（2009年3月20日）、それを記念して3カ月間だけサンテレビ（兵庫県の地域テレビ局）で再放送された。

　前述の『遠くへ行きたい』も同じような形式をとっていることから、『真珠の小箱』を意識して制作されたのかもしれない。因みに『遠くへ行きたい』は、大阪の読売テレビの制作によっていた。

　他にも名古屋鉄道が『ふるさと紀行』を提供して、沿線の紹介をしていたが、こちらは、文化的なものというより、生活密着型の、どちらかといえばNHKの『新日本紀行』（現在放送している『新日本風土記』の前身というべきもの）に近いものだった（これに関しては資料が散逸してしまっており、詳細な事項は不明である）。

このような紹介番組は、コンセプトが明快で、紹介したい内容が明確になっていれば、その地域の観光振興に役立つが、ただ単に「何があります」形式のものは意外と印象に残らない。

近鉄がこれらの放映の結果、どれくらいの乗車人数実績が上がったのかを数字で捉えることは難しいが、知名度アップによる潜在需要の掘り起こしに寄与したことは間違いあるまい。

現在でもJR各社が提供する番組は地域ごとにあるし、それらが、観光客の予備軍を作り出しているといってもよいだろう。

鉄道会社のキャンペーンは、テレビで目的地の露出をするだけではなく、プロモーショナル・ティケットを発売することによってフォローされる。「ディスカバー・ジャパン」が展開されたとき、従来からある周遊券に加えて、「ミニ周遊券」が発売された。近鉄は、「奈良斑鳩1日キップ」を初めとして各種の「オトクなキップ」を発売している。これらはいずれも、

①往復あるいは周遊ベースであること
②目的地での観光施設などに割引などの特典がつくこと
③キャンペーンの協賛店からのノベルティ、茶菓のサービスがつくこと
④目的地でのガイドブックあるいはリーフレットがつくこと

などが共通項として挙げられるが、ここで重要なのは、ただ単に運賃が安いということではないということである。現地の魅力を伝え、そこへ誘引することによって、目的地でのさまざまな観光行動が誘発されるということが重要である。顧客にとっても目的地の1点だけでなく、その地域全体への面としての広がりを楽しむことができるというメリットがある。このような物理的な広がり、いろいろな業種への波及効果が観光行動の中でも大きな特徴であり、観光を産業としてみた場合、重要なことになってくるのである。

(2) 航空会社のキャンペーン——地方空港問題と補助金

航空会社が新路線を開設すると、その宣伝と新しい目的地の知名度アップのためキャンペーンを実施するのが通例である。日本国内の場合、路線免許は国土交通省の許認可権限として、長い間、かなり硬直的に運用されてきたから、通常の場合では大きな変化は考えられず、新空港が開港になったときに行われるのが多かった。近年では能登空港の例がある。新空港ができても、

就航する機材がある程度大きくないと団体客を多くとることはできないから、いわゆる観光キャンペーン的なものは行いにくい。

　季節によって需要のシーズン格差が大きい観光地に対しては、航空会社は安定的な需要を期待してキャンペーンを行う。夏休みの家族旅行を誘客する沖縄、北海道などがそのよい例である。

　新空港が開港したときやオフシーズンの時期に、地元の観光局とタイアップしてお土産を提供することもある。ただし、このようなやり方は訪問客の数に比例して費用が発生するので、お土産の原資がなくなってしまうと途端に中止せざるをえず、効果が中途半端になりやすいことに注意すべきである。地元の観光局が、空港の利用実績を作るため補助金を出して人を呼ぶというのは、いかにも即効性があると考えられるが、「熱が出たから熱さまし」的なやり方はキャンペーンとしてのコンセプトも明確でなく、継続性もないことから、さながら金をばら撒くのに似ている。本来のキャンペーンというものは、限られた予算で極大の効果を上げるように企画すべきもので、そこにマーケティングの出番がある。

　国際線の場合は、新路線が就航した都市の紹介を行い、そこをデスティネーションとするパッケージ旅行の宣伝をするのが一般的なやり方である。航空会社の市内オフィスへ行くと、就航都市のポスターが沢山貼ってあるのがその端的な例である。2012年からANAはシアトル、サンノゼ、デリー、JALはサンディエゴ、ヘルシンキの新路線を開設したのに伴いキャンペーンを実施している。

　新路線だけでなく、新しい機材が導入された場合も同様である。2012年にB-787というハイテクで燃費のよい中型機が各社に導入されたことは記憶に新しい。

　IATA（国際航空運送協会）の規則は、このような場合に、無償で旅客を乗せることを認めており、このような招待飛行を「イノギュラル・フライト」と呼んでいる。

(3) 観光局によるキャンペーン（『海外パッケージ旅行発展史』 p 134、p 143 も参照」）

　観光局は国又は地方公共団体の一組織であることが多いから、○○観光局

というのは、その国や地域の利益を代表して、その国の観光振興を図ろうとする組織である。日本には通称であるが日本政府観光局がある。正式には Japan National Tourist Organization（JNTO）という。世界の観光局の中で日本に事務所を置くものは、ANTOR（Association of National Tourist Organization Representative）JAPAN と呼ばれ、外国政府観光局の代表からなる非営利・非政治団体として、旅行業界の諸問題や相互の関心事項に関する意見交換を図り、国際観光の発展をより一層深めることを目的として1966年に創設され、2010年5月現在71団体（観光局53、賛助会員18）が所属している。また、各国政府観光局の現状を比較すると表-17のとおりとなる。

表-17 日本の ANTOR 会員リスト

正会員（53）
北・南米（10）
TIA（Travel Industry Association of America）、ロサンゼルス観光局、アルバータ州観光公社、カナダ観光局、ブリティッシュ・コロンビア州観光局、ハワイ州観光局、メルコスール観光局、ニューヨーク市観光局、ペルー政府観光局、グアム政府観光局
欧州・中東（25）
アイルランド政府観光庁、スイス政府観光局、イタリア政府観光局、英国政府観光庁、オーストリア政府観光局、オランダ政府観光局、ギリシャ政府観光局、スカンジナビア政府観光局、フランス政府観光局、ドイツ観光局、南アフリカ観光局、ポルトガル観光・貿易振興庁、ドバイ政府観光・商務局、スペイン政府観光局、ベルギー観光局ワロン・ブリュッセル、ベルギー・フランダース政府観光局、ハンガリー政府観光局、チェコセンター、ポーランド政府観光局、エストニア政府観光局、エジプト大使館エジプト学・観光局、チュニジア共和国大使館、スロヴェニア観光局、クロアチア政府観光局、トルコ共和国大使館・文化広報参事官室（トルコ政府観光局）
アジア・オセアニア（18）
国際機関日本アセアンセンター観光部、インド政府観光局、ビジットインドネシアツーリズムオフィス日本地区事務所、オーストラリア政府観光局、オーステリア　ニュー・サウス・ウエールズ州政府観光局、シンガポール政府観光局、タイ政府観光庁、タヒチ観光局、フィリピン政府観光省東京事務所、マカオ政府観光局、マリアナ政府観光局、マレーシア政府観光局、韓国観光公社、香港政府観光局、台湾観光協会、独立行政法人国際観光振興機構JNTO、フィジー共和国政府観光局、ニュージーランド観光局

2009年8月現在　ANTOR in JAPAN の資料による

表-18 各国政府観光局の現状比較

国名	機関名	総職員数	海外事務所
日本	国際観光振興機構（JNTO）	138	13
韓国	韓国観光公社	613	27
台湾	台湾観光協会	606	11
中国	中国国家旅游局	133	18
香港	香港政府観光局	325	20
タイ	タイ国政府観光庁	918	22
シンガポール	シンガポール政府観光局	約500	22
オーストラリア	オーストラリア政府観光局	約230	12
ニュージーランド	ニュージーランド政府観光局	約130	10
カナダ	カナダ観光局	154	13
英国	英国政府観光庁	250	32
ドイツ	ドイツ観光局	156	29
フランス	フランス政府観光局	430	33

日本政府観光局（JNTO）「国際観光白書2010」

　これからも分かるとおり日本の観光振興に関する対外宣伝は、「観光立国」を掲げているにもかかわらず、組織規模、予算などの面で未だ十分とはいえないと思われる（第4章2(6)参照）。たとえば、韓国は、予算の面で日本の4倍、人員で5.5倍、フランスは予算で2倍、人員で3倍となっている。

　ANTORに属する観光局は、宣伝、広報、タイアップなどを通じ、自国の観光宣伝をしている。具体的には、管轄する地域を紹介したインターネットホームページの作成による情報発信、DVD、ガイドブックなどを制作し、関係者に配布、定期的に業界向けの雑誌に広報記事を掲載することなどである。また、その国を紹介するTV番組、雑誌の特集記事作成への取材協力、コーディネーターとしての業務、通常は非公開の場所の撮影、取材などの関係機関への働きかけ、取材チームと航空会社、ホテルなどのサービス提供機関との間に入って、航空券、ホテルの部屋その他のサービスの提供などを手がけることも多い。予算が許す場合には、関係のある航空会社、ホテルなどと連携して、報道関係者、旅行会社、関係VIPなどの招待旅行を実施することもある。

　さらに、観光関係の業者が一堂に会する旅行博覧会などのイベントにブー

スを出して、宣伝活動を行うことがある。アメリカで年に一度開催される「POW WOW」がその最大のものであるとされる。ここでは、単にブースに来場した人にチラシを配るだけではなく、主催者側のアレンジで、バイヤーと出展者が20分ずつのセッション（商談）を行うのである。単にひやかしでブースを訪ねるのではなく、そこに関心のある人が、どのようにしたらうまく自分たちのビジネスと結びつけることができるか真剣勝負の場なのである。

　ロンドン、ベルリン、香港、シドニーで開催される「トラベルマート」もある。近年では、アジア諸国で開催されるものも多くなってきた。

　日本で開催されるものでは、旅フェア、旅行博覧会（2011年からは「ＪＡＴＡ国際観光フォーラム・旅博」と名称を変更）が有名で、前者は、主として国内からの出展者、後者は海外からの出展者が中心となっている。

　このような活動は、日本国内にある観光局でも基本的に変わらない。地方の紹介記事を特集するときに必要になる各種の助言と協力を、間に立って行うのが観光局である。観光局自体が、サービスを直接提供する予算を持っていることは少ないからである。

　日本では、高画質のテレビの普及により、旅番組だけでなく、ドラマのロケ地として登場することが大きな力になることから、各地に撮影協力を専門とする、「フィルムコミッション」「ロケーションオフィス」が設立されており、観光局との密接な連携の下で、特色ある撮影地を探し、保存し、エキストラの確保なども含め、活発な販促活動を行っている。たとえば時代劇に強い奥州市ロケ推進室（江刺フィルムコミッション）、滋賀ロケーションオフィスなどの活動が目立つ。

　今までに、ANTORの会員の中で、活発な活動をしてきた観光局には、USTS（米国商務省観光局）、ハワイ州政府観光局、UTAH（アメリカUTAH州政府観光局）、カナダ政府観光局、ブリティッシュ・コロンビア政府観光局、香港（香港観光協会）、台湾（台湾観光協会）、韓国（大韓民国観光公社）、メキシコ（メキシコ政府観光協議会）、BTA（英国政府観光庁）、フランス政府観光局、ドイツ政府観光局、オーストリア政府観光局、ベルギー政府観光局、スペイン政府観光局、オーストラリア政府観光局、ニュージ

ーランド政府観光局、ニューカレドニア観光局、グアム政府観光局など枚挙にいとまがない。

　観光連盟というのは社団法人であることが多いから、その会員の利益を代表している。従って、キャンペーンを行うときも会員である業者の協賛によって、旅行者への特典を付けることが多い。それは逆に言えば、会員外のことは旅行者に知らされないわけで、旅行者はその点に注意を払っておく必要がある。会員のニーズと旅行者の関心が必ずしも一致するとは限らないからである。そのギャップを埋めるのが行政や観光局なのだが、その点が理解されていないところも多く見受けられる。

　日本では観光立国推進基本法に基づき、「観光圏」という考え方が取り入れられて、徐々にではあるが浸透しつつあるのは喜ばしいことである。それまで、旅客の側からすれば、1回の旅行で行きたいにもかかわらず、情報は別々にしか手に入らないということが多かった。それは、観光局が行政区域にリンクしていたからであった。
　たとえば、神奈川県の湯河原は、現在、熱海伊豆と手を組んで販促活動を行っている。地理的にも熱海から1駅10分に過ぎず、伊豆をめぐる前後の方が旅客にとっては便利なのである。にもかかわらず、今までは県が異なるためまったく別の販促活動を行ってきたが、広域観光という考え方の普及とともに販促活動も変化してきたのであった。
　山口県の岩国も、広島、宮島との連携を行っている。観光客のとるルートからみても、その方が自然であろう（後出 (5) 観光圏という考え方を参照）。
　海外旅行ではまだそのようなところまで至っていない。利害関係が大きすぎるからであろう。なんといっても本国本省の意向が強いからいくらANTORのメンバーといっても、日本でそこまではできないらしい。しかしながら、アメリカ合衆国の中でいくつかの州が提携している例はある。東南部の10州（ミシシッピーリヴァーカントリー）[注1]と、西部の5州[注2]が共同でプロモーション活動を行っているのはその例である。
　(注1) ルイジアナ、ミシシッピ、アーカンソー、テネシー、ケンタッキー、ミズーリ、イリノイ、アイオワ、ウイスコンシン、ミネソタ
　(注2) ユタ、アリゾナ、ニューメキシコ、ワイオミング、サウスダコタ

今までの観光業界の歴史に残る観光局のキャンペーンは、ニューヨーク市観光局の実施した「I ♡ NEW YORK」キャンペーンであろう。中心になって動いたのは Ida JONES 女史であった。「LOVE」をハートのマークで表すようになったのもこのときからである。これはアメリカ建国 200 年祭のあとの余勢をかって 1977 年にニューヨークのグラフィックデザイナー、ミルトン・グレイザーによって制作され、このロゴは一世を風靡した（ハートのシンボル「♡」で"Love"を表現している）。このとき、世界的な規模での宣伝を行って、ともすると治安が悪いとして敬遠されがちであったニューヨークのイメージを変えることに成功したのであった。

（4）自治体のキャンペーン

　自治体のキャンペーンの中で著名なものは、京都市と京都市観光協会が毎年行っている「京の冬の旅」「京の夏の旅」であろう（第 4 章 2（1）鉄道会社のキャンペーンも参照）。冬のキャンペーンは 1966（昭和 41）年に始まったから 2013 年 1 月から 3 月にかけて行われているキャンペーンで 47 回を数えることになった。夏のキャンペーンは、冬が始まってから 10 年後の 1976（昭和 51）年から始まった。観光が今ほどかまびすしく話題になる以前から実はあった長く続くキャンペーンなのである。京都は、早くから観光地として有名であり、自他共に認めていたが、ON／OFF の格差が激しく、入り込み客数で見ると 2 月及び 7 月の入り込み数は、2 月は、ピークである 11 月の 3 分の 1、7 月は 2 分の 1 にまで落ち込む（2010 年 2 月 2183 万人、7 月 3519 万人、11 月 6640 万人）。図-10 は京都市の観光客の月別変化を示したものである。

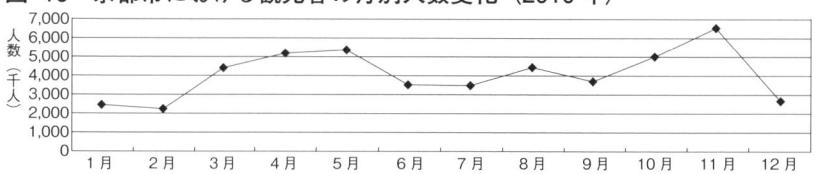

図-10　京都市における観光客の月別人数変化（2010 年）

　観光産業ではオフでも固定経費は必要になるから、オフシーズンの需要底上げは、京都にとって早くからの課題であった。そこで、知恵を出し合った結果、関係する諸団体の協力を得て、普段は非公開の社寺、宝物、庭園などを期間限定で公開することにしたのである。2013 年冬のキャンペーンでは、25 年ぶりに公開される仁和寺金堂・五重塔や、12 年ぶりに公開される聖護

院、11年ぶりに公開される霊鑑寺などが名を連ねているのが目立つ。近年はこれらを定期観光バスの特別コースに含めたり、京都の生活や伝統工芸品を製作するなどの様々な体験をできるイベントも企画されており、特に中高年を中心とした女性に人気が高いと聞く。京都という土地柄か、値段の張るものも少なくないが、このような旅行者が自分たちの日常の生活では体験できないこと、他の土地では経験できないことが人気を博しているのは、やはり、価格に相応する内容と魅力を旅行者が感じるからであり、単に、価格の安さだけではなく、旅行に期待される付加価値というものがあり、それをさらに追求していく必要があるのではないかということを示しているように思われる。オフシーズンという観光地にとってハンディキャップのある時期に、いかに別の魅力となる付加価値をつけていくかという意味において、「京の冬の旅」「京の夏の旅」の2つのキャンペーンは、これからの観光を考える上で示唆に富んでいるといえよう。

(5)「観光圏」という考え方

　これからの地方の自治体のキャンペーンを考える上で重要なのが「観光圏」という考え方である。

　2008（平成20）年に公布された観光圏整備法は、その第1条「目的」の中で「観光地相互間の連携が重要となっている」とし、第2条「定義」で「この法律において『観光圏』とは滞在促進地区が存在し、かつ、自然、歴史、文化等において密接な関係が認められる観光地を一体とした区域であって、当該観光地相互間の連携により観光地の魅力と国際競争力を高めようとするものをいう」とうたっている。

　すなわち、観光地を一つの点ではなく、面として捉えようとするのが観光圏である。また、今まで、物理的距離は遠くなかったのに、行政区域が異なるために共同歩調をとりにくかった地域と地域を「観光圏」の名の下にまとめ、統一的な施策を展開しようとするものなのである。

　これは、基本計画の中の、「国民一人あたりの年間宿泊数を4泊にする」という目標とも密接にかかわっている。あるエリアの中での滞在が延びれば、そこに宿泊する観光客は増加し、それに伴う経済効果も、日帰りとは比較にならないほど大きなものとなるからである。

　たとえば、世界遺産に登録され外国人観光客も多い広島の原爆ドームを見

に行くとしよう。東京からでも大阪からでも、初めての旅行者ならば、「折角、広島まで行くのなら、今年は大河ドラマに出てきた厳島神社も見てこよう」と思うのが自然である。そして、さらにこの近辺に宿泊するのであれば、「ちょっと先にある日本三名橋の錦帯橋も見てこようか」となる。

　広島駅から宮島口駅まで山陽本線の列車で30分弱、広島の市内中心部から路面電車に乗っても1時間もかからずに着く。今までならこれで終わりである。だが、現地から取り寄せた観光パンフレットには、そのあとに岩国の錦帯橋のことも掲載されている。これも国の名勝に指定されている。宮島口から山陽本線の汽車に乗れば広島より近く20分で岩国だ。ならば、と送られてきたパンフレットを見て、計画中の旅行者は、ここにも行ってみようと考えるようになる。宮島をもっとゆっくり見ることにしようか、それとも広島の市内をゆっくり見ようか、あるいは岩国に泊まることにしようかとイメージがどんどん広がっていく。そして、そのエリアの滞在時間が延び、場合によっては宿泊を伴うようになり、滞在時間が延びた分旅行者が費やすお金も増えるというわけである。旅行者がこのような思考過程を経て、旅程を決定するのに何もひっかかるものはないであろう。

　一方、観光産業の立場から見ると、岩国は山口県にあり、広島県の発行するパンフレットに行政区域の異なる山口県の観光スポットを掲載することなど、従来は考えられなかったのである。そういった役所的な発想が観光産業にとっていかにマイナスであるかということにやっと気づいたといってもよい。

「観光圏」という考え方を導入すれば、旅行者にとってはもちろんのこと、受け入れ側にとっても、大きなメリットが生ずるのである。

　湯河原の場合も事情は似ている。湯河原は神奈川県の最西部にあり、泉越トンネルを隔てて、静岡県の熱海に隣り合っている。神奈

JR東日本「伊豆・湯河原へ」のパンフレット

川県には、箱根という大観光地があるが、東京方面からの旅行者は小田原から湯本方面の山に入って行き、箱根のいずれかの温泉に行き、そのまま同じルートを取って帰路に着くか、強羅から仙石原を経て御殿場方面に抜けてしまい、南の湯河原に向かうことは少ないのである。

つまり、湯河原は、箱根とは物理的距離は近いものの、箱根とは別の観光ルート上にある。それを、同じ神奈川県だからと行政区域ごとの観光案内に載せても、観光地として繋がらない。むしろ、伊豆へ行くための玄関口として捉えた方がメリットがあると考えたのは、湯河原の方であった。かくて、行政単位は異なるが、観光産業的には熱海との共同のプロモーションを行った方が旅行者、観光産業の両者により大きなメリットがあるということになった。2012年、神奈川県の湯河原温泉は、静岡県の熱海温泉と共同でキャンペーンを行っている。

九州においても、たとえば、阿蘇、九重、高千穂（熊本、大分、宮崎の3県）、北海道では富良野市と美瑛町が同じような発想のもとに共同してプロモーションを行っている。

観光庁は、このような状況が似ている地域を観光圏として選定し、整備することにした。2012年4月現在で49ヵ所を観光圏として指定している。

観光庁は、観光圏を活性化するために観光圏に対して、優遇措置をとることにした。それは、ひとつには、共通乗車船券による運賃割引手続きの簡素化、また、旅行業法、道路運送法、海上運送法に特例を設け、域内の旅行業者のハードルを下げ、旅客運送業者が需要に応じて弾力的な営業が図れるようにしたことである。

地方には、未だ都会に知られていない観光資源が多々ある。それらの中にはマイナーなものもあるが、それだけに旅情を誘い、都会からの旅行者を喜ばせるものも少なくない。また、その地域でしか体験、体感できないものもある。それらは、地元の人々から見れば普段の生活であって、なんら特別なものとは思えないものが多い。ところが、逆に都会の人々にとっては、そういうことの多くが、珍しい体験や癒しであったり、旅行の魅力になりうるのである。今まで省みられなかったそのようなものや場所、体験を地元から都会に発信して旅行客に来てもらおうという動きが次第に大きくなった。インターネットというコストの安い情報発信の方法が普及し、SNSなどによる、いわゆる「口コミ」が旅行客に大きな影響を与えるようになったことも大きな要因ではあるが、旅行者が比較的容易にそのような場所に行くことができ、体験、体感できるようにする必要もある。これに答えるべく、目的地についてからのこまかなACTIVITYをパッケージ化しやすくするようにしたのである。これを「着地型の小旅行」と呼ぶが、これも本来はパッケージ旅行商品であるから、旅行業法・標準旅行業約款上の「募集型企画旅行」にあたり、要求される条件をクリアーする必要があったのだが、観光庁は観光圏の振興のため、特例を設けて法令の弾力的運用を図ることにしたのである。

着地型の小旅行は地域に密着したものであるから、地元の旅行会社の方が、その企画、運営については、より多くの情報を持っているが、狭い地域を商圏とする地元の旅行会社の中には、第3種旅行業者が多い。第3種旅行業者は、従来、旅行業法によって募集型企画旅行を実施することはできなかった。そこで、旅行業法の特例では、従来資格のなかった第3種旅行業者でも一定の条件の下で、比較的簡単にこのような着地型の旅行を企画・実施できるようにしたのである。これを積極的に行えば、地域の住民は今まで看過していたものを外部の目で見直すことになり、地域の魅力を再発見できることになろう。地域の振興に住民の意識が大きく左右することは言を俟たない。住民に観光的な目と意識を持ってもらうことが地域の魅力の再発見には極めて重要なのである。

前述した（第2章1（7））静岡県東伊豆町稲取温泉地区の場合、すでに27種類の着地型小旅行を造成している。もっとも人気の高かったものは夏季だけで650名の参加者があったという（稲取温泉観光協会資料）。

観光圏の発想は、行政区画の境を取り払い、観光客本来のニーズと行動を優先した点で、観光行政、観光政策の大きな前進を示すものであったといえよう。

(6) VJC ——外国人による地域の活性化

前述したように、VJCとは、国土交通省が2003年から始めた「Visit Japan Campaign」の頭文字をとったもので、2003年、小泉首相が1月の施政方針演説で述べた「2010年までに訪日外国人旅行者数を1,000万人にする」との政策目標を達成するため、2003年4月から国、JNTO、地方自治体、民間企業等が共同して行った訪日外国人誘致のための戦略的キャンペーンで、国土交通大臣が実施本部の本部長となり、12の重点市場を設定して、市場ごとの特性に応じた様々なキャンペーンを実施した。日本を訪れる外国人観光客を2002年の524万人から2010年までに倍増の1,000万人にしようとする一大キャンペーンであった。

キャンペーンのキャッチフレーズは、「YOKOSO！JAPAN」で、広く日本中に知れわたり、耳にした読者も多いであろう。

VJCは、国土交通省の方針の下、実際の運営はJNTOが行ってきた。JNTOは以前から特殊法人国際観光振興会として外国人観光客の誘致を行ってきたが、政府内に観光立国の機運が盛りあがり、また、民営化が進む中にあって2002（平成14）年12月18日に現在の組織に衣替えしたのである。

事業は大別して、国とJNTOが行う「中央事業」と地方運輸局が地方自治体、地方経済界などと行う「地方連携事業」があり、中央事業としてJNTOは重点市場となる国において、日本の観光の魅力を発信するためのPR、宣伝活動の実施、各種の情報発信、メディア、旅行関係者の日本への研修旅行、海外の旅行博覧会などへの出展、旅行容易化と、魅力的な訪日旅行商品の造成や販売支援、共同広告などを行った。

地方では、外国人向けのパンフレット作成をはじめとして、情報発信のための関係者の招請、日本向けの旅行商品造成のための関係者の招請などが多く実施された。

受け入れ側でも、外国語によるサインボードなどの表示の拡大、インフラ

の整備、人材の育成、ホスピタリティ産業での接遇対応の向上などが実施され、大きく改善された点も多かった。

2000（平成12）年からの訪日外国人の数の推移を表したのが図-11である。それまでのかなり長い間、横ばい、微増の状態が続き、2003年のキャンペーン開始前の17年間における数の増加は315万人であったが、キャンペーン開始後はわずか4年で314万人の増加となった。これをすべてキャンペーン実施による効果と考えるわけにはいかないだろうが、観光にはいろいろな要素が絡むことから外国人の誘致を組織的な連係プレーで行うことは、かなり重要なことであることが理解できよう。

図-11 訪日外国人旅行者数推移

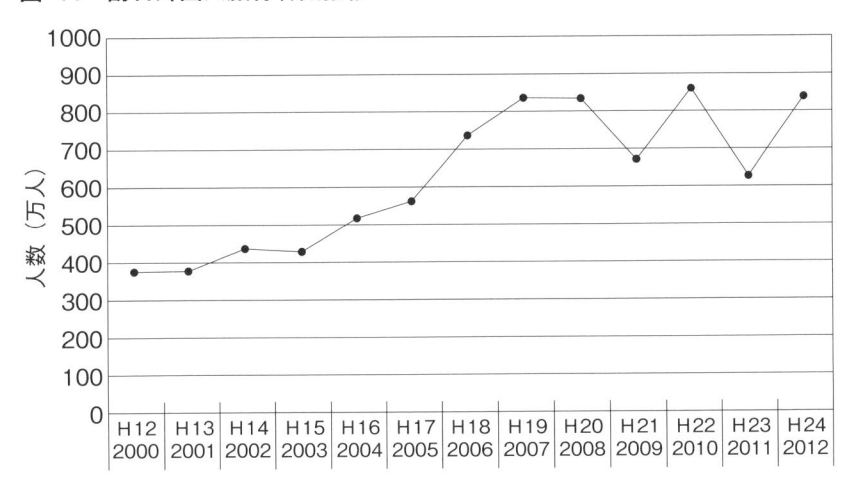

定住人口の減を人の交流によって補うという戦略から観光立国はスタートした。国の試算によれば、定住人口1名の減に伴う経済効果のマイナスは外国人の来訪者7名によって相殺できるとされ、日本人の宿泊を伴う旅行では22名によって、日本人の日帰り客の場合は77人がその地域を訪れることによって相殺できるとされる。言うまでもなく、外国で稼いだ富が日本で消費されるのが一番の経済効果をもたらすのは、容易に理解できよう（第5章「観光による経済効果」の項も参照）。

2010（平成22）年の旅行消費額23.8兆円の内訳は次のとおりである。
①外国人によるもの　　　　　　　　　1.3兆円　　シェア　5.7％
②日本人の日帰り旅行によるもの　　　5.1兆円　　　　　21.4％
③日本人の宿泊旅行によるもの　　　 16.1兆円　　　　　67.5％
④日本人の海外旅行の国内部分によるもの　1.3兆円　　　　　5.4％

上記の中で、外国人によるもののシェアはわずかに5.7％でしかない。これを大幅に伸ばすことができれば、経済効果は大幅にアップすることが可能になる。ここにＶＪＣの観光政策としての戦略的な意味がある。

JNTOは2011年現在海外に13の事務所(注)を有し、日本への誘客宣伝に当たっている。これを、他の国の同様の組織と比べると前出の如くなるが、「観光立国」の看板のわりには規模的に貧弱な感は否めない（第4章2(3)「プロモーション」の項も参照）。

（注）ソウル、北京、上海、香港、バンコク、シンガポール、シドニー、ロンドン、パリ、フランクフルト、ニューヨーク、ロスアンゼルス、トロント

海外事務所は、現地での各種の広報活動、インターネットによる情報発信、TV宣伝、新聞雑誌などの活字媒体での宣伝、取材協力、現地旅行会社スタッフ、キーパーソンの招待旅行の実施、タイアップへの協力など、幅広い活動を行っており、日本におけるANTORの活動と同じである。

VJCに際して小泉首相自らが登場する30秒のTVCMも制作、放映され、また、日本の魅力を紹介したDVDの制作、配布などかなり具体的な施策が多く実施された。

ミシュラン『グリーンブック』と(右)『レッドブック』

また、JNTOが制作したプロモーションDVDは4分22秒で、そこに出てくる映像は、京都、浅草、奈良、厳島といった伝統的な場所、温泉、桜、蔵王の樹氷などの自然はもとより、都をどり、阿波踊り、祇園山笠などの年中行事、新幹線、秋葉原電気街、アニメなどの最近の日本を象徴するものまでが紹介されている。

特に白人マーケットに影響力の

あるガイドブック発行会社であるミシュランに働きかけて日本を紹介するガイドブック（『ミシュラン・グリーンブック・ジャポン』）を制作してもらったことは記憶に新しいし、ミシュラン・レストランガイド日本版（『ミシュラン・レッドブック』）が発行されて東京、関西のレストランが紹介されて話題になったことを知る人も多いだろう。

『グリーンブック』の内容をよく見ると、単にその観光地に関する説明に止まらず、関連する言葉、背景となる文化の説明までも記されている。また、観光地の見出しに日本語が併記されているのも、旅行者の便を考えたミシュランならではのものといえるだろう。

『グリーンブック』が発行されたお蔭で、京都を初めとする観光地には、ヨーロッパ人が増えたことが実感として感じられるようになったし、『レッドブック』に紹介された店の予約がとりにくくなったことなども、よく、耳にするようになった。

　日本を訪れる外国人は、国籍によってその動機、目的が異なる。JNTOの調査によると、主要国の旅客の日本へ旅行の動機は表-19のとおりであった。

表-19　外国人旅行者の訪日動機

- 全市場で、「日本の食事」に対する期待が高い。
- アジア地域は、温泉、ショッピング、自然景観への期待が高く、欧米では、伝統景観、旧跡、日本人の生活に対する興味が高い。

	英国		米国		カナダ	
1	日本の食事	74.8	日本の食事	70.7	日本の食事	66.4
2	伝統的な景観、旧跡	63.2	伝統的な景観、旧跡	59.5	伝統的な景観、旧跡	56.2
3	大都市の景観、大都市の夜景	47.2	ショッピング	49.6	ショッピング	54.7
4	日本人の生活に対する興味・交流	46.0	日本人の生活に対する興味・交流	47.2	自然景観、田園風景	43.1
5	ショッピング	45.4	自然景観、田園風景	45.3	伝統文化の体験・鑑賞	41.6

	ロシア		ドイツ		フランス	
1	日本の食事	75.0	日本の食事	77.5	日本の食事	79.6
2	大都市の景観、大都市の夜景	67.9	伝統的な景観、旧跡	60.7	日本人の生活に対する興味・交流	59.3
3	自然景観、田園風景	53.6	日本人の生活に対する興味・交流	56.2	伝統的な景観、旧跡	56.3
4	日本人の生活に対する興味・交流	53.6	ショッピング	48.3	自然景観、田園風景	50.3
5	伝統的な景観、旧跡	42.9	繁華街の見物	41.6	大都市の景観、大都市の夜景	48.5

表-19 外国人旅行者の訪日動機つづき

中国		
1	温泉	62.0
2	ショッピング	54.0
3	日本の食事	51.2
4	自然景観、田園風景	50.9
5	伝統的な景観、旧跡	32.0

韓国		
1	日本の食事	41.3
2	温泉	39.1
3	ショッピング	31.6
4	自然景観、田園風景	28.2
5	伝統的な景観、旧跡	23.9

台湾		
1	温泉	54.1
2	日本の食事	54.1
3	自然景観、田園風景	50.8
4	ショッピング	47.2
5	伝統的な景観、旧跡	39.9

マレーシア		
1	日本の食事	73.3
2	ショッピング	58.7
3	自然景観、田園風景	48.0
4	温泉	40.0
5	伝統的な景観、旧跡	34.7

香港		
1	日本の食事	71.5
2	ショッピング	70.3
3	自然景観、田園風景	41.5
4	温泉	39.7
5	繁華街の見物	26.1

タイ		
1	日本の食事	60.8
2	ショッピング	56.6
3	伝統的な景観、旧跡	51.0
4	温泉	46.2
5	自然景観、田園風景	45.5

オーストラリア		
1	日本の食事	72.0
2	ショッピング	52.1
3	伝統的な景観、旧跡	45.6
4	繁華街の見物	35.2
5	日本人の生活に対する興味、交流	34.5

シンガポール		
1	日本の食事	76.0
2	ショッピング	58.3
3	自然景観、田園風景	53.1
4	温泉	52.0
5	伝統的な景観、旧跡	32.0

インド		
	ショッピング	63.6
	日本人の生活に対する興味、交流	63.6
1	繁華街の見物	36.4
	日本の食事	36.4
4	自然景観、田園風景	36.4

出典：JNTO訪日外客訪問地調査2009

これを要約すれば、白人系の国の人たちの動機・目的は、①伝統文化、歴史的施設、②日本人とその生活、③日本という東洋の国を訪問することへの憧れ、またアジアの国の人たちの動機・目的は、①買い物、②温泉、リラックス、③自然、景勝地などの実際的なものが多くなっている。
　このような訪問目的の多様性に対処するため、国ごとに細部の宣伝内容を変え、その国の旅客が日本に求めるものを情報として提供するように留意されている。

　VJCは2010年を最終目的の年とし、追い込みをかけた。前年が世界経済の悪化を受けて、大きく落ち込んでしまったこともあり、JNTOは「Visit Japan Year」と位置づけ、積極的な展開を図った。さらに、観光庁長官の交代にともない、キャッチフレーズも新しく「Japan, Endless Discovery」となった。

　リピート化を狙った外国人受けのよい感じのものであるが、うがった見方をすれば、総需要喚起だけでなく、リピート化による訪問者の増大を意図しているとも受け取れる。
　VJCの開始から4年間で訪日外国人の数は314万人の増加となり、これは1986年からVJC開始までの15年間の増加数にほぼ等しくなったことでも、キャンペーンの効果がいかに大きかったかが理解できよう。
　結果的に、2010年の訪日外国人旅行者数は861万人に達したが、重点市場である国との為替レートの大幅な変動や想定外の出来事が起きたことにより、残念ながら1,000万人には届かなかった。
　今後ますます、外国人誘致は重要度を増す。一方で、4分の3を占めるアジア系の観光客の問題点も指摘され始めている。アジア人観光客が増えても訪日外国人旅行に携わる日本の旅行業者に金が落ちにくいという構造上の問題も指摘されている。これからは、単に、数だけではなく質も向上させる政策が望まれている。
　とまれ、VJCはテンミリオン計画と並んで、戦後の観光行政の双璧といってよいであろう。
　VJCが単に観光産業のみならず、もっと大きな意味を持つキャンペーンであったと言っても過言ではあるまい。VJCの終了後は、観光庁がビジッ

トジャパン事業として関係業務を継承している。

（7）ケーススタディ——キャンペーンとしての「平城遷都1300年祭」

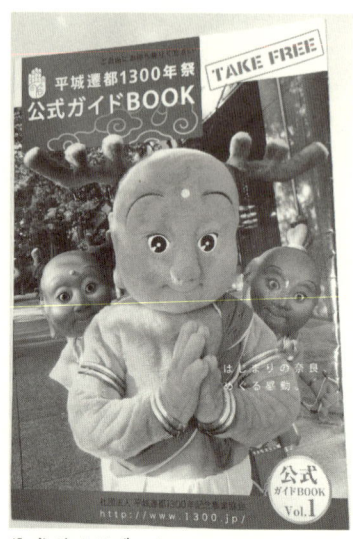

2010（平成22）年奈良県全域で「平城遷都1300年祭」が開催された。

これは、現在の奈良市に平城京が建設された710（和銅3）年から1300年が経ったことを記念し、過去を振り返ることにより現在を見直し、これからを展望するとの趣旨で、2010（平成22）年1月1日から12月31日まで奈良県内各地で実施された長期の記念行事である。観光プロモーションないし観光政策の観点からこれを考察してみると、他の博覧会とかなり変わった様子が浮かび上がってくる。

同祭はメイン会場と県内各地のイベントで構成されていた。メイン会場における会期は4月24日から11月7日までの198日間であったが、他の地域では年間を通じて季節ごと個別に様々な行事が行われた。全体のキャッチフレーズは「はじまりの奈良、めぐる感動」であった。

公式ガイドブック

メイン会場である平城宮跡には文化庁によって復元された第一次大極殿が建ち、平城京歴史館が作られ遣唐使船のレプリカが置かれていたが、その他にはパビリオンのような大きな建築物は作られなかった。これがまず第一の大きな特徴であって、今回のコンセプトは、従来のパビリオン形式の博覧会と異なり、平城宮跡という場所で歴史体験をしてもらうものだったのである。県内の各地域においても、点在する社寺において、普段は見ることのできない秘宝、秘仏の特別公開、地域イベント、伝統行事を核とした歴史体験がその主たるものであった。このようなさまざまなものを歴史体験という統一的なコンセプトにまとめ、メイン会場から県内各地に見学者を回遊させるように仕向けることによって、県内での滞在時間を増やし、経済効果が各地に波及することを意図したものであった。

最近、テレビ番組の多様化で仏像の紹介が多く見られるようになったが、

それを実際に見ようと思うとなかなか大変だ。TVのために「特別に」開くことはあっても、旅行者が見ることができないのが多くの仏像だ。保存のため致し方ないといえばそれまでだが、興味ある者には、なんとなく納得がいかないものだ。だから期間を限定されても、実物にお目にかかれるのはとても嬉しいというのが旅行者の本音だろう。

　主催者である社団法人平城遷都1300年記念事業協会の公式発表によれば、この秘仏・秘宝特別開帳、特別講話に来場した人の数は457万人で、社寺によって異なるが前年比2倍から10倍であった。このほかにも、地域イベント、伝統行事などへの来場もあり、県内各地への来場者は、予想の1,000万人を大きく上回る1,777万人となった。

　遺跡の多い奈良においては、新しいハコモノを作らないというのは基本的なスタンスなのであろうが、ソフト（今回の場合で言えば「歴史を感じさせるsituation」を来訪者に提供すること）が充実していれば、十分に観光客を惹きつける魅力となることを示した点でその意味は大きいといえ、大阪万博以来続いてきた新たにハコモノを多数作るイベントから転換して、成功させたことは、特筆されて良いと思われる。

　次に、基本的な入場料はとらず、歴史館など特定施設だけに限って入場料を徴収しただけであったことが他の場合と異なっていた。最寄り駅である近鉄西大寺駅、JR奈良駅から会場までシャトルバスが運行されたが、これも無料であった。

　組織委員会は、同祭を運営するため、これらの費用も含めて100億円の予算を計上したが、基本的な入場料をとらないため、別の形である程度の収入を確保する必要があった。たとえば、祭りのシンボルキャラクターとして「せんとくん」が作られたが、これによるライセンス商品のアイテム数は266種類にのぼり、194社と契約し契約金は約50億円にものぼった。キャラクターのメディア露出によって、祭りの宣伝効果は大幅に高まる。今回、祭りにかかわるメディア露出は奈良県外の新聞掲載4,587件、テレビ放映は702件で放映時間55時間6分にのぼったが、これらが県外からの旅行客の比率を高めることになったことは想像に難くない。テレビの中でも、JR東海のキャンペーン「うまし うるわし 奈良」が関東地区を中心に年間を通じて継続的に放映され、県内各地の寺社を中心に露出されたのが大きい。

平城宮跡で実施したアンケート (n = 3,000) によると来場者の 79 % が県外からの来場者で、その内近畿圏以外からの訪問者は 47 % あった。県の旅行者動態統計によると、例年の数字は 30 % 程度であるので「平城遷都 1300 年祭」の開催によって、近畿圏以外からの訪県者を増加させたと考えられる。
　これらの結果を考察すれば、観光振興における情報発信の重要性が再認識させられるであろう。
　近畿圏からの来訪者は日帰り客が多数を占めたと考えられるが、一方で回答者の 29 % が宿泊したと答えていることから、他府県からの来訪者の大多数が宿泊を伴って旅行をしたと考えられる。ただ、宿泊したと答えた人 29 % のうち、県外に宿泊したと答えたものが 9 % もあり、奈良の観光事情を考える上で大きな課題を提示している。すなわち、奈良に泊まらなかったのではなく、泊まれなかった訪問者が多かったと考えられるのである。事実、祭りの前後で、奈良における宿泊施設の数は平成 21 年度の 531 カ所から平成 22 年度 549 カ所と増えていない。延べ宿泊者数は平成 21 年度 255.7 万人に対し、平成 22 年度は 322.1 万人と 26 % の増加となっているものの、宿泊希望者を十分に吸収しえなかったことが考えられる。
　思いがけず奈良の宿泊施設が十分でないことを露呈してしまったことは誠に残念であり、今後の奈良の観光を考える上で大きな課題であるといえよう。

　最終的に「平城遷都 1300 年祭」への来場者数は、メイン会場である平城旧跡には 363 万人（1 日平均 1.8 万人＝対予測値 1.5 倍）、県内各地「めぐる奈良」には 1,777 万人、合計 2,140 万人で、これは協会事務局の予測値 1,250 万人に対して 1.7 倍であった。
　県内各地の寺院では来場者が対前年比 + 20 〜 50 % と大幅な増加となり、博物館などの入場者数も大幅増加した。例えば明日香村にある「万葉文化館」は前年比 + 44 %、橿原考古学研究所博物館 + 55 %、奈良国立博物館 + 13 %、奈良市観光案内所 + 27 %、県庁屋上展望台 + 47 % であった。
　前出のアンケート (n = 3,000) によって訪問者の属性を見ると男性 28 %、女性 72 % で、年齢別では、〜 20 代 11%、 30 代 18 %、40 代 19 %、50 代 18 %、60 代〜 34 % となっており、女性、中高年が多かった。
　鉄道の利用状況（定期外乗降客数）では、大和西大寺 + 18.7%、西の京

+28.0％、信貴山下＋18.3％、吉野＋18.4％となっており、鉄道輸送で2桁の伸びはかなりの増加であることを考慮すれば、各地で万遍なく旅客が増えたことを示している。

団体旅客が利用するバスの状況を、県営の駐車場における観光バスの駐車台数で見ると前年対比＋45％となっている。

このように実施された「平城遷都1300年祭」に対して概括的な評価を与え、問題点を指摘するならば、以下のようになろう。

①「平城遷都1300年祭」が1年間の長期に亘って実施されたことは、奈良を訪れる観光客に季節の選択を与えたが、観光産業にとって重要な需要の季節変動を和らげるまでには至らなかった。それまでの奈良県の月別入込数は、2009年の場合、初詣など特殊要因のある1月を除くと、2月が最低、4月が最高でその数は2倍にも及んだが、「平城遷都1300年祭」が実施された2010年には、オンシーズンの月に訪問客がさらに上積みされた形となっており、（図-12　奈良県訪県者動向）これを、たとえば京都市観光協会が中心となって実施している「京の冬の旅」では、真冬にも旅行者が見られるようになって、季節変動が緩和されていることを考えれば、これは、奈良県の観光を考えるうえで、今後に向けての大きな課題と言えよう。

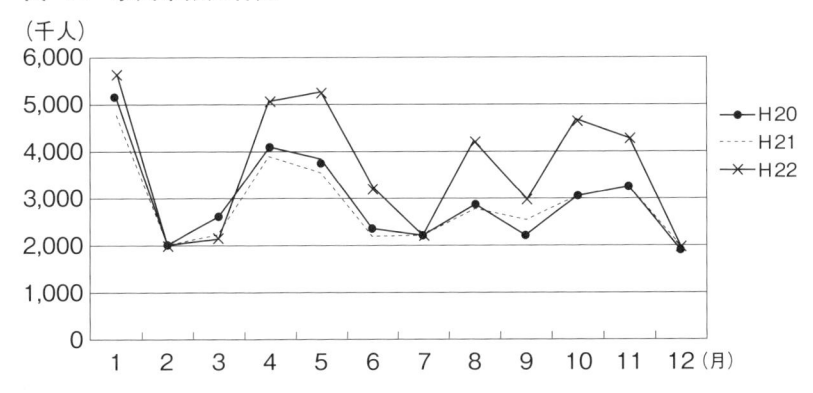

図-12　奈良県観光客数

②次に、「平城遷都1300年祭」が平城宮跡のみならず全県にまたがって開催されたことは、地域住民に対しては、観光への意識を目覚めさせ、自分たちは傍観者ではなく参加者であることを否応なしに意識付けることになり、

各々の地域での観光資源の発掘はもとより、観光地としての魅力を再発見させるように働いたと考えられる。

　前出の訪問者アンケートの結果を見ても、満足度57％の中でも職員、ボランティア等の対応が64％で目立っていることは、ボランティアガイドやスタッフとして働いた住民の熱意と誠実さと見ることもできよう。これは、地方に住む住民が、初めて「観光」というものを実感して、「部外者」の意識から「参加者」の意識に目覚めたことを示しているとも受けとれる。

　③奈良県は、予想以上に多様な地域から成り立っていて住民の意識も様々であるし、県民の観光に対する意識も「大仏商法」（「何もしないで待っている」）と揶揄される如く、著名な観光地でありながら必ずしも高くない。また、一方で世帯あたり貯蓄額2,150万円（全国第1位、2008年）、ピアノ、PC普及率第1位という「耐久消費財王国」であることから理解されるように、無形なもの、不確かなものに対して投資を嫌う県民性の傾向が見てとれ、観光に必要な投資も積極的に行われていないのが現状である。これらの地域を統一的に一つの祭りの中でまとめていくのは難しいから各地域の住民が同じテーマに基づいて心を一つにするためにはシンボルが必要であった。その意味において、今回作られた「せんとくん」は、祭のシンボルキャラクターとして、住民の参画意識を高めるのに有効に作用したと考えられる。

　④会期も半ばを過ぎた9月から10月にかけて「東アジア未来会議　奈良2010」の名の下に16の国際会議が立て続けに開催された。その主要なものは、ＡＰＥＣ観光大臣会合（9/22～23）、世界宗教者平和会議40周年記念事業（9/25～27）、東アジア地方政府会合（10/6～8）、世界歴史都市会議（10/12～15）、東アジア比較文化国際会議（10/23～25）であって、これらに42の国と地域から延べ796人が参加し、奈良を国際的な知名人に対して知らしめることになり、「平城遷都1300年祭」との相乗効果により国際的な認知度アップにつなげることになった。これは、MICEの振興が観光立国推進の中で大きな役割を担っていることを考えれば時宜を得たものであり、また、観光立国推進基本計画にも準拠したものであったと評価しうるであろう。

　⑤今回の記念行事実施による経済効果は、およそ以下の如くで、奈良県内における直接効果は650億円（対事業支出6.2倍）、経済波及効果は970億円（対事業支出9.2倍）、雇用創出は10,300人となり、開催前の予想数値に比べて、それぞれ＋40％、＋30％となった。

また、奈良県の労働人口は 53.2 万人であるので（平成 19 年）、雇用を 1.9 ％押し上げたことになる（経済効果については、第 5 章「観光による経済効果」の項も参照）。
　以上の如く、観光による地域の振興という見地から、経済効果は予想をはるかに上回る成果を上げたことが指摘できるが、同時に、運営方式に斬新な手法を取り入れたこと、県内・県外の交流がかなり行われたこと[注]、地域住民の観光に対する意識が変わりつつあることなどを考慮すれば、「平城遷都 1300 年祭」は、観光振興のキャンペーンとして成功したと言い得るであろう。
　（注）アンケートによると複数の施設・イベントへの参加者は 57 ％であった。

　奈良県がさらに観光振興を図っていく上での課題は、観光施設インフラとりわけ宿泊施設の整備であろう。また、歴史体験という付加価値を今後とも継続して、奈良県の観光振興の起爆剤、目玉としていくのならば、多彩な伝統行事、地域イベントを体験するに必要な要素、すなわち、寺社のある交通不便な場所までのアクセス、拝観可能な日時、必要な予備知識、説明などをセットした着地型の旅行を造成していくことも必要になろう。さらに、「平城遷都 1300 年祭」終了後も同祭による奈良県への関心、知名度アップをテコにして、プロモーションの継続や、国際会議、スポーツ合宿、奈良マラソンなど MICE の誘致が行われており、飛鳥アートプロジェクト等のイベント継続や、2012 年が古事記成立 1300 年であることにかけて新たに「記紀万葉プロジェクト」や、「平城宮跡にぎわいづくり実行委員会」を立ち上げたことは、折角の賑わいを見せた「平城遷都 1300 年祭」が一過性のものに終わらないようなしくみを作るということに他ならず、今後の動向にも注意しておきたいと思う。**観光による地域の振興の一つのキーポイントは、継続性にあるからである**。これからの奈良県の観光による地域振興がさらに期待されるとともに、その結果次第では、奈良が自らの力で、真の意味での観光都市に脱皮できるのでないかと考えられる。
　（注）本稿中の数字は、特記するものの他は、「平城遷都 1300 年祭」組織委員会の公式報告書に基づく。

(8) キャンペーンの重要性

　以上の事例からも、観光振興におけるキャンペーンの重要性が理解できるであろう。情報化時代といわれる今日においても、いや、それは逆に、情報の氾濫が現出しているがゆえに余計に、どのような情報が旅行客に必要とされているのかを見極め、選択し、しかも自信を持って発信してゆくことが重要になる。ここで、「自信を持って」ということがとりわけ大きな意味を持つ。ある種の「情報誌」に見られるような、何でも無差別に掲載するというやり方は、キャンペーンの効果を薄めてしまう。**情報がフラット化**してしまうがゆえに、情報の重みが読者（旅行者）に正確に伝わらないからである。先にも述べたように（(2) キャンペーンとプロモーションを参照）、そのキャンペーンを何のために行うのか、何を主たるターゲットして行うのか、キャンペーンの主体となるところをまず、はっきり認識しておくことが重要である。

　情報を選択し、自信を持って発信してゆくこと、それは、発信する側の主観が多分に作用するにしても、選択の仕方が十分に公平、かつ、説明のつくものであれば、読者（旅行者）を納得させるだけのものを持つ。つまり、観光キャンペーンが、来訪者にとっての統一性を持つことが必要なのである。主催者側の論理だけで実施すると、来訪者との期待や憧れとの間にギャップが生じ自己満足に終わってしまう。観光振興のきっかけはいろいろあり、それをベースにしつつも、その時代に何が求められているのかをマクロな視点で捉えることが必要である。

　読者はこれから行ってみたいと思っている日本のある地域のことについてどれだけの知識があるか考えてみればよい。地名ぐらいは聞いたことがあっても、そこに何があるのか、沢山のものがある場合、どのようにプライオリティをつけたらよいか、何ゆえに多くの中からそれらを選んだのか。どのように行くのが最も時間的、経済的であるか、そして現地の住民に近いやり方であるか。それらが理解されれば、その地域は、その旅行者にとってかなり強い印象を残すことができ、リピートのきっかけになるであろう。なぜなら、それらの地域は、一度訪問したことによって、旅行者の頭、心つまり身体の中にまとまったものとして残るからである。断片的なものでは、訪問した場所と場所が相互に作用しあうことがないから、よほどの強烈なことでもない限り、ただのはかない思い出に終わってしまうであろう。つまりその地域を理解したことにはならないのである。

キャンペーンを実施するについては、先にも述べたように（第4章2(3)観光局によるキャンペーンの項を参照）、キャンペーンは限りある予算で極大の効果を志向するものであるから、訪問客の数に比例して費用が発生するものは、観光的にプリミティヴな地域を除けば基本的に好ましくない。
　このような制約の中で、どのようなマーケティングを行うか、キャンペーンの成否は、計画の段階にすでにあるといっても過言ではない。
　キャンペーンというと金をばら撒くように思っている人が多いのはとんでもない誤解である。そのためのツールを作るのが広告代理店の仕事だと考えている輩も相変わらず多い。先に述べたようにマーケティングなくしてツールをつくっても、それは作る側のマスターベーションに過ぎない。
　過去に成功したキャンペーンは、主催者側の意図したことが（結果として）達成されるように、どのように旅行者に、旅行者のニーズをはっきり意識させ、引き出し、それを助け、答えていくかという作業が非常にうまくいったものであるということができよう。
　「キャンペーン」という言葉を勝手に解釈して、何かふわふわとしたものと思っている限り、それは主催者側のキャンペーンであっても、旅行者にはキャンペーンと受けとられないのである。

(9) キャンペーンと観光地——観光地は作られる（観光産業の生産者側からの視点で）

　今までの考察から、「観光地」といわれるものは、実は作られたものであることが理解できるであろう。観光のためのきっかけになるもの（いわゆる「観光資源」）があるだけでは、観光地としては不十分なのであって、そこに旅行者の必要なものを付加しなければならない。必要なものがなければ、魅力はあっても行けないし行かない。
　旅行者にとって、不必要なものを付加すると「俗化してしまった」といわれて評価が下がる。それらを見極め、旅行者を増やすだけでなく、リピートしてもらうための施策を講じること、それがその地域の観光政策ということができるであろう。

第5章
観光による経済効果

　観光は、旅行業法にも、「運送、宿泊その他のサービスからなる」と謳われているとおり、多様な産業から構成されており、その経済的な波及効果は予想より大きく、地域社会に与える影響が大きい。ここで、観光行動を、
　①日本人の日帰りと宿泊の観光旅行による経済効果
　②訪日外国人の観光旅行による経済効果
　③ MICE（大会、博覧会、コンベンションなどの大勢の人々が内外から集まるイベント）
の3つの側面からどのような経済効果があるか考察してみよう。

1. 日帰りと宿泊の経済効果

(1) 所得
　観光の経済効果としてまず挙げねばならないのは所得の創出である。
　観光は様々な消費行動を伴うから「見えざる輸出（移出）」ともいわれている。
　第1章で取り上げた東京や大阪からの観光客が京都へ行ったときの行動の中で経済的な部分だけを抽出してみよう。

　　東京⇒　　　　　　京都駅⇒（バス）⎫
　　大阪⇒（阪急電車）⇒ 河原町⇒（バス）⎬ ⇒　銀閣寺⇒（バス）⇒嵐山
　　　　　　　　　　　　で昼食……嵯峨野を歩く⇒（嵐電）⇒太秦映画村⇒
　　　　　　　　　　　　（バス）⇒祇園で甘味を食べる……京風の旅館に泊まる
　　旅館⇒（バス）⇒博物館を見学する⇒（バス）⇒清水寺……地主神社で恋
　　愛成就を祈る……三年坂を歩く……清水焼をお土産に買う……
　　　⎰⇒河原町⇒（阪急電車）⇒大阪
　　　⎱⇒京都駅⇒　東京

この中にある消費行動を運送系、宿泊系その他のサービスに分類すれば、次のようになる。
- 運送系……鉄道運賃、バス代
- 宿泊系……旅館宿泊代
- その他のサービス……昼食代、喫茶代、入山料、入場料、おみくじ料、お土産の代金

たった1泊2日の間にこのような沢山の経済活動が絡んでいる。

これらの行動の受け手となる産業は、これによって収益が増え、従事している人たちの生活を支えている。彼らは、その結果、収入として得た金のいくばくかを支出する。それは、生活のための支出が大きいから、直接観光系の産業にすぐに金が回るわけではないが、それらの消費行動によって、また、次の消費行動が生まれる、というサイクルが動き出す。それは無限に続くが、最初の消費行動に対する波及効果は、限界消費性向（MPC──MARGINAL PROPENSITY to CONSUME）を一定と仮定すれば観光企業の投資と乗数効果は、

乗数 $=1/(1-$ 限界消費性向 $) = 1/$ 限界貯蓄性向

を用いて、計算できる。

すなわち、受け取った金額の50％が支出されるというサイクルが続けば、波及効果Sは、最初の消費額aに対して次の式で与えられ、

$S = a + 0.5a + 0.5 \times 0.5a + 0.5 \times 0.5 \times 0.5a + \cdots$
$= a (1 + 0.5 + 0.5^2 + 0.5^3 + 0.5^4 + \cdots)$
$= a \{(1-0.5^n)/(1-0.5)\}$

nが無限に繰り返されると 0.5^n は0に近づくから、

$S \rightarrow a (1/0.5) = 2a$ と算出される。

観光産業の場合は、経験則として限界消費性向が52％前後であることが知られているので、波及効果は2.09倍となる。

このような考え方を持って実例に当てはめると、観光庁の試算によれば、平成20年度において、日本人の国内宿泊旅行の増加により、東京、名古屋、大阪の三大都市圏からその他の地方に1.8兆円が移転したと試算されている。

新たに投資が行われる場合、例えば、ホテルが新築される場合を想定してみよう。

設計業務から始まって、建築資材としての鉄鋼、セメント、木材、壁土など、また、インテリア用資材、バスルーム用資材など様々な資材が必要になるから、これらの製造、流通にかかわる業者の収益に寄与する。また、家具、調度品類（ベッド、箪笥、デスク、テーブルなど）、電気製品（電話、TV、冷蔵庫、湯沸かし器など）も必要になる。

建設工事にあたっては、建設会社に支払う人件費が発生する。

これらに伴う金は、前述と同じように、関連産業に波及効果をもたらす。

(2) 雇用

ホテルの開業に伴って新しい雇用が発生する。従業員として雇われる人は、それによって得た収入によって生活するわけだから、彼らの収入のうち50％程度が支出され、それによって、スーパーなどの生活関連業者の売り上げが増え、従業員の収入となる。彼らの収入のうち50％程度が生活のために支出される、というサイクルができて波及効果をもたらす。雇用の発生率は、ホテルの規模とカテゴリーによって異なるが、例えば、高級なホテルでは、100室のホテルで137人程度、40室の旅館で22人の新規雇用が見込めるとされている（第2章1（3）温泉地を取り巻く状況の変化を参照）。

また、ホテルの営業に必要な食糧、日用品（石鹸、シャンプー、ペーパー類など）が大量に消費され、さらに、水、電力、ガス、石油などの需要が増加するのに従い、これらを扱う会社の収益が増える。

ホテル以外でもたとえば、屋久島（人口13,700人）では世界遺産指定に伴うエコツアーの増加で200人の新規ガイドの雇用を生み出したし、知床では「流氷ウォーク」に多くの自然ガイドが必要となり、漁師が冬でも出稼ぎをしないで済むようになったといわれている。

観光産業では、接客業務を伴う部分が大きいことから、事業拡大に伴う他地域からの労働移動効果も期待でき、支出の効果が多方面に亘ることも特徴的である。

すなわち、旅行者による消費行動も、それを受け入れる観光地域の側も観

光業以外を巻き込んだ形の経済活動が行われるのが大きな特色となっている。

このように、観光業での雇用の創出には、直接的な雇用（一次的雇用創出効果）と間接的な雇用（他産業での雇用創出＝二次的雇用創出効果）があり、雇用による波及効果も見逃せない規模となっている。

2010年暦年ベースの直接雇用は229万人で全雇用の3.6％を占めており、産業別雇用者数の第3位、波及効果雇用推計424万人で全就業者の6.6％を占めていると推計される。

(3) その他

観光産業の事業が拡大すると、それに伴って、一次、二次産業への後方連関効果も期待できるし、観光産業が活発な地域では、インフラ（電力、ガス、水道、下水道、道路の舗装、宿泊施設、公園、トイレ、案内板など）の整備が進み、住民の利便性が増す。また、地域交通の整備（鉄道、バスの本数が増える、タクシーの台数を増やす、地方空港が整備、新しく開港するなど）が行われる。

このように、観光産業の振興は、社会基盤整備の効果をもたらし、結果的に住民の福利厚生、生活レベルの向上にも寄与するものなのである。

ビジネスの面でも、食堂、喫茶、お土産店、コンビニ、娯楽施設など観光客の行動に必要なお店ができ、これらはさらに関連産業における投資誘発効果をもたらす。観光施設が拡大すればさらに様々な投資を誘発する。このような観光振興をきっかけとした経済活動の連鎖が、大きな波及効果を及ぼすのである。

2010FYにおける国土交通省推計は、23.8兆円の直接消費に対し波及効果は49.4兆円と見込まれており、直接消費額の2.08倍（MPC＝51.9％）である。

観光支出の経済波及効果を更に検討していくと、大きな波及効果を期待するために3つの条件があることが知られる。

　①当該地域や国に有休資源（失業や遊休設備など）が存在し、観光支出の増加に応じてその資源を活用し、生産の増加に結びつけることが可能であること

②地域や国の移入性向、輸入性向が比較的小さいこと（地域にあるもの、地域で獲れるものを、最大限に利用する）
③地域や国の中で企業間の連関が密であること

　言い換えれば、その地域のモノの価値を最大限に引き出すことが必要で、そのためにも、そこの住人が自分たちの土地の魅力について、再発見のことも含め、熟知しておくことが肝要なのである。

　温泉地の例で挙げた大分県の由布院は、地産地消、互いにライバルであるはずの料理長同士のミーティングで地場の食材を用いた調理法の研究会を行うなど、上記の3つの条件をかなり良く満たしていることが分かる。

　以上見てきた如く、消費の面、雇用の面から観光産業は、我々が通常想像するよりはるかに「波及効果」が大きい業種なのである。

2. 外国人による経済効果

　次に、訪日外国人だけを対象に考えると、外貨獲得効果を挙げることができる。

　日本の定住人口が減少していく中で、外国からの富を日本にもたらすことは、きわめて重要なこと言わねばならない。

　統計によれば、訪日外国人一人当たりの消費額は18万円で、日本人一人1回当たり消費額、日帰り1万6,000円、宿泊を伴うもの5万4,000円に比べてかなり大きく日本人の年間経済活動による消費額121万円の14.9％に相当する。これは、逆に言えば、訪日外国人が7名来訪すれば、定住人口の1名減の分を補えることを示している。

　定住人口は、人口問題研究所の推計によると2060年には4,000万人以上の減少が見込まれるが、これらをすべて訪日外国人の来訪に伴う消費行動によって補うことはできないものの、来訪者数を大幅に増やすことができれば、それはこれからの日本にとって大きな意味を持つことになる。2010年度の旅行消費額23.8兆円の内訳を見ると、外国人の訪日による額が1兆3千億円で全体のわずか5.1％にすぎず、異常に小さいのに気付く。この状況を本来の望ましい姿に戻すために政策が必要になるわけで、そこに、VJCキャンペーン、その承継施策としてのヴィジットジャパン事業が、国の政策とし

て大きな意味を持っているわけである。

3. MICE による経済効果

「MICE」とは、「Meeting」「Incentive」「Convention」「Event・Exhibition」の略で、多くの人々が集まることから、その効果が大きいことはすでに述べたとおりである（第3章1（9）および5、MICE による地域の活性化を参照）。

今、札幌の雪まつりと同地で開催された MICE による経済効果の比較をしてみよう（下記はいずれも平成18年実績、観光庁の数字に基づく）。
- ●雪まつり……経済効果349億円÷参加者219万人＝16,000円／人
- ●国際会議……経済効果5.9億円÷参加者2,000人＝295,000円／人

単純計算の比較では参加者一人当たりの経済効果は、MICE による場合が雪まつりによる経済効果の約18倍となっており、いかに大きいかが理解できる。

4. 休日の分散化

経済効果を考える上で、もう一つのアプローチは休日の振り替え、ないし分散化の問題である。

国民の祝日に関する法律の一部改正案が1998年、2001年に成立して、それぞれ、「成人の日」「体育の日」及び「海の日」「敬老の日」が月曜日に移動になった。これによって、週末の3連休が新たに4回発生することになった。これに伴って週末の宿泊旅行が容易になったことは、観光交流の増大に大きなプラスであった。一方で、ゴールデンウィークに旅行者が集中して、混雑が激しくなり、また受け入れ側のサービスが心ならずも低下するのは、旅行が商品としてみた場合、在庫調整の効きにくい商品であることからやむをえない面があるものの、旅行者の好まざるところであり、旅行の阻害要因ともなっていることから、これを分散する必要があるのではないかということが早くから課題として指摘されていた。分散が可能であれば、新規の需要を開拓し、経済効果を上乗せして得ることができるであろう。政府ではこの問題を観光立国推進本部の休暇分散化ワーキングチームにおいて検討してき

たが、観光庁の試算によると、以下の経済効果が期待できるとされている。

　GWの場合　実績1.4兆円（宿泊9,000億円＋日帰り4,500億円）に対して、増加分は、プラス1兆円と見込まれ、その内訳は、

国内宿泊旅行の新規発生	4,700億円
国内宿泊旅行の宿泊数／旅行回数の増加	800億円
日帰りから宿泊に変更による増加分	1,500億円
日帰りの新規発生	2,850億円

　休日問題とあわせ休暇取得の問題にもふれてみよう。

　日本における休暇の取得率は平成20年度において47.4％であったが、これが仮に100％になった場合には、経済波及効果は15.6兆円、雇用創出187.5万人となるとの試算がなされている。

　休日の移動の問題にしても微妙な問題があり、観光庁の思惑通りにいくとは考えられないし、休暇の取得にしても、簡単に取得率が上昇するとは思われないが、経済効果の数字の大きさについては、留意しておく必要があろう。

5. 土産品の効果

　旅行につきものの土産品は、どのような経済効果をもたらすであろうか。

　土産品はまず、その土地の特産品開発のTEST MARKETING機能を持っているから、その物産の品質向上、ブランド力の向上、そして、旅行後も通販によってこれらの継続的向上につながる。

　また、都会のデパートなどで繁く開かれる「観光と物産展」も、旅行前旅行後にその地域を思い出させ、特産品をアピールする場所として効果がある。さらに多くの県は、東京、大阪などに「アンテナショップ」と称する、常設の県の出店をオープンしているところが多くなった。ここに行けばいつでも、ある程度のその県の特産品を入手することができるから、都会人にとっては便利であり、県にとっては、ファン層、固定客をつかむことができ、さらには旅行客のリピーター化に繋がると考えられる。

　現地にも観光地域整備の一環として「道の駅」が作られており、その土地の特産品の販売が行われている。

　地元の特産品の中で「伝統工芸品」といわれるものはどんなによいもので

あってもその地域の需要だけでは成り立っていかないものであり、それを産業として維持していくためにも、需要の拡大が必要なのである。

地元の特産品をいわゆる「全国区」にするためには、強力な情報の発信が必要であって、一例を挙げれば、芸能人としても知られた前宮崎県知事、東国原英夫氏による宣伝効果は極めて大きなものがあった。宮崎県の資料によれば、同県のアンテナショップ3館（みやざき物産館、新宿みやざき館、大阪支部）の売り上げは、同氏が2007（平成19）年、知事に当選してテレビを初めとする各種のメディアに登場することなどにより、同年の売上額は12億9,300万円で前年対比250％と驚異的な伸びを示したのである。

6. 税収効果

観光によって様々なビジネスが行われれば、いろいろな形での税収効果も期待できる。

主なものを挙げれば、法人税、固定資産税、入湯税、料理飲食等消費税等である。東京都では、石原慎太郎知事によって、2002（平成14）年4月、宿泊税が創設され、一人1泊1万円から1万5,000円未満の宿泊に対して100円、1万5,000円以上に対して200円の税が課せられることになった。この条例には、「国際観光都市東京の魅力を高めるとともに、観光の振興を図る施策に要する費用に充てるため」と明記されており（東京都宿泊条例第1条）、使途が観光振興のためであることがはっきりしている。地方自治体は、観光客の受け入れのためにインフラの整備などに、当初、金がかかるものの、これらの税収の増加によって、次第に潤っていくことが期待されるわけである。

2010年の税収の波及効果は4兆円で、日本の（国税＋地方税）に占める割合は5.3％であった。税収の面でも、観光産業は、大きな位置を占めるに至っていることが確認されるのである。

観光立国基本計画が達成された暁には、旅行消費額は30兆円、波及効果は60兆円を超えると推計され、GDPの6～7％を占める。また、雇用の創出は539万人と見込まれる巨大産業なのである。観光を核とした産業がこれからもっと大切にされなければならない事情はこの辺にある。

第6章
観光政策の展開

1. 政府による計画

　観光政策の目的は時代とともに変化してきた。戦前から戦後の間もない時期においては、外貨を獲得することが主要な目的であった。日本の経済がある程度の復興を成し遂げ、IMF 8条国へ移行し、海外旅行が自由化されると、それに伴ってさまざまな問題が派生的に起きるようになった。それらに対処するため、さまざまな政策が採られた。当初は、海外渡航者の急激な増大に伴うトラブルの発生に対処することであり、それが進むとインバウンドとアウトバウンドの旅客数のアンバランスが目立つようになり、その是正が課題となった。一方で、日本国内に溜め込まれたドルによる円高の解消のために海外旅行者の増大を図って、緩やかに外貨保有高を減らそうとする政策が採られた。そして、バブルの只中においては、リゾートの整備が叫ばれ、バブルが崩壊してからは、人口の一極集中による地方の過疎化に対処するため、国内における交流の促進、さらに、日本の総人口の長期的な減少に対処するために、外国人旅行者を積極的に受け入れ、それによる経済効果を期待しようとする観光立国の政策が採られるようになった。まさに、観光によって地方の経済を活性化させることが大きな課題として浮かび上がってきたのである。観光による地域の振興、外国人旅行者を大量に増やすという大きなテーマが、全国的に、しかも国を挙げて行われることはかつてなかったのである。

　観光産業はすでに述べたように、多岐にわたる産業に関係があり、影響を及ぼすから、いろいろな省庁が絡まざるをえない。観光政策を統一的にかつ強力に推し進めるため、また、効率的に実績を上げていくためには、観光政策を総合的に調整することが必要なのであるが、この考え方に基づいて

2008年観光庁が設置されたのである。

　それ以前にも観光振興のためにさまざまな計画が作られ、それを達成するために、強制力のあるものとして様々な法令が作られた。以下に、主だった計画、法令を挙げて、観光政策の流れを振り返ってみよう。

(1) テンミリオン計画

　正式には、「海外旅行倍増計画」とよばれ、1986年に発表された、いわゆる「前川レポート」を受け、国際収支のバランス改善によって貿易摩擦を緩和するため、日本人の海外旅行の促進を図り、外貨を減らすことを意図して、当時の運輸省が1987（昭和62）年9月に発表した計画。策定の取りまとめにあたったのは、運輸政策局の渉外官だった現加賀市長の寺前秀一氏であるとされる。当時の日本の外貨保有高は約200億ドルで、海外渡航者が一人当たり1,000ドルの外貨を持ち出すとすれば、1,000万人で100億ドルの外貨が流出する計算になるわけである。

　計画の内容は、1987年から91年までの5年間で、日本人の海外渡航者数を、1986年の海外渡航者数551万6,000人の2倍の1,000万人（テンミリオン）にしようとするものである。1985年のいわゆる「プラザ合意」によって、為替レートは円高に大きく振れ、ドル円は240円前後から128円前後まで上昇した。これによって、海外で買物することのメリットが広く浸透し、海外渡航者は、広い年齢層にわたって増加した。目標とした1991年より1年早く1990年に日本人の海外渡航者数は1,099万7,000人となって、その目標を達成したのであった。

　海外であれば、どこでもこのメリットが享受できることから、それまでの比較的長い期間の旅行だけでなく、「安近短」の海外旅行が次第に勢いを増すようになってきたのである。

(2) 観光交流拡大計画

　通称、「ツーウェイツーリズム21」。テンミリオン計画が、1年早く目標を達成したのを受けて、1991（平成3）年に運輸省が発表した計画。テンミリオンの目標達成の結果、海外渡航者数（アウトバウンド）と訪日外国人旅行者数（インバウンド）に大きなアンバランスが生じ、その比率は3.4対1になった。1990年の訪日外国人旅行者数は324万人で1985年から91万人し

か増えていなかったのである。

　この計画では、21世紀を見据えて、アウトバウンドとインバウンドのツーウェイツーリズム（双方向の観光交流の拡大）を図って、上記のバランスを適正な水準にすること、日本人海外渡航者の質的向上を図ることを重点施策としていた。インバウンドについては、それまで、やや軽視されてきたきらいのあったアジア諸国からの受け入れを意識した体制作りを図っていくこと、また、アウトバウンドについては、駆け足的な物見遊山だけの旅行、買い物だけの旅行から、現地での交流や、歴史・文化の学習によって、海外旅行が国際的な相互理解を深め、日本の存在感を増すように転換をはかっていくことが意図されたのである。

(3) TAP 90's

　正式には「90年代観光振興行動計画」。1988年、運輸省が国内観光を振興する目的で策定した行動計画。

　観光の振興が、地域の振興、ゆとりある生活の実現に寄与するとの考え方から、21世紀を目指して、観光の一層の振興を図ることを意図し、国と地方が一体となって行動することを標榜した。このため、「観光立県推進会議」を開催し、官、民、中央、地方が一体となって具体策を提言し、実行しようとした。

　このときの考え方は、後に、観光立国推進基本法の中に取り入れられることになる。

(4) ウエルカムプラン21

　正式には「訪日観光交流倍増計画」という。

　1995年、観光政策審議会が答申した内容を受け、運輸省は「観光交流による地域国際化に関する研究会」を発足させたが、その中で、訪日外国人を飛躍的に増大させ、外国人客に日本の観光地を心から楽しんでもらうための環境整備などについて幅広く検討した結果をまとめ、提言された計画である。

　1995年の日本人海外渡航者数1,530万人に対し、訪日外国人の数は335万人と伸び悩んでおり、このアンバランスを是正するため、2005年に訪日外国人の数を倍増させることを目標に掲げた。

(5) VISIT JAPAN CAMPAIGN (VJC)

　2003年、小泉首相が1月の施政方針演説で述べた「2010年までに訪日外国人旅行者数を1,000万人にする」との政策目標を達成するため、2003年4月から国、JNTO、地方自治体、民間企業等が共同して行った訪日外国人誘致のための戦略的キャンペーンで、国土交通大臣が実施本部の本部長となり、12の重点市場を設定して、市場ごとの特性に応じた、様々なキャンペーンを実施した（詳細については、第4章2 (6) 外国人による地域の振興を参照）。

　VJCはテンミリオン計画と並んで、戦後の観光行政の双璧とも言うべきものである。VJCの終了後は、観光庁がビジットジャパン事業として関係業務を継承している。

2. 観光政策に関する法律群

(1) 観光立国推進基本法

　観光立国推進基本法は平成18 (2006) 年に成立した。それまであった「観光基本法」を全面的に改正したもので、いわば観光政策の「憲法」とも言うべきものである。

　観光基本法は、日本が戦争に負けて、外貨獲得の手段としての訪日外人需要を取り込むことが喫緊の課題であった時代に作られたものである。したがって、同じように外国人の訪日を促すにしても、現代の状況にマッチしなくなっていたのである。これを全面的に改めて、現今の日本の状況、とりわけ定住人口の長期的減少からとき始め、ものづくりだけでなく交流による経済活動の活発化を促すという点では時代の変化を感じさせる画期的なものであろう。その趣旨は「前文」に現れている。今、それを引用すれば、

　　観光は、国際平和と国民生活の安定を象徴するものであって、その持続的な発展は、恒久の平和と国際社会の相互理解の増進を念願し、健康で文化的な生活を享受しようとする我らの理想とするところである。また、観光は、地域経済の活性化、雇用の機会の増大等国民経済のあらゆる領域にわたりその発展に寄与するとともに、健康の増進、潤いのある豊かな生活環境の創造等を通じて国民生活の安定向上に貢献するものであることに加え、国際相互理解を増進するものである。

我らは、このような使命を有する観光が、今後、我が国において世界に例を見ない水準の少子高齢社会の到来と本格的な国際交流の進展が見込まれる中で、地域における創意工夫を生かした主体的な取組を尊重しつつ、地域の住民が誇りと愛着を持つことのできる活力に満ちた地域社会の実現を促進し、我が国固有の文化、歴史等に関する理解を深めるものとしてその意義を一層高めるとともに、豊かな国民生活の実現と国際社会における名誉ある地位の確立に極めて重要な役割を担っていくものと確信する。
　しかるに、現状をみるに、観光がその使命を果たすことができる観光立国の実現に向けた環境の整備は、いまだ不十分な状態である。また、国民のゆとりと安らぎを求める志向の高まり等を背景とした観光旅行者の需要の高度化、少人数による観光旅行の増加等観光旅行の形態の多様化、観光分野における国際競争の一層の激化等の近年の観光をめぐる諸情勢の著しい変化への的確な対応は、十分に行われていない。これに加え、我が国を来訪する外国人観光旅客数等の状況も、国際社会において我が国の占める地位にふさわしいものとはなっていない。
　これらに適切に対処し、地域において国際競争力の高い魅力ある観光地を形成するとともに、観光産業の国際競争力の強化及び観光の振興に寄与する人材の育成、国際観光の振興を図ること等により、観光立国を実現することは、二十一世紀の我が国経済社会の発展のために不可欠な重要課題である。
　ここに、観光立国の実現に関する施策を総合的かつ計画的に推進するため、この法律を制定する。

現代日本の観光、観光産業を取り巻く状況はこの中に凝縮されているといっても過言ではない。この文章を熟読玩味するとき、現代の日本における観光が、単に観光産業のためではなく、もっと広く一般の人々を巻き込んだものであることが理解できるし、そうあらねばならないのである。
観光立国という言葉は、小泉内閣によって2003年に初めて用いられたが、早くも翌年、経団連が観光部会を設置したのは注目してよい。なぜなら、ものづくり産業が多くを占める経団連の中で、観光という言葉が使われだしたからである。これは、言い換えれば、観光産業というものが、もはや、ホスピタリティという従来の枠に収まらず、それを超えて、もっと多くの産業に係わるものであることを示唆したともいえる出来事であった。総論はともか

く各論については意見が分かれる部分も多々あろうが、これからは、観光産業に身を置く一人一人が、この考え方に則って行動しているか、常に自問自答しなくてはいけない時代である。短期的な商業主義では、やがて、観光産業全体が疲弊してしまうことをよく理解しておくことが必要である。

(2) 伝統芸能に関する法律

　日本には多くの「伝統芸能」があるが、その捉え方は人によってさまざまである。平成13年12月7日に公布された「文化芸術振興基本法」(法律第148号)は、第10条の中で、「雅楽、能楽、文楽、歌舞伎その他の我が国古来の伝統的な芸能」を「伝統芸能」と規定している。また、第14条で、「地域固有の伝統芸能及び民俗芸能」を「地域の人々によって行われる民俗的な芸能」と規定している。この考え方に基づいて文化庁が指定した「重要無形民俗文化財」は、平成25年1月1日現在で全国に278件あり、また、平成24年に文化庁が行った「文化遺産を活かした観光振興・地域活性化事業交付決定一覧(補助事業名：地域伝統文化総合活性化事業継続事業)によると、その合計数は667件であった。これらを活用し、地域の振興を意図して作られたのが、「地域伝統芸能等を活用した行事の実施による観光及び特定地域商工業の振興に関する法律」で平成4年6月26日に公布された(法律第88号)。これにはいろいろな問題が絡んでいるので、文化庁、農林水産省、通商産業省、運輸省、自治省の共管となっている。

　日本の各地には地域固有の伝統芸能や民俗芸能が残っているが、それらは、都会から遠くはなれた土地で短い期間だけ催されるものも少なくない、都市部で行われる行事であっても、季節的に観光客の少ない時期に行われるものも多い。さらには、継承者が少なくなって途絶えそうになっているものもある。総じて、地方で行われているものは、多くの人には知られていないものが多々ある。これらの行事、祭り、上演などは地域の人々にとって心のふるさと的な意味合いのものが多く、実施によって、地域の人々の思いは一応の完結を見るのであるが、これを広く紹介し、その心や、美しさを共有することも体験として意味あることと言わねばならない。そして、モノから精神的なものに国民の関心がシフトしつつある今日においては、このような体験を求める旅行者が多くなってきているのである。これらを踏まえ、地域固有の伝統芸能や民俗芸能を保存、継承しつつ、これらを活用しながら観光客を誘

引し、もって地域の振興を図ろうとする考えが生まれたのも首肯できることである。

　著名なものは、すぐに思いつくだけでも、宮崎県の「高千穂神楽」、京都府の「祇園祭」、富山県の「おわら風の盆」、岐阜県の「郡上踊り」、東北三大祭りといわれる「ねぶた」（青森県）・「竿燈」（秋田県）・七夕（宮城県）、阿波踊り（徳島県）、くんち（長崎県）など枚挙に暇がないが、とりわけ高千穂町の活動が活発である。

　この法律の目的を達するため、財団法人地域伝統芸能活用センターが、平成4年に設立され、地域伝統芸能の全国大会の開催や、各種の助成事業、顕彰事業、広報宣伝事業などを行っている。平成25年は「第13回地域伝統芸能まつり」が2月23、24日の両日に行われた。

地域伝統芸能等を活用した行事の実施による観光及び特定地域商工業の振興に関する法律（平成四年六月二十六日法律第八十八号）
（目的）
第一条　この法律は、地域伝統芸能等を活用した行事の実施が、地域の特色を生かした観光の多様化による国民及び外国人観光旅客の観光の魅力の増進に資するとともに、消費生活等の変化に対応するための地域の特性に即した特定地域商工業の活性化に資することにかんがみ、当該行事の確実かつ効果的な実施を支援するための措置を講ずることにより、観光及び特定地域商工業の振興を図り、もってゆとりのある国民生活及び地域の固有の文化等を生かした個性豊かな地域社会の実現、国民経済の健全な発展並びに国際相互理解の増進に寄与することを目的とする。
（定義）
第二条　この法律において「地域伝統芸能等」とは、地域の民衆の生活の中で受け継がれ、当該地域の固有の歴史、文化等を色濃く反映した伝統的な芸能及び風俗慣習をいう。
2　この法律において「活用行事」とは、観光及び特定地域商工業の振興を目的として実施される行事であって、地域伝統芸能等の実演、地域伝統芸能等に用いられる衣服、器具等の展示その他の方法により、地域伝統芸能等をその主題として活用するもののうち、国内観光及び国際観光並びに特定地域商工業の振興に相当程度寄与すると認められるものをいう。

3　この法律において「特定事業等」とは、地域伝統芸能等の実演等に係る人材の確保、地域伝統芸能等に係る実演等を行うための施設の確保、地域伝統芸能等に用いられる物品の確保、活用製品、宣伝、観光旅行者及び顧客の利便の増進等に関する事業又は措置であって活用行事に係るもののうち、活用行事の確実かつ効果的な実施を図るため、活用行事に関連して実施されるものをいう。

4　この法律において「特定地域商工業」とは、活用行事が実施される市町村（特別区を含む。以下同じ。）の区域における小売業、当該小売業に対し商品を販売する卸売業であって当該活用行事が実施される都道府県の区域におけるもの並びに当該活用行事に係る地域伝統芸能等に用いられる衣服、器具その他の物品及び当該地域伝統芸能等に係る活用製品の製造業であって当該活用行事が実施される都道府県の区域におけるものをいう。

5　この法律において「活用製品」とは、地域伝統芸能等の特徴又は地域伝統芸能等に用いられる衣服、器具その他の物品の特徴を活用して機能及び効用を高めた製品をいう。

（基本方針）

第三条　国土交通大臣、経済産業大臣、農林水産大臣、文部科学大臣及び総務大臣（以下「主務大臣」という。）は、活用行事の実施による観光及び特定地域商工業の振興に関する基本方針（以下「基本方針」という。）を定めなければならない。

(3) 外国人観光客の誘致、MICE 関連の法律

　外国人観光客の誘致を積極的に行うため、外国人の旅行の容易化を促すことが急務になった。これを法律面で支えるものとして、「外国人観光旅客の旅行の容易化等の促進による国際観光の振興に関する法律」（平成九年六月十八日法律第九十一号）が制定された。また、MICE の観光立国における重要性を踏まえ、これを法律面で支えているのが、「国際会議等の誘致の促進及び開催の円滑化等による国際観光の振興に関する法律」（平成六年六月二十九日法律第七十九号）である。

　外国人観光旅客の旅行の容易化等の促進による国際観光の振興に関する法律（平成九年六月十八日法律第九十一号）　　（抜粋）

（目的）

第一条　この法律は、外国人観光旅客の来訪を促進することが、我が国固有の文化、歴史等に関する理解及び外国人観光旅客と地域住民との交流を深めることによる我が国に対する理解の増進に資することにかんがみ、外客来訪促進地域の整備及び海外における宣伝、外国人観光旅客の国内における交通、宿泊その他の旅行に要する費用の低廉化、通訳案内その他の外国人観光旅客に対する接遇の向上等の外国人観光旅客の旅行の容易化等を促進するための措置を講ずることにより、国際観光の振興を図り、もって国際相互理解の増進に寄与することを目的とする。

（定義）

第二条　この法律において「外客来訪促進地域」とは、我が国固有の文化、歴史等に関する外国人観光旅客の理解の増進に資する観光資源を有する観光地及び宿泊拠点地区が存在し、かつ、それらを結ぶ観光経路の設定により外国人観光旅客の来訪を促進する地域をいう。

2　この法律において「宿泊拠点地区」とは、外国人観光旅客の宿泊の拠点となる地区をいう。

3　この法律において「公共交通事業者等」とは、次に掲げる者をいう。

（中略）

　　　第二章　基本方針及び外客来訪促進計画

（基本方針）

第三条　国土交通大臣は、外国人観光旅客の旅行の容易化等を促進するための措置を講ずることによる国際観光の振興に関する基本方針（以下「基本方針」という。）を定めなければならない。

2　基本方針においては、次に掲げる事項について定めるものとする。

一　外国人観光旅客の旅行の容易化等を促進するための措置を講ずることによる国際観光の振興に関する基本的な事項

二　外客来訪促進地域の整備及び海外における宣伝に関する事項

三　外国人観光旅客の国内における交通、宿泊その他の旅行に要する費用の低廉化に関する事項

四　通訳案内その他の外国人観光旅客に対する接遇の向上に関する事項

五　その他外国人観光旅客の旅行の容易化等を促進するための措置を講ずることによる国際観光の振興に関する重要事項

（中略）

(共通乗車船券)

第五条　運送事業者は、外国人観光旅客を対象とする共通乗車船券（二以上の運送事業者が期間、区間その他の条件を定めて共同で発行する証票であって、その証票を提示することにより、当該条件の範囲内で、当該各運送事業者の運送サービスの提供を受けることができるものをいう。以下同じ。）に係る運賃又は料金の割引を行おうとするときは、国土交通省令で定めるところにより、あらかじめ、その旨を共同で国土交通大臣に届け出ることができる。

(中略)

(外国語等による情報の提供の促進)

第七条　公共交通事業者等は、観光庁長官が定める基準に従い、その事業の用に供する旅客施設及び車両等について、外国人観光旅客が公共交通機関を円滑に利用するために必要と認められる外国語等による情報の提供を促進するための措置（以下「情報提供促進措置」という。）を講ずるよう努めなければならない。

(地域限定通訳案内士の業務等)

第十一条　地域限定通訳案内士は、その資格を得た都道府県の区域において、報酬を得て、通訳案内を行うことを業とする。

2　地域限定通訳案内士については、通訳案内士法の規定を適用せず、この法律の定めるところによる。

(地域限定通訳案内士となる資格)

第十二条　地域限定通訳案内士試験に合格した者は、当該地域限定通訳案内士試験が行われた都道府県の区域において、地域限定通訳案内士となる資格を有する。

　　(以下略)

国際会議等の誘致の促進及び開催の円滑化等による国際観光の振興に関する法律」（平成六年六月二十九日法律第七十九号）　　(抜粋)

第一条　この法律は、我が国における国際会議等の開催を増加させ、及び国際会議等に伴う観光その他の交流の機会を充実させることが、外国人観光旅客の来訪の促進及び外国人観光旅客と国民との間の交流の促進に資することにかんがみ、国際会議等の誘致を促進し、及びその開催の円滑化を図り、並びに外国人観光旅客の観光の魅力を増進するための措置を講ずることにより、国際観光

の振興を図り、もって国際相互理解の増進に寄与することを目的とする。
（定義）
第二条　この法律において「国際会議等」とは、会議、討論会、講習会その他これらに類する集会（これらに付随して開催される展覧会を含む。）であって海外からの相当数の外国人の参加が見込まれるもの並びにこれらに併せて行われる観光旅行その他の外国人のための観光及び交流を目的とする催しをいう。
（基本方針）
第三条　国土交通大臣は、国際観光の振興を図るため、国際会議等の誘致を促進し、及びその開催の円滑化を図り、並びに国際会議等に参加する外国人観光旅客の観光の魅力を増進するための措置（以下「国際会議等の誘致の促進及び開催の円滑化等の措置」という。）を講ずることによる国際観光の振興に関する基本方針（以下「基本方針」という。）を定めなければならない。
　　（以下略）

(4) リゾート法

　一般に「リゾート法」と呼ばれるものは、バブルの始まった1987年に制定された。正式には「総合保養地域整備法」と呼ばれる。その目的はリゾート産業の振興と国民経済の発展を共に促進するため、余暇活動を多様に楽しめる場を総合的に整備することであった。所管は国土交通省、農林水産省、経済産業省、自治省であった。その主体が民間事業者に重きをおいていたことにも注意する必要がある。
　計画は都道府県が策定し、国の承認を受けることが必要であったが、それに基づいて整備されるリゾート施設については、開発の許可が弾力的に行われ、政府系金融機関の融資が行われやすく、また、税制上の優遇措置等が受けられ、開発を予定している企業や地方自治体にとって大きなメリットとなった。多くの道府県で開発構想の策定を行い、大手企業の参加を求めることになった。
　ただし、このような、行け行けどんどんの時代の計画は概して細部の詰めが甘く、バブルが進行している間は良かったが、翳りが見え始め、やがて崩壊すると、多くの計画が頓挫してしまった。その代表的なものは、すでに述べた如く夕張の観光施設、宮崎のシーガイア、ハウステンボスに代表される各地のテーマパークであった。夕張市が石炭産業からの転換を観光によって

図るべく多くの施設をリゾート法の活用によって作ったものの、最終的に財政破綻し、2007年3月6日財政再建団体都市になってしまったことは記憶に新しい。

　結果からものを言うのは簡単であるが、総論はともかく、この法律のもたらしたものが、観光産業を疲弊に導く一歩となってしまったことは否めない事実である。

総合保養地域整備法（昭和六十二年六月九日法律第七十一号）
（目的）
第一条　この法律は、良好な自然条件を有する土地を含む相当規模の地域である等の要件を備えた地域について、国民が余暇等を利用して滞在しつつ行うスポーツ、レクリエーション、教養文化活動、休養、集会等の多様な活動に資するための総合的な機能の整備を民間事業者の能力の活用に重点を置きつつ促進する措置を講ずることにより、ゆとりのある国民生活のための利便の増進並びに当該地域及びその周辺の地域の振興を図り、もつて国民の福祉の向上並びに国土及び国民経済の均衡ある発展に寄与することを目的とする。
（定義）
第二条　この法律において「特定施設」とは、次に掲げる施設（政令で定める公共施設であるものを除く。）であつて前条に規定する活動のために必要なものをいう。
　一　スポーツ又はレクリエーション施設
　二　教養文化施設
　三　休養施設
　四　集会施設
　五　宿泊施設
　六　交通施設（車両、船舶、航空機等の移動施設を含む。第五条第二項第三号において同じ。）
　七　販売施設
　八　熱供給施設、食品供給施設、汚水共同処理施設その他の滞在者の利便の増進に資する施設
2　この法律において「特定民間施設」とは、特定施設であつて民間事業者が設置及び運営をするものをいう。
（地域）

第三条　この法律による第一条に規定する整備を促進するための措置は、次の各号に掲げる要件に該当する地域について講じられるものとする。
　一　良好な自然条件を有する土地を含み、かつ、特定施設の総合的な整備を行うことができる相当規模の地域であること。
　二　自然的経済的社会的条件からみて一体として第一条に規定する整備を図ることが相当と認められる地域であること。
　三　特定施設の用に供する土地の確保が容易であること。
　四　産業及び人口の集積の程度が著しく高い地域であつて政令で定めるもの以外の地域であること。
　五　特定民間施設の整備の状況及び見込み並びに国民の利用上必要な立地条件からみて相当程度の特定民間施設の整備が確実と見込まれる地域であること。
（以下略）

(5) 通訳案内士法

　観光には、それに携わる人が重要な役割を果たしていることは、縷々述べてきたが、それらの質を保つために法の規制が必要になる。
　通訳案内士法は、観光関連の法律としてはかなり古く、昭和24年に制定された。当時は、日本が第二次世界大戦の敗戦のあと、復興に力を注いでいたときであり、外国人の訪問によって外貨を獲得するということが大きな目的であったのである。そのため、悪徳の旅行関連業者を排除して、日本の観光業に対する信頼を確立する必要があり、通訳案内士にも一定のレベルが要求されたのである。

通訳案内士法（抜粋）（昭和二十四年六月十五日法律第二百十号）
（目的）
第一条　この法律は、通訳案内士の制度を定め、その業務の適正な実施を確保することにより、外国人観光旅客に対する接遇の向上を図り、もつて国際観光の振興に寄与することを目的とする。
（業務）
第二条　通訳案内士は、報酬を得て、通訳案内（外国人に付き添い、外国語を用いて、旅行に関する案内をすることをいう。以下同じ。）を行うことを業とす

(資格)
第三条 通訳案内士試験に合格した者は、通訳案内士となる資格を有する。

(試験の目的)
第五条 通訳案内士試験は、通訳案内士として必要な知識及び能力を有するかどうかを判定することを目的とする試験とする。
(試験の方法及び内容)
第六条 通訳案内士試験は、筆記及び口述の方法により行う。
2 筆記試験は、次に掲げる科目について行う。
　一　外国語
　二　日本地理
　三　日本歴史
　四　産業、経済、政治及び文化に関する一般常識
3 口述試験は、筆記試験に合格した者につき、通訳案内の実務について行う。

第十一条　観光庁長官は、独立行政法人国際観光振興機構(以下「機構」という。)に、通訳案内士試験の実施に関する事務(以下「試験事務」という。)を行わせることができる。

第三十六条　通訳案内士でない者は、報酬を得て、通訳案内を業として行つてはならない。
(以下略)

(6) 観光圏に関する法律

　観光圏という考え方を導入するに当たり、それを明文化して観光圏の考え方を広く浸透させ、観光客の増加を図るため、観光圏の整備による観光旅客の来訪及び滞在の促進に関する法律が制定された。

　観光圏の整備による観光旅客の来訪及び滞在の促進に関する法律(平成二十年五月二十三日法律第三十九号)
(目的)

第一条　この法律は、我が国の観光地の魅力と国際競争力を高め、国内外からの観光旅客の来訪及び滞在を促進するためには、観光地の特性を生かした良質なサービスの提供、関係者の協力及び観光地相互間の連携が重要となっていることにかんがみ、市町村又は都道府県による観光圏整備計画の作成及び観光圏整備事業の実施に関する措置について定めることにより、観光圏の整備による観光旅客の来訪及び滞在を促進するための地域における創意工夫を生かした主体的な取組を総合的かつ一体的に推進し、もって観光立国の実現に資するとともに、個性豊かで活力に満ちた地域社会の実現に寄与することを目的とする。
（定義）
第二条　この法律において「観光圏」とは、滞在促進地区が存在し、かつ、自然、歴史、文化等において密接な関係が認められる観光地を一体とした区域であって、当該観光地相互間の連携により観光地の魅力と国際競争力を高めようとするものをいう。
2　この法律において「滞在促進地区」とは、観光旅客の滞在を促進するため、次項第一号に掲げる事業及びこれに必要な同項第五号に掲げる事業を重点的に実施しようとする地区をいう。
3　この法律において「観光圏整備事業」とは、観光圏の整備による観光旅客の来訪及び滞在の促進に資する事業であって、次に掲げるものをいう。
一　観光旅客の宿泊に関するサービスの改善及び向上に関する事業
二　観光資源を活用したサービスの開発及び提供に関する事業
三　観光旅客の移動の利便の増進に関する事業
四　観光に関する情報提供の充実強化に関する事業
五　前各号の事業に必要な施設の整備に関する事業
六　その他観光圏の整備による観光旅客の来訪及び滞在の促進に資する事業
第三条　主務大臣は、観光圏の整備による観光旅客の来訪及び滞在の促進を総合的かつ一体的に図るため、観光圏の整備による観光旅客の来訪及び滞在の促進に関する基本方針（以下「基本方針」という。）を定めるものとする。
（中略）
（観光圏整備計画）
第四条　市町村又は都道府県は、基本方針に基づき、単独で又は共同して、当該市町村又は都道府県の区域内について、観光圏の整備による観光旅客の来訪及び滞在の促進を総合的かつ一体的に図るための計画（以下「観光圏整備計画」

という。）を作成することができる。

2　観光圏整備計画は、次に掲げる事項について定めるものとする。

一　観光圏の整備による観光旅客の来訪及び滞在の促進に関する基本的な方針

二　観光圏の区域

三　滞在促進地区の区域

四　観光圏整備計画の目標

五　前号の目標を達成するために行う観光圏整備事業及びその実施主体に関する事項

六　計画期間

七　前各号に掲げるもののほか、観光圏整備計画の実施に関し当該市町村又は都道府県が必要と認める事項

3　観光圏整備計画は、国土形成計画その他法律の規定による地域振興に関する計画、地域森林計画その他法律の規定による森林の整備に関する計画並びに都市計画及び都市計画法（昭和四十三年法律第百号）第十八条の二に規定する市町村の都市計画に関する基本的な方針との調査多保たれた者でなければならない。

4　市町村又は都道府県は、観光圏整備計画を作成しようとするときは、あらかじめ、住民その他利害関係者の意見を反映させるために必要な措置を講じなければならない。

（以下略）

旅行全般にかかわる旅行業法については、拙著『海外パッケージ旅行発展史』63ページ以下を参照されたい。他にも関連する法律があるが紙面の都合で省略する。

第7章

観光地と観光産業の課題と展望

1. 課題と問題提起

　今まで、観光地をめぐる諸相について考察してきたが、現在の、そして、近い将来に向けて我々が考えなければならない課題とは何か考えてみたいと思う。

(1) 格安旅行をめぐるさまざまな課題──旅行者にとって本当に得か？

　いわゆるバブル以降の「価格破壊」の流れに乗って、旅行業界にも低価格、激安商品が出現した。そのはしりは、1980年代半ばの「輸入航空券」に端緒を見出すことができる。

　IATA（国際航空運送協会）の運賃体系は精密きわまるもので、どこからも文句のつけようがなかったのだが、消費者の素朴な疑問に答えることができない部分があったのも事実である。

　たとえば、同じ区間を旅行するにも、出発地が異なれば運賃が異なる[注1]のはもちろん、支払地が異なっても運賃に差が生じるという「理解し難い」矛盾、物理的な距離が長い区間の方が短い区間よりも安い[注2]という矛盾を、理屈ではともかく、消費者を感情的に納得させることはできなかったのである。

　（注1）たとえば、1996年において、東京－アメリカ西海岸の場合日本発普通運賃はJYE 244,800に対して、アメリカ発ではUSD 1,601（当時の換算レートは、1ドルが年平均108円前後であるので、円貨に直すと172,908円。すなわちドルで支払えば約72,000円安くなるということである）

　（注2）東京－アメリカ西海岸はJYE 244,800に対し、香港－アメリカ西海岸はHKD 10,820であった（当時の換算レートでは、円貨で141,300円）（いずれも往

1. 課題と問題提起

復ベース)。

　しかも、前者では、「呼び寄せ運賃」というものがあって、アメリカ在住の（たとえば親戚のような）人が航空券の支払いをすると、ドルで支払われた航空券であるにもかかわらず日本を始発とすることができたのである。

　また、後者は、IATAの規則によって、香港－アメリカ西海岸を直行するのではなく、たとえば、東京で途中降機（stop over）することもできた。だから、矛盾はますます深まったのである。

　前者は、某安売り旅行会社によって、「輸入航空券」となって大々的に売り出されたし、後者は、香港で大量に発券された航空券が、最初の区間片をリフトアップした形で、日本に大量に出回った。

　さらに、団体旅行が盛んになり、航空座席の供給量が大量になるにつれて、団体旅行に関するIATAの運賃規則が次第に遵守されなくなったことも挙げられる。すなわち、団体の構成員が、目的地での地上行動をふくめ、同一の旅程で行動するという原則が崩れ、航空機に搭乗する部分だけが同じというように変わってきたのである。これは、「エアーオンリー」と呼ばれ、元来、運賃規則に基づく旅行会社のリスクを回避する目的で黙認されてきたものであったが、それが、公然と行われるようになってきたのである。

　このようなマーケットの動きに対して、航空会社はいろいろな対策を講じたが、やがて、なすすべをなくしてしまった。「輸入航空券」にいたっては、香港在住の航空会社の日本人社員が積極的に絡んでいたとの噂がしきりであった。こうなると、航空会社は、自らの首を自らの手で絞めたといえなくもないのである。混乱は広がり、それに伴って、何が正当な価格なのか分からない状況になっていったのである。

　もともと、IATAの組織は、ドル、ポンドの強さを前提に作られていたから、為替レートが大幅に変動しないことが条件になっていた。だから、ポンドはともかく、米ドルがしっかりしている間はよかったが、ニクソンショック（1971年）以降、ドルが揺らぎ始めると、IATAの運賃体系は混乱せざるをえなかったのである。

　格安商品が出現する以前、いわゆるパッケージ旅行商品では、販売価格に

占める航空運賃のシェアは60％前後であった。ハワイの売れ筋商品の価格が14万6,000円に対し航空運賃の額は9万円（62％）、ヨーロッパでは、40万円弱の販売価格に対して、航空運賃は24万4,000円（61％）であった。

航空運賃の原価が分かりにくい上に、このような「格安」航空券が出現すれば、手の届きにくい位置にあった海外旅行の価格を下げようとする動きが出てくるのも当然のことであろう。加えて、ジャンボなどの大型の機材を多くの航空会社が導入したことによって、供給席数が過剰になり、航空会社間の競争が激化すると、キックバックと呼ばれる販売促進金が多く支払われるようになった。これを予め原価に算入することによって、特にオフシーズンには、激安なパッケージ旅行が出現するに至ったのである。これは、航空座席という商品が在庫の調整が効き難いという、この業界に特有の現象であったかもしれないが、航空運賃と並び、ホテルの室料も原価が分かりにくい。つまり、旅行を構成する二大要素の原価が分かりにくいということが、激安商品をある意味で正当化してしまったのであった。

ただ、旅行にはその他の要素も含まれている。旅行業法の分類によれば「その他のサービス」である。そこには、食事や、ガイドサービスなどのヒューマンな要素、そして旅行の本来の目的である、**旅行者をときめかせ、感動させる「付加価値」**といわれるものが含まれている。ところが、激安商品の浸透に伴って、本来大切に守るべきこの部分までも原価削減のターゲットとしてしまったのであった。

原価が明確にわかっているものを値切られれば、品質を落とさざるをえないのがビジネスの本質であろう。安くてよいものが最高だが、それも限度がある。サービス提供者の生活が成り立たないほど値切られれば、品質は二の次になってしまう。

結果として残るのは、付加価値の少ない、感動の薄い商品である。そこには、航空機の座席とホテルの部屋という物理的なものはかろうじて揃っているが、感動を求める旅行者のニーズとはかけ離れたものしか残っていない。

旅行が「コモディティ化」したといわれて久しいが、そのような商品に参加してなんとも思わない旅行者を作りだしてきたのは、旅行会社自身ではなかったか？　そして、そのことが結果的に旅行会社の経営を危うくし、廃業や倒産する会社が増えて、業界全体のレベルを下げてしまっているのはなんとも皮肉なことである。

1. 課題と問題提起

　旅行会社の店舗には、必ず「旅行業務取扱管理者」といういかめしい名前の国家試験に合格した人が必要である。この試験はかなり難しく、合格率は国内で30％前後、海外旅行も扱える資格である「総合」になると15％程度である。そのような難しい試験に受かっても旅行業界の給与水準は、他業界に比べてよくない状況にある。かつて、価格破壊が進むまではかなり優遇されていたし、旅行業は学生の就職したい業種の中でも常に上位を占めていた。今でも、希望職種としては上位にあるが、収入のレベルでは必ずしも高い位置にない。20代後半で、支店長になれる会社も多いという。それをかっこいいと思う若者が増え、それはそれで結構なことだと思うが、肩書だけで、実質の給与はかつての旅行会社のスタッフより少ないところが多いらしい。忙しさだけが残って、旅行会社に働く人が旅行に行けないのは本末転倒だろう。旅行会社の職員が、自らも旅行をし楽しむことができなければ、お客様にどのような商品を作れば喜んでもらえるかわからない。よい商品を作るための下見も必要になろう。旅行商品の価格破壊が進んでから、このような旅行会社がすべき努力がなされないまま、時間が無為に過ぎている。

　「感動は売り物です」というパッケージ旅行を作る会社のキャッチフレーズがあった。そして、お客様は皆、それを信じて安くない金を支払った。旅行会社はそれに対して、信頼を失うまいと必死に努力したのである。現在の状況は、そのような努力の度合いが大きく減ってしまっているように思える。旅行会社が努力できる土壌を作り直し、地道な努力を積み重ねていかないと、取り扱い人数に比例する、健全な業界の発展はおぼつかないだろう。

　確かに低価格商品は、新たな需要を開拓した。需要に対する旅行商品の価格負担率弾性値[注]はかつて3.0を超えることもあったが、今やほとんど相関関係が見られないようになった。それは、言い換えれば、もうこれ以上価格を下げても、必ずしも旅行者の数が増えるとは限らないことを意味している。そういった状況の中で、他人の犠牲の上に、仕入れ値を値切り、販売価格を下げても全体的に見て大きな成果は得られない。自らの努力に負うよりも、他人の犠牲の上になり立つビジネスモデルは、やがて崩壊する。一日も早くこの問題に気づき、業界の体質改善を図っていかないとますます疲弊を免れないであろう。

　低価格化の結果、海外渡航者の数は増えた。だが、旅行の質が伴わなかっ

たために、それによって得られるべきもの、たとえば日本人の海外における存在感の高揚などについては必ずしも満足な結果が得られているとはいいがたい。これからは、本来の旅行の目的と効用を見直し、何を切り詰め何を残すべきか問い直し、旅行者が旅行で得るより多くのものと引き換えに、それに見合った対価を快く支払ってもらえるように仕向けていくのが肝要であり、これ以上、業界の疲弊を防ぐために必要であろう。

　（注）旅行商品の需要の伸び率（a）を旅行商品の平均販売価格の可処分所得に占める割合（b＝価格負担率）の変化率で除した指数を（a）に対する（b）の弾性値と呼ぶ（拙著『海外パッケージ旅行発展史』p.46 を参照）。

（2）パッケージ旅行における事故と旅行会社の旅行業法上の責任と問題点

近年のパッケージ旅行における主な事故を拾ってみると、
①トルコにおけるバス事故
②アメリカユタ州におけるバス事故
③大雪山系トムラウシにおける事故
④スイスの氷河特急脱線事故
⑤天竜峡における船の転覆事故
⑥関越道におけるツアーバス事故
⑦万里の長城における事故
がある。

これらはいずれも、運行管理上の問題に起因すると考えられるが、単に、労務管理上の問題だけでなく、旅行業法上の観点からの分析も必要である。ここでは、②、⑥、⑦について考察してみよう。

これらに共通するのは、旅行業者の、旅行業法に基づく、企画責任である。前項に述べた如く、旅行会社には、旅行業法第 11 条の 2 に基づき、国家試験に合格した旅行業務取扱管理者が雇用されねばならない。条文をそのまま引用すれば、

（旅行業務取扱管理者の選任）
第十一条の二　旅行業者又は旅行業者代理業者（以下「旅行業者等」という。）は、営業所ごとに、一人以上の第五項の規定に適合する旅行業務取扱管理者を選任して、当該営業所における旅行業務に関し、その取引に係る取引条件の明

1. 課題と問題提起

確性、旅行に関するサービス（運送等サービス及び運送等関連サービスをいう。以下同じ。）の提供の確実性その他取引の公正、旅行の安全及び旅行者の利便を確保するため必要な国土交通省令で定める事項についての管理及び監督に関する事務を行わせなければならない。

つまり、旅行業務に関し、旅行の安全についての管理及び監督に関する事務を行うことになる。

また、法に謳われている「国土交通省令で定める事項」について、旅行業法施行規則第十条には、管理者の職務として、

（旅行業務取扱管理者の職務）
第十条　法第十一条の二第一項の国土交通省令で定める事項は、次のとおりとする。
　一　旅行に関する計画の作成に関する事項
（以下略）

と規定されているので、旅行の企画に関する管理、監督が含まれていると解される。

事故が起きたときの報道資料などを分析してみると、②のユタのバス事故では、旅行を企画・実施した旅行会社の役員が、現地の事情をまったくといってよいほど知らず、現地の手配代行会社の言うままに旅行のその部分を企画していたことが明らかになって顰蹙を買ったのは記憶に新しいところであるし、⑦の万里の長城事故では、企画実施会社が現地を下見していなかったことで批判を浴びた。

これらに共通する問題点は、企画・実施する旅行会社が、企画上の責任を十分に果たしていないと思われる点である。

すなわち、旅行会社が企画したものがその時点で考えられる諸条件に照らして安全であると考えられるという確認を自らとっていない点が問題なのである。

現地の手配代行会社が企画・実施する旅行会社に「大丈夫です」と言えば、それを全部鵜呑みにし、自らは何も考えていないと思われる節がある。ユタの事故の場合も万里の長城の事故の場合も、考えられる可能性を自らが主体性を持って考えていない。

⑥のツアーバスの事故の場合においても、委託していたバス会社の運行状況を考慮すれば、可能性としての居眠り運転はある程度予想できたに相違なく、それに対応すべく、企画旅行会社として、2人による乗務を提案することもできたはずだ。そこで問題になるのは、原価の問題だが、先にも述べた如く、ヒューマンという原価のかなりハッキリしている部分を削減しようとする意図が強すぎ、2人乗務の必要性を認めつつも提案しなかったのかもしれない。とすれば、企画上の安全を考慮すべきにもかかわらず、半ば確信犯的にそれを怠ったことになる。これでは、本来とるべき責任の回避もはなはだしいといわなければなるまい。

　企画した内容を具体化するについて、それを十分にイメージした状況に基づく安全確認を怠っているからであり、浮上した問題点を知りながら対応策をとらなかったからである。

　事故を起こした会社が2社とも廃業に追い込まれたということにも注意を向けなければならない。すなわち、事故に伴う補償その他の経済的負担や社会的信用を失うことによる損失はとてつもなく大きく、なかなか取り戻すことが難しいからである。

　このように、見かけの華やかさとは裏腹にリスクの大きいビジネスであるにもかかわらず、それに耐えられるだけの財政的な基盤が十分でないところに、旅行業界の弱さを見るのは一人筆者だけではなかろう。だからこそ、安値競争による疲弊が一層の問題となるのであり、体質強化を図って、健全な状態に戻すことが急務なのである。

　業界の中での発言権の確保のため、シェア争いに汲々となるのは分からないでもないが、安全確保を犠牲にしてまで安値を志向し、シェアをとろうとするのは、大きな問題をはらんでいるのだということを、この際、強く再確認しておかなければならない。

(3) 交通の高速化による観光地への影響──宿泊者が増えないという問題

　交通の発達に伴って高速化が進み、目的地までの所要時間が短縮した結果、観光地にとって新たな課題も起きてきている。それは端的に言えば宿泊客の減少である。

　たとえば、やや僻地にある寺社を参拝するにしても、そこに宿泊する必然性が大きく減少してしまったのである。門前町は、もともと、そこに参詣す

る旅行者に宿泊を初めとする便宜を提供することを大きな要因として発生したのであったが、今では、参詣を済まし、ゆっくり時間をとっても、自宅まで帰れる旅行者が多くなってしまったのである。

　以前は、片道3時間以上もかけて参詣に来た場合は、目的地に夕刻までいると、基本的にそこに宿泊するのが一般的だった。ところが、今では、夜までいても帰れることになったから、そこに宿泊する必然性は失われてしまったのである。

　これはまだ数字がないので推計の域を出ないのであるが、人間の行動パターンとして、往復にかかる時間以上に目的地に滞在しないと旅行を味わった気分にならないものらしい。12時間の中でそれを考えると、片道に使ってよい時間のMAXは3時間となるが、今では3時間で東京から京都まで行けるから日帰り旅行が可能になる。

　少し思い浮かべるだけでも、伊勢神宮、高野山、長谷寺、宮島などは大きな門前町を形成しているが、宿泊客は横ばい、ないし減少傾向にある。

　伊勢を例に取ると、新幹線の開業以降、宿泊客の減少が続いていることはすでに述べた（第2章4「門前町の盛衰」を参照）。

　観光による地域の振興を果たした例としてよく引用される長浜にしても、宿泊客は、訪問者の5パーセント程度にすぎないことはすでに述べた（第3章2（1）「歴史的な古い町の再生—長浜」を参照）。

　温泉地も、宿泊客に加え日帰り客に対してもその対応を真剣に考えなければならなくなってしまった。温泉地として成功している由布院にしても、宿泊客はまだ20％前後にすぎない（第2章1（5）「由布院のケーススタディ」参照）。

　これらは、旅行者の数が増えても、一人当たりの単価が大きくならないことを意味するから、さらなる増収を図るためには、宿泊してもらう必然性をつくらなければならない。泊まらないとできない、味わえない、旅行者にとって魅力的なこと（イベントなど）を考えねばならなくなったのである。現在各地で盛んに行われているライトアップや、朝市、早朝しか見られない現象（朝霧など）を魅力として売り込むことが盛んになったのもそのせいだといえるだろう。そのようなイベントなどは旅館が一社で行っても弱い。おのずと地域全体の協働が必要であり、地域全体として取り組まねばならない。

　ここにも、観光で地域を振興させるには、地域全体の連携が必要になることが知られるのである。

(4) 世界遺産登録と住民の生活

　世界遺産登録に伴って、地元に生活する人々と旅行者の調和の必要性が高まっている。たとえば石見銀山を擁する大田市では、バスの乗り入れを入り口近くまで延伸したものの、地元民からの苦情によって撤回してしまった。騒音問題などがその理由である。世界遺産登録はきっかけとしてはよいのだが、地元に還元できるものがなければ、その地域の人々は割り切れない感情を持つようになるであろう。

　富山県の五箇山にある相倉合掌作り集落では、来訪する旅行客へ配布する地区の案内書の表紙に「観光客の皆様へのお願い」が書かれている。その内容は、
　①集落内は禁煙
　②屋敷内、田端、あぜ道などの生活範囲には立ち入らないこと
　③住民の車が通行するときは、道を譲ってほしい。
　④早朝、夕暮れ以降の見学は住民の生活を守るため遠慮してほしい。
　⑤ゴミは持ち帰ってほしい。
　そして
「観光客は、世界遺産の価値を理解しようとせず、トイレ休憩とゴミ捨てに立ち寄るだけ」との厳しい指摘もあると聞く。

五箇山で配賦しているパンフレット

　五箇山は、世界遺産に登録される以前から国の史跡であって、建築物などの保存に制約が多い上に、何よりも一般人の生活しているところである。これらの5項目は、一般住民の本音であろうし、切実な願いでもあろう。反論すべきところはまったくない

　平泉は、2007年の「世界遺産登録延期」の後、住民の意識が変わっていった。それまで、登録は自分たちの生活に何のかかわり合いもないと思っていた多くの住民が、観光客の受け入れに協力し始めたのである。

すなわち、観光客を意識した「おもてなし」について話し合ったり、自分たちの町である平泉の歴史を学ぶための勉強会を始めたのであった。

平泉ほど有名でありながら観光客を受け入れるためのインフラが整備されていないところも珍しいと、かねてから思っていた。平泉の駅からなだらかな坂を登っていく道にはささやかな商店街があるが、いわゆる「観光地」とは異なり、華やかさはほとんど感じられない。宿泊施設も民宿と旅館がわずかにあるだけである。毛越寺から中尊寺までの道にも大きな店はほとんどない。わずかに南部鉄瓶を売る店などが散在しているだけである。このようなままでは、観光客が訪れるようになっても、それをきっかけとした地域振興は難しいであろう。このような状況を憂慮して有志が動きだしたのである。店の前に縁台をおいたり、トイレを利用させたりするようになった。

幸いに2011年に世界遺産に登録され、観光客は前年に比べ+38％と大幅な伸びを示した。多くの旅行者が訪れるようになったのは喜ばしいことであるが、多くはバスで中尊寺や毛越寺、義経堂などをめぐり、宿泊はおろか商店街に立ち寄ることも少ない。このような一過性の旅行者を受け入れるだけでは、やがて世界遺産登録のマイナス面だけが表面化してしまう。

町の観光商工課では、日光など他の世界遺産のある地域を視察し、研究しながら、観光客が長くとどまってくれるような方策を進めている。たとえば、中尊寺通りの無電柱化をすすめゆっくりと散歩できるようにしたり、照明を低い位置に設置しなおして、観光客が町の雰囲気を楽しめるようにした。近い将来には、町を3つのゾーンにわけ、商店街のある賑わい地区、無量光院地区、中尊寺とその参道のそれぞれに見合った整備を行っていくのだという。

登録以降、空き店舗が埋まり、商工会の調査によれば商店街の売り上げが2割から3割増えるなど、緩やかではあるが経済的な活性化がみられるようになったことを町も評価しているのが現状である。

東日本大震災からの復興の心の支えともなっている平泉の世界遺産登録を、住民の生活と調和させながら有効に活用してもらいたいと願わずにはいられない

吉野山を訪れると駐車料金がどこでも1回1,500円である。これはかなり高額だと感じてその理由を尋ねると、ひとつには、地区内の道が狭いのでできるだけ公共交通機関で来訪してほしいということであった。他の理由とし

て、この「やや高額の」駐車料金の一部を地区内の様々な維持費に充てるため、という答えが返ってきた。前者は理解できるが、後者はよく理解できない。できれば来てほしくない自家用車の駐車料金からも世界遺産としての地区の整備に充てる費用を捻出しなければならないのであれば、地区にとっては、かなりの財政的な負担となっているということである。そのような状況に対して国がどのような対策を講じていくべきなのか、真剣に考える時期が来ているのではないかと思われる。

　西日本には、京都、奈良など世界遺産のある都市が多いが、東日本の歴史都市鎌倉も、目下、世界遺産登録に向けて大きな運動を展開している。ただ、鎌倉の場合、他と異なるのは、登録には冷めた住民が多くいることから、いまひとつ全市民的な盛り上がりを見せていないことである。風光明媚であるのに加え、東京の郊外としての利便性から、富裕層の住民が多く居住することがその大きな理由であるとされている。
「住民にとっては、ブランド力のある高級住宅地であって、そこに住んでいるということの方が、観光地であることよりも重要なのである。住民の中で観光産業に寄りかかって生活している人の割合が他の『観光都市』に比べて小さいことが、そのような意識を醸成している一因でもあろう」。鎌倉に居住し、観光に理解と関心がある登録推進派の方々に意見を求めると、いつも同じような答えが返ってくる。
　最近では、着地型旅行として「みんなの鎌倉遠足」という大人向けの付加価値のついたプログラムを企画して若い女性や中高年の観光客の誘致を図ったり、テレビ露出による効果を狙って、旅行番組や鎌倉を舞台としたテレビドラマの撮影に協力するなど登録に向けての積極姿勢が目立っている。鎌倉が世界遺産登録に伴う様々な課題をどのように解決していくかは、登録誘致を考えている自治体にとって大きな指針となろう。

　世界遺産が外国人を含む多くの観光客の来訪を促していることは明らかであり、観光による地域振興のきっかけとして捉えるならば、きわめて有効であるが、同時に、住民生活との調和を考えた場合、すべてを地元任せにするのではなく、世界遺産がその本来の登録趣旨を全うできるように国としての必要な援助、補助と同時に住民の思いや願いに真摯に耳を傾けるようにする

ための旅行者への啓蒙活動や、旅行会社への指導も必要になってきている。

(5) 老舗旅館の倒産
　本題については、第2章1. (1) 日本の温泉と温泉地を参照。

(6) これからの観光旅行に求められるもの
　今までの種々の事例の考察から、観光地が観光地として持続して成り立ち、その地域の振興に資するためには、いくつかの共通項があることが分かる。それらは端的に言えば、次の諸項目である。
　①地域の魅力の再発見（今あるものをいかに魅力あるものとして捉えなおすか）。
　②オリジナリティ（他にはないものを生み出す力）。
　③それらを商品化し、情報を発信する能力（観光と地域の事情に明るい強力なリーダーシップをもった人材が必要である）。
　④観光地を一つの企業と見るならば、それを運営し、マネージしていく経営感覚、ないしマーケティング能力。
　⑤地域が一体となって観光に取り組んでいること。単なる行政主導だけではなく広く住民全体の共感と協力が必要である。
　⑥継続してやっていくこと（継続は力なり）。
　⑦ときめき（観光客がいつ来ても「ときめく」ことができる要素を持っているか）が常に問われている。
　⑧これらは、観光客のリピーター化に繋がっていく。

(7) パッケージツアーの原点回帰
　パッケージツアーを今ある状況だけから判断すると誤解を招く。今の状況は、旅の部品の寄せ集めにすぎない観がある。それは、さしずめ、小学生、中学生時代に理科少年が求めたようなラジオの「キット」にすぎない。なるほど、「キット」を買えば部品は全部揃っているから、後は若干の工具とハンダ鏝があればラジオは作れるし、そうやって出来上がったものに電気を通せば放送を受信できるだろう。
　ただ聴ければよいのならばそれで済むが、「もっとよい音で聴きたい」「低音を強く出したい」「遠くの放送局の放送も聴けるようにしたい」とか、「使

いやすいラジオにしたい」「もっと小型のものを」「電池で聴けるラジオを」などといろいろな希望が出てくると、やがて、素人には手に負えないものになってくる。それを見越して、メーカーは製品を作る。それがマーケティングのひとつの目的である。消費者のニーズを先取りし、消費者が自分でできないことをプロがするのである。

モノ作りの世界でも、**求められているものをいかに安く作るかということから、いかに消費者の望むものを作るかに変わってきている**。前者を技術の世界では「プロセスコントロール」と呼び、後者を「プロダクトコントロール」と呼ぶ。技術経営の第一人者である出川通氏は、その著書の中で、

　いわゆる理系の技術者、開発者などの枠を超えて、自分の専門性を大切にする人々を総称して『技術者』と呼ぶならば、最近の技術者に求められるのは、プロダクト型のイノベーションである。従来の手法であるプロセスコントロール型の経営だけでは付加価値がとれない（＝儲からない）ため、他人に先駆けて、顧客（マーケット）のニーズに合致する新しい製品を作り出さなければ（プロダクトコントロールをしなければ）利益を得られなくなってしまったからである

と指摘している（『「理科少年」が仕事を変える、会社を救う』p.8 他、彩流社、2008年）

この考え方は、そっくり旅行業界にもあてはまるのではないだろうか？　かつて、海外旅行が自由化されてから20年間ぐらいは、旅行業界もこのような「血の出るような努力」を行っていた。そしてそれなりの実入りもあった。それは、海外旅行商品を企画することは、知識の面でも、経済力の面でも、誰でもが参入できるビジネスでは必ずしもなかったことを示している。それが、様々な変化、規制緩和などによって多くの人が参入できることになったのであったが、ノウハウの少ない後発の参入者は、そのような努力よりも価格を下げることで自らの位置を占めようとし、それに全体が引っ張られてしまったのである。その行き着いた先が現在の旅行業界の現状である。旅行業界の場合、自分で生産するものはほとんどないので、価格を下げることは相手との力関係で決まってしまうことが多い。大手までもこのようなやり方になったら、業界全体が悪循環に陥るのは目に見えている。

価格が下がったのは消費者にとって歓迎すべきことであるが、他の部分についてはどうであろうか？　旅行者のニーズを先取りし、旅行者が自分でで

1. 課題と問題提起

きないことを旅行業者が率先して行っているであろうか？　現地の情報にしても今や旅行者も業者と同じレベルの、場合によってはそれ以上の情報をもっている。こういう状況の中で、旅行業者は、旅行者が自分ではできないことを提供しているであろうか？　皆無とは言わないまでも残念ながら少ないのである。商品の企画においても、実施においても、圧倒的にプロとしての優位性を示すようなことは少なくなってしまったし、そういう努力をしていると思われる会社が少なくなってしまった。それが、利益の逓減に伴う会社の体力の低下、優秀な人材を雇いにくくしていることによるものであるとしたら、まったく負の連鎖に陥ってしまっている。

そういった状況が一般的になってしまった中で、旅行者のニーズを一生懸命に探ろうとし、旅行の実施にあたる人材に投資し、質の高い旅行を主力商品として提供している会社があるのは、心強いことである。たとえば、海外旅行ではワールド航空サービス、グローバルユースビューロー、旅のデザインルーム、ニッコウトラベルなど。国内では、東京の市内観光を主として扱うはとバスなど。このような会社の旅行にはリピーター（常顧客）の参加者が多い。価格も一般的なレベルに比べて割高であるが、旅客はそれに納得して参加し、旅行後の満足度も90％程度と他の一般的な旅行会社に比して高いとされる。

はとバスの商品には斬新な企画が多いが、担当者が100のアイディアを出しても、採用されるのは1割にも満たないという。そのような「血のにじみ出るような」努力が、今こそ旅行業界全体に必要とされているのではなかろうか。筆者は『海外パッケージ旅行発展史』の中でも指摘したが（p.204）、このような先行する会社が大きな調査費等を投じて作り上げた「付加価値」（旅程、内容、その会社によって新たに企画された現地イベントなど）を一定期間保護し、先行会社の利益を保証するという一種の「知的財産権」のようなものを認め制度化することが、今こそ必要な時期に来ているのではないかと痛感している。

このようなことこそが、地味ではあるが、これからますます必要になるのではないか。デパート業界が流通の王座をスーパーやコンビニに明け渡してから久しい。今、生き残っている百貨店は「百貨店としての原点回帰を目指している」という。その言わんとするところは、字面の「百貨を置く」ことにあるのではなく、百貨を置いていた頃のデパートとは消費者にとってどう

いう意味を持っていたのかを考え直し、それを確認し、今またそれを実践することにあるのだという。旅行業界、とりわけパッケージ商品の意味がどこにあったのか、もう一度その時代性とともに考え直し、それを未来に向けてどのように活かすかということを考える意味はまさにそこにある。いま、混乱の時代であるからこそ、パッケージ旅行の商品としての意義を問い直す必要があると考えられるのである。

(8) 観光地の評価とガイドブック
①世界のガイドブック

世界のガイドブックの中で著名なものは、『ミシュラン』（フランス）、『ブルーガイド』（イギリス）、『ナジェール』（スイス）などである。詳しくは、拙著『海外パッケージ発展史』181ページ以下を参照していただくこととして、ここでは、日本の観光地、観光政策に関連することだけを取り上げるにとどめる。

先に、JNTOの働きかけでミシュランが日本を目的地とするガイドブックを制作したことは述べた（第4章2（6）VJC—外国人による地域の活性化参照）。『ミシュラン・グリーンブック・ジャポン』の内容をよく見ると、単にその観光地に関する説明に止まらず、関連する言葉、背景となる文化の説明までもかなり詳しく記されていること、また、旅行者の便を考え、観光地の見出しに日本語を併記するなどミシュランならではの工夫がなされていることもすでに指摘したとおりである。

関西では高野山に多くのページをさかれていたり、食事の店が日本人にはなじみのないものが多かったりする点が気にならないわけではないが、外国人の作ったガイドブックとしては、よくできていると言わねばならないだろう。日本で発行されている日本人向けのガイドブックは、その土地に対する説明や、読者が疑問に思う事柄に答えるというよりも、グルメ、お土産のガイドといった趣が強く、その土地を旅行してどんな楽しみが得られるかといった、いわばエンターテインメント的な、軽い感じのものが多くなってきている。また「情報誌」にいたっては、そのようなものに加えて、企画モノというと聞こえがよいが、いわゆるちょうちん記事が大部分を占めていて、編集者の見識を示すような記事は極めて少ない。採算のこともちちろんビジネスとして重要であるから、読者に受けのよいものをというのも理解できるが、

旅行によって楽しみだけでなく、人間性も高めようとするのであるならば、もう少し硬派なものもあってもよいのではないかと感じる。その点、『ミシュラン・グリーンブック・ジャポン』は、内容を検討するのに値しよう。

②ミシュランの評価

　レストランの案内書である『ミシュランガイド東京』が出版されたとき、すごい反響を呼んだことは記憶に新しい。初版が数日で売り切れ、買えなかった読者が続出した。日本人の食に対する根強いあこがれを感じさせるものであったが、一方で、自分の判断に今一つ自信が持てないという日本人の性格を表しているようにも受け取れた。その点、関西版が出たとき、これに異を唱える動きがかなりあったというのは、関西の食に対する自負を感じさせて、むしろ健全なことと言えるかもしれない。そもそもフランス人に日本料理、日本の店の評価ができるのかという不信感も、特に京都の老舗割烹を中心にして多かったらしい。ミシュランの評価スタッフは複数で、日本人もいるから、フランス人に日本料理の味が分かるのかという批判は必ずしも当たっているわけではないが、味以外の評価の方法はミシュラン独自のものだから、どうしてもフランス的になってしまうのは否めないだろう。そういった、阿吽の呼吸でわかる部分がどのように評価されているのは知る由もないが、すくなくとも「京料理」というだけですべて納得してしまう「自称グルメ」や「半可通」には、美味しくない京料理もあるのですよという警鐘として捉えればよいのではないかと思われる。

　読者の参考までに、京都在住の3氏の意見を引用しておこう（朝日新聞2009年11月15日付朝刊）。

村田吉弘氏（菊の井3代目主人）

「ミシュランは外国人のためのガイドブックやと思うてます。……京都・大阪版は、日本料理という、『極東のエスニック』を世界に発信していく非常に大きなチャンスでもあり、総論としては大賛成です」。

「京料理では、空間のしつらえや器への心づかいなどを重視します。だから、『皿の上の料理そのもの』だけで評価するミシュランの基準は『料理人に失礼やないか』ということになる」。

「海外の人が日本料理に関心を持つきっかけをつくるという大きな利点もある」。

千宗守氏（武者小路千家 14 代家元）
「私から見ると『ミシュラン京都・大阪』のラインアップは、華やかすぎる」。
「『ミシュラン』はドライバーの、未知の土地を行く旅人のためのものです。京都版もそういう人にとって、おいしいと感じられる店を並べている。これは、文化ではなく、文明の尺度で選んだスタンダード。旅人を迎える京都の顔と割り切れば、一貫性、客観性はあります」。

熊倉功夫氏（林原美術館館長）
「ミシュランの評価で行く店を変える京都人はあまりいないのではないか。今に『ミシュラン？そんなもんあったかいなあ』といわれそうだ」。
「食べる側は世間の評判だけを頼りに店に通い、自らの舌に自信と責任を持たなくなった。……食べる側が見識を持っていれば、ガイド本が話題になることはないはずだ」。

　3氏のコメントの中にミシュランの本質を垣間見ることができるのでは、と感じるのは筆者だけではなかろう。

（9）観光地の付加価値とは何か？

　観光地にある店が東京に出店を作れば、短期的な商売としては失敗しないビジネスであるかもしれない。ただ、それは安易であるともいえる。地方に行かなくても、観光地に行かなくても、得られるものが多くなれば、地方の、そして観光地の相対的な地位は低下する。観光による地域の振興という見地からすれば、**その場所に行かなければ得られないもの**を作りだしていかなければ、長期的に見た場合、その観光地の大きな発展は望めないだろう。

2. 観光産業の展望（結びに代えて）

　2012年4月16〜19日に、第12回WTTCグローバルサミットが仙台と東京で開かれた。WTTCとは「the World Travel & Tourism Council」の略で、「世界旅行ツーリズム協議会」と訳される。世界のツーリズム関連企業の主要100社の経営者で構成され、国連の世界観光機関「UNWTO」と連携しながら、ツーリズム関連業界の発展を支える活動を行っている非営利団体で、観光に関する主要分野の民間企業を世界規模でカバーする唯一の機関である。日本では、ジェイティービー、JR東日本、JAL、ANA、プリンスホテルグループなどの運送・宿泊系の企業だけでなく、東芝、トヨタ自動車、三井不動産、大成建設、清水建設、JCBなどがメンバーに名を連ねている。

　WTTCが毎年開催するグローバルサミットは、国際機関、各国政府、国内外の経済団体やメディア等、約1,000名が集う大規模な国際会議で、規模の大きさと多様性から「観光分野のダボス会議」と称されている。

　2012年の開催では、多数の外国人も含め1,200人を超える参加者があり、観光に関連する産業の活性化、仙台の復興状況をはじめ、我が国の元気な姿を世界に発信して、成功裡に終了したが、今後に向けての継続的課題として

①日本ツーリズム産業の真の国際化
②日本インバウンドの発展
③人材育成
④会議運営アプリケーションの活用

の4項目をあげている。とりわけグローバルツーリズムに関する日本語の情報発信が非常に少ないことから、世界、特にアジアのツーリズムで起きている重要な変化や大きな潮流を継続的に日本のツーリズム関係者へ発信する一方、日本で開催するツーリズム関連イベントが相互に連携して国際化を図っていくこと、また、日本の存在感を高めるためにもツーリズム関連国際会議やイベントに積極的に参加、招致していくことが必要と指摘している。この会議を運営する日本組織委員会の委員長は日本観光振興協会の西田厚聰会長が務めたが、氏は現職の東芝取締役会長である。委員長が観光関連企業の出身ではないこと、委員会のメンバーが多様な業種にまたがっていることに、

注意しておく必要がある。言い換えれば、このことは、観光産業が、もはや旧来の運送・宿泊系の企業だけで成り立っているのではなく、モノづくり、建設、金融などの広い範囲の業種に影響を及ぼしていることを示しているのであって、裏返して言えば、運送・宿泊系以外の企業でも、観光的な発想をすることによって新たなビジネスチャンスを得ることができるということでもある。あるいは、これからは、すべての企業が観光的な発想をすることを求められているといっても過言ではなかろう。

今回、仙台と東京で開催されたのは、東日本大震災からの復興に資することを意図したものであったが、日本経済新聞に掲載された特集を見れば、主催者の熱意が伝わってこよう。

人間が地球上の各地に存在する限り、人の交流はなくなることがないであろうし、人が生き続ける限り、新しいものを見たい、知りたいという好奇心も止まるところを知らないであろう。その意味において、観光という人間の根源的な欲求に根ざした旅行も決してなくなることはないと言えよう。であるならば、観光産業は、そういうニーズにより一層合致するものでなければならない。旅行の要素を単にアッセンブルするだけでなく、そこに人間を満足させるようなもの——**付加価値**——がなければならない。

日本人の旅行動機が、西欧におけるような、衣食住に次ぐ「太陽の光」ではない以上、**旅行することの意味**が問われるようになっている。にもかかわらず、旅行素材を安く提供するだけでは、旅行業者のレゾンデートルが問われよう。旅行が「コモディティ化」したということは、言い換えれば、旅行業者は、旅行のソフトな部分について以前のように努力をしなくなってしまったということである。ソフトな部分についての付加価値が少なくなれば、旅行の生産性も上らない。旅行業がかつて「4畳半ビジネス」といわれた時代があった。4畳半のスペースと電話にタイプライターがあれば、すぐ参入できるビジネスであることを揶揄したものである。その時代は手配旅行しか存在しなかったから、お客様の言われることだけをしていれば、独自の努力はそれほど必要なかった。AIR、ホテルの手数料の実額が大きかったからそれですんだのである。だが、いまや、AIRはゼロコミッションの時代になり、ホテルも直接予約の客が増大しつつある。

このような中で、旅行業者は、ハードではなくソフト、ないしヒューマン

の世界で収益を上げていくことが求められる。それを、業者自らがそれらを切り捨て、相も変わらずハードな部分の安売りに汲々としているのは、笑止といわなければなるまい。安易ではないが、正当な努力を惜しまず、それに対して正当な報酬が得られるというビジネスモデルに戻す努力が必要とされているのではないだろうか。

　提供した努力に見合う対価を業界全体で享受し、業界に働く人々が恩恵を蒙るようなプラスの循環が今こそ必要なのである。疲弊した状況からは何も新しいものは出てこない。今こそ勇断をふるって一歩を踏み出すときではないかと考える。

　おりしも、2013年の年頭所感で、観光庁の井手憲文長官が「これまでの観光政策の議論は、…（中略）…旅行業をはじめとする観光産業のあり方やその強化策についての視点が必ずしもも十分でありませんでした」と指摘し、ＪＡＴＡ（日本旅行業協会）の菊間潤吾会長が「本年を旅行会社がマーケットを創造する『旅行業の価値創造元年』とし、より一層の旅行業のプレゼンス向上、業界全体の社会的地位向上を目指し、まい進してまいります」と述べているのは、このような「観光業・旅行業の復権」を予感させる。

　読者諸兄姉と共に、その実現を期待しつつ、本稿の筆を擱きたいと思う。

あとがき

　東京以外に故郷というものを持たない筆者はその反動として、若い頃から各地を歩き回ったが、若い感性に響いた日本の美しい風景、文化（それは本書で言う「観光の対象となるもの、観光資源」なのであるが）に対する愛着がこの本を書かせたといってよい。一度行けば、様々な興味と関心が湧き、再び訪れたくなる。そんな場所が日本には今でも実に数多くある。まこと、愛情に勝る強さはない。

　観光とは、つまるところ、訪れる人にときめきの感情を起こさせるものでなくてはならない。人によって、それは様々であるが、多くの人がそのような感情を持つことができる場所こそが真の観光地といえるであろう。

　日本の各地に残る観光地がこれからも美しさを失わず、訪れる人たちに幸せな感情を起こさせ、同時に、その地域に住む人たちをも幸福にできれば、こんな嬉しいことはない。観光学の役割も、畢竟、そのような目的を達成する一助となるべきものであろう。そのためにも、観光学はすべて事実を実際に見るところから始めなければならないというのが筆者の信念であり、原点でもある。日本には、日本人の生活をベースにした観光地があり、日本人に独特の観光がある。それは単純に外国のそれと比較できない要素も多い。従って、いたずらに外国文献を多く引用したり、難解な言葉を用いて説明するのは、現在の我々が当面している課題の解決にはならないであろう。

　本書は、関西大学政策創造学部の創設と共に始まった新しい講義をもとに、大幅な加筆を行ったものである。幸い、熱心で優秀な学生諸君に恵まれ、年を追うごとに、内容が充実したものになっていったのは喜ばしいことであった。

　今までの度重なる旅行や大学の教育現場での経験から、問題意識として持っているものは広く、また多様で、本書の中で書き尽くせなかったことも沢山あるが、それらは次の機会に譲ることとしたい。さらに、観光、旅行業界

に特有の統計、データの不足によって、十分に検証できなかったことも多いのではないかと危惧しているが、それとても単なる推測ではなく、筆者が実際に歩いて得たものとして、意あるところを汲み取っていただければ幸いである。

　本書を執筆するにあたり、再度、訪れたところも少なくない。そこでお話を伺った多くの方たち、資料を快く提供して下さった方々——それは、観光関係に従事する方たちだけに限らず、市井に生活する一般の方々も多かった——のお力添えがなかったら本書は完成を見なかったであろう。逐一、ご芳名を記せないのが残念だが、ここに心からの感謝を申し上げたい。また、前著に引き続き、原稿の段階から本の完成に至るまで労を惜しまず多くの業務を引き受け、出版を快諾してくださった、彩流社企画改め言視舎代表取締役杉山尚次氏とスタッフの方々に衷心からの御礼を申し述べたい。

　　　　　　2013年　元日　晴れの佳き日に　武蔵野の閑居にて
　　　　　　　　　　　　　　　　　　　　　澤渡　貞男

主要参考文献

京都市産業観光局編『京都市観光調査年報』(京都市　2011 年)
長谷章久編『風土と文学』(教育出版文化センター　1984 年)
財団法人日本交通公社『観光読本』(東洋経済新報社　2004 年)
岡本伸之編『観光学入門』(有斐閣　2001 年)
佐々木一成『観光振興と魅力あるまちづくり』(学芸出版社　2009 年)
溝口薫平『虫庭の宿』(西日本新聞社　2009 年)
稲取温泉観光合同会社『こらっしぇ稲取大作戦！報告書』(2010 年)
後藤哲也『黒川温泉のドン後藤哲也の『再生』の法則』(朝日新聞社　2005 年 2 月)
細井　勝『加賀屋のこころ』(PHP 研究所　2010 年)
中沢康彦『星野リゾートの教科書 サービスと利益　両立の法則』(日経 BP 出版センター　2010 年)
久保田美穂子『温泉地再生』(学芸出版社　2008 年)
日本観光旅館連盟編『60 年の歴史と展望―日観連創立 60 年記念誌』((社)日本観光旅館連盟　2011 年)
ヨハン・ホイジンガ『ホモ・ルーデンス』(高橋英夫訳　中央公論社　1963 年)
カイヨワ『遊びと人間』(清水幾太郎、霧生和夫訳　岩波書店　1970 年)
加賀見俊夫『海を超える想像力』(講談社　2003 年)
神近義邦『ハウステンボスの挑戦』(講談社　1994 年)
渡辺和敏『東海道の宿場と交通』(静岡新聞社　2000 年)
出島二郎『長浜物語　町衆と黒壁の 15 年』(特定非営利活動法人まちづくり役場　2003 年)
天神橋 3 丁目商店街振興組合編『天神橋筋繁盛商店街』(東方出版　2010 年)
西郷 真理子『まちづくりマネジメントはこう行え』(仕事学のすすめ) (NHK 出版　2011 年)
小嶋光信『日本一のローカル線をつくる』(学芸出版社　2012 年)
芦原義信『街並みの美学』(岩波書店　1979 年)
藤岡謙二郎『歴史的景観の美』(河原書店　1965 年)
AERA MOOK『観光学がわかる』(朝日新聞社　2002 年 7 月)
沢　功『ようこそ旅館　奮闘記』(日観連事業　2006 年)
日本観光協会『観光カリスマ』(学芸出版社　2005 年)
白幡洋三郎『旅行のススメ』(中央公論社　1996 年)
森　彰英『ディスカバー・ジャパンの時代』(交通新聞社　2007 年)
奈良県国際観光課『平城遷都 1300 年祭　実施報告書』(2011 年)
出川　通『「理科少年」が仕事を変える、会社を救う』(彩流社　2008 年)
観光庁『主要 50 社の海外旅行販売統計』(電子版)
日本観光協会『全国観光動向』(日本観光協会　1997 年)

奥野一生『新・日本のテーマパーク研究』(竹林館　2008 年)
中野晴行『はとバス 60 年』(祥伝社　2010 年)
寺前秀一『観光政策・制度入門』(ぎょうせい　2006 年)
大久保邦彦・三宅俊彦編『鉄道運輸年表』(日本交通公社　1977 年)
日本国際観光学会『観光学大辞典』(木楽社　2007 年)
観光庁観光産業課監修『旅行業実務六法』(東京法令出版　2009 年)
観光庁『観光白書』
日本観光振興協会編『数字で見る観光』(創成社　2012 年)
日本旅行業協会編『数字が語る旅行業』(日本旅行業協会　2012 年)
WTTC 日本組織委員会『WTTC グローバルサミット実施報告書』(電子版　2012 年)
財団法人　日本交通公社『旅行動向　2012』(2012 年)

図表索引

図-1	観光産業の構成	27
図-2	熱海の宿泊客数の推移	48
図-3	熱海の宿泊施設数の推移	49
図-4	由布院温泉の旅館の宿泊料金価格帯分布	56
図-5	由布院温泉の旅館の客室数分布	56
図-6	伊勢参宮客数と宿泊者数の推移	93
図-7	長浜まち歩きMAP	116
図-8	夕張人口推移	137
図-9	夕張来訪者数推移	137
図-10	京都における観光客の月別人数変化	179
図-11	訪日外国人旅行者数推移	185
図-12	奈良県観光客数	193

表-1	主要門前町一覧	21
表-2	国立公園一覧	30
表-3	主要各国の出国者数・出国率	34
表-4	主要旅行業者旅行取扱状況	37
表-5	大卒の初任給推移	43
表-6	2008年1月〜2009年2月の宿泊施設大型倒産	51
表-7	稲取温泉入湯客数推移	62
表-8	電鉄系の主要な遊園地一覧表	72
表-9	日本の主なテーマパーク	75
表-10	主要テーマパーク年間入場者数推移	77
表-11	「おかげ横丁」入場者数推移	96
表-12	長浜黒壁スクエア来街者数推移	123
表-13	和歌山電鐵実績	130
表-14	夕張の観光施設「石炭の歴史村」各施設の入館状況	138
表-15	通訳案内士登録者数の推移	144
表-16	姉妹(友好)都市提携相手先一覧	156
表-17	日本のANTOR会員リスト	175
表-18	各国政府観光局の現状比較	176
表-19	外国人旅行者の訪日動機	188

[著者紹介]

澤渡貞男（さわど・さだお）

駒澤大学文学部講師。関西大学政策創造学部講師。
昭和21年東京生まれ。昭和45年旅行開発株式会社（現在のジャルパック）入社。マーケティング、商品企画、営業開発、計数管理、広報などを担当。大阪支店・空港をへてサンフランシスコ支店次長、お客様相談室長を歴任。仕事で海外各地を旅行する一方、北海道・礼文島から対馬・五島列島・沖縄までの日本各地を趣味で歩き回る。京都・奈良にも詳しく、訪れた寺社は数知れない。この間、日本旅行業協会法務・弁済部副部長、旅行業公正取引協議会専門委員を兼務。2005年の旅行業法・標準旅行業約款の改正には業界側委員として携わり、日本旅行業協会広告部会長として『旅行広告・取引条件説明書面ガイドライン』を編集した。学生の面倒見がよく、難しいことを分かり易く話すと評判で、実体験に基づく映像を駆使した講義に特徴がある。著書に『海外パッケージ旅行発展史』（彩流社）などがある。日本国際観光学会会員。

装丁 ……………… 佐々木正見
DTP制作 ………… 勝澤節子
編集協力 ………… 田中はるか

ときめきの観光学
観光地の復権と地域活性化のために
発行日❖2013年4月30日 初版第1刷

著者
澤渡貞男

発行者
杉山尚次

発行所
株式会社言視舎
東京都千代田区富士見2-2-2 〒102-0071
電話 03-3234-5997　FAX 03-3234-5957
http://www.s-pn.jp/

印刷・製本
㈱厚徳社

ⓒSadao Sawado, Printed in Japan
ISBN978-4-905369-56-1 C0036
JASRAC 出 1304088-301